VIDA DE
SÃO FRANCISCO
DE ASSIS

Dados Internacionais de Catalogação na Publicação (CIP)
(Câmara Brasileira do Livro, SP, Brasil)

Celano, Tomás de
 Vida de São Francisco de Assis / Tomás de Celano ; tradução de Frei Celso Márcio Teixeira. – Petrópolis, RJ : Vozes ; Brasília, DF : CFFB Conferência da Família Franciscana do Brasil, 2018.

 Título original: Vita S. Francisci

 9ª reimpressão, 2025.

 ISBN 978-85-326-5834-0

 1.Francisco de Assis, Santo, 1182-1226 2. Hagiografia cristã 3. Santos cristãos – Itália – Assis – Biografia I. Título.

18-17424   CDD-282.092

Índices para catálogo sistemático:
1. Santos : Igreja Católica : Biografia   282.092

Maria Paula C. Riyuzo – Bibliotecária – CRB-8/7639

TOMÁS DE CELANO

VIDA DE SÃO FRANCISCO DE ASSIS

Tradução de Frei Celso Márcio Teixeira, OFM

Conferência da
Família Franciscana do Brasil

Petrópolis

O texto da *Vida de São Francisco de Assis*, escrita por Tomás de Celano, é extraído das *Fontes Franciscanas e Clarianas*, editadas em 2004 pela CFFB em coedição com a Editora Vozes.

© desta tradução, 2004, 2018
CFFB – Conferência da Família Franciscana do Brasil
SCLRN, Bloco B, Entrada 11
70750-512 – Brasília, DF

Em coedição com:
2018, Editora Vozes Ltda.
Rua Frei Luís, 100
25689-900 Petrópolis, RJ
www.vozes.com.br
Brasil

Todos os direitos reservados. Nenhuma parte desta obra poderá ser reproduzida ou transmitida por qualquer forma e/ou quaisquer meios (eletrônico ou mecânico, incluindo fotocópia e gravação) ou arquivada em qualquer sistema ou banco de dados sem permissão escrita da editora.

CONSELHO EDITORIAL	PRODUÇÃO EDITORIAL
Diretor	Aline L.R. de Barros
Volney J. Berkenbrock	Jailson Scota
	Marcelo Telles
Editores	Mirela de Oliveira
Aline dos Santos Carneiro	Natália França
Edrian Josué Pasini	Otaviano M. Cunha
Marilac Loraine Oleniki	Priscilla A.F. Alves
Welder Lancieri Marchini	Rafael de Oliveira
	Samuel Rezende
Conselheiros	Vanessa Luz
Elói Dionísio Piva	Verônica M. Guedes
Francisco Morás	
Gilberto Gonçalves Garcia	
Ludovico Garmus	
Teobaldo Heidemann	

Secretário executivo
Leonardo A.R.T. dos Santos

Diagramação: Sheilandre Desenv. Gráfico
Revisão gráfica: Nilton Braz da Rocha / Nivaldo S. Menezes
Capa: WM design
Ilustração de capa: São Francisco de Assis (detalhe), Cimabue (cerca de 1280).
Faz parte do afresco "Madonna no trono com os anjos", que ilustra a parede do braço direito do presbitério da Basílica Inferior de São Francisco, em Assis, Itália.

ISBN 978-85-326-5834-0

Este livro foi composto e impresso pela Editora Vozes Ltda.

Sumário

Apresentação de Frei Fidêncio Vanboemmel, OFM 7

Introdução de Frei Celso Márcio Teixeira, OFM 11

PRIMEIRA VIDA DE SÃO FRANCISCO 21

Prólogo 21

Primeiro Livro 22

Segundo Livro 83

Terceiro Livro 109

Epílogo 126

SEGUNDA VIDA DE SÃO FRANCISCO 129

Prólogo 129

Primeiro Livro 131

A sua conversão 131

Santa Maria da Porciúncula 143

O modo de vida de São Francisco e dos irmãos 145

Segundo Livro 148

Introdução ao segundo livro 148

O espírito de profecia que o bem-aventurado Francisco teve 149

A pobreza 169

A pobreza das casas 170

A pobreza dos utensílios 172

A pobreza das camas 173

Exemplos contra o dinheiro 175

A pobreza das vestes 177

O pedir esmola 179

Os que renunciam ao mundo 184

Uma visão que tem da pobreza 185

Compaixão de São Francisco para com os pobres 186

O empenho de São Francisco na oração 192

A compreensão que o santo tinha das sagradas escrituras e a força
de suas palavras 198

Contra a familiaridade das mulheres 204

As tentações que suportou 207

Como os demônios o açoitaram 209

A verdadeira alegria do espírito 213

A alegria inconveniente 216

Ocultação dos estigmas 218

A humildade 221

A obediência 228

Os que dão bom ou mau exemplo 230

Contra o ócio e os ociosos 234

Os ministros da palavra de Deus 236

A contemplação do Criador nas criaturas 237

A caridade 242

A detração 247

Descrição do ministro geral e dos outros ministros 249

A santa simplicidade 252

Devoções especiais do santo 257

As senhoras pobres 262

Recomendação da regra dos irmãos 265

As enfermidades de São Francisco 266

O trânsito do santo pai 269

Oração dos companheiros do santo [dirigida] a ele 275

Apresentação

Quem foi São Francisco de Assis?

Desde a morte do Santo de Assis, na tarde do dia 3 de outubro de 1226, até os nossos dias, a humanidade foi presenteada com uma considerável biblioteca contendo biografias, legendas, artigos e poemas acerca do *Poverello* de Assis. Em cada período da história, nos diferentes movimentos de época, mesmo nas situações cruciais da vida humana, escritores famosos e pessoas simples procuraram reler e reinterpretar a vida deste "homem de Deus", o seu pensamento e sua espiritualidade, a sua visão de mundo e compreensão da vida. Seu viver não terminou no ocaso daquela tarde de outubro, junto à igrejinha da Porciúncula. Se ele "morreu cantando", o eco da sua encantadora vida atravessou os séculos e continua ressoando nos nossos dias.

A Editora Vozes, neste único livro, apresenta duas biografias de São Francisco de Assis, também conhecidas por "Vidas", há muito tempo conhecidas. São duas biografias escritas pelo mesmo autor, Frei Tomás de Celano. Ele, além ser agraciado por ter conhecido pessoalmente a São Francisco, em duas ocasiões distintas, procurou responder à mesma pergunta: Quem foi São Francisco de Assis?

A primeira resposta à pergunta encontra-se na assim chamada *Vida Primeira*, obra que começou a ser elaborada imediatamente após a canonização de São Francisco, no dia 16 de julho de 1228. O Papa Gregório IX, assim que canonizou São Francisco, queria que o Santo recém-canonizado fosse conhecido por todos os fiéis. O próprio biógrafo, Tomás de Celano, no prólogo da *Vida Primeira*, fala do seu objetivo: "Fiz isto por ordem do senhor e glorioso Papa Gregório, da maneira como pude, embora sem a perícia das palavras". Assim, esta primeira biografia de São Francisco de Assis deseja ser uma obra hagiográfica oficial e edificante para que todas as pessoas possam conhecer "a vida do bem-aventurado Francisco".

E tudo nos leva a crer que, para a elaboração desta Vida, Tomás de Celano levou em consideração os critérios centrais que, naquela época, se usavam na elaboração do processo de canonização de um santo, a saber: a vida no século, a conversão, o comportamento e os milagres. Portanto, esta *Vida Primeira* é a primeira biografia de São Francisco de Assis, a quem o próprio Autor suplica: "Eis, ó santíssimo e bendito pai, que te acompanhei com devido e dignos louvores, conquanto insuficientes, e descrevi a modo de narração os teus feitos. Por esta razão, concede a mim, mísero, poder seguir-te tão dignamente no presente que mereça, por misericórdia, seguir-te no futuro" (1Cel 118).

A segunda resposta à pergunta "Quem é São Francisco de Assis" é mais complexa, mesmo que o autor da *Vida Segunda* seja o mesmo Frei Tomás de Celano. Esta obra foi compilada mais de 20 anos após a morte de São Francisco. Agora a história é outra. A Ordem Franciscana havia crescido e algumas tensões naturais também se faziam evidentes. Já no prólogo, Frei Tomás de Celano afirma que escreve esta obra a pedido do ministro geral, Frei Crescêncio de Iesi (1243-1244): "Reverendíssimo pai, aprouve à santa totalidade do Capítulo Geral e a vós ordenar à nossa pequenez que escrevêssemos os feitos e os ditos de nosso glorioso Pai Francisco". Assim, tendo em mãos um farto material, com textos e relatos fornecidos por vários Frades da Ordem a pedido de Frei Crescêncio de Iesi e do Capítulo Geral da Ordem, Celano compõe esta biografia (*Vida Segunda*) com esta solene abertura: "Começa o memorial, pelo qual a alma aspira, dos feitos e palavras de nosso santíssimo pai Francisco". Portanto, mais do que uma biografia histórica, Frei Tomás de Celano, ao usar o termo "memorial", está nos dizendo que esta nova "Vida" é um "memorial" das questões centrais dos ensinamentos e da espiritualidade de São Francisco. Portanto, a *Vida Segunda* é uma compilação de vários textos que, segundo uma ordem temática preestabelecida, deve interessar a todo seguidor de São Francisco.

O Papa Francisco, que procura iluminar o seu pontificado no profetismo de São Francisco de Assis, convida-nos a buscar novas "saídas" aos grandes desafios da pós-modernidade, sobretudo na forma de nos relacionarmos com Deus, com os irmãos e com a inteira Criação. Nesse sentido, nada melhor do que bebermos das Fontes originárias da refrescante água franciscana para revigorar o nosso ânimo profético. Que estas duas biografias, ou Vidas, nos iluminem e nos encorajem a sermos profetas do presente para reconstruirmos a sonhada harmonia universal tão bem amadurecida por Francisco de Assis no auge da sua vida espiritual: "Louvado sejas, meu Senhor, com todas as tuas criaturas".

Frei Fidêncio Vanboemmel, OFM
Ministro Provincial

Introdução[1]

A hagiografia referente a São Francisco teve início com Tomás de Celano, o que confere a este autor uma importância ímpar, apesar dos limites de sua obra e de críticas por parte de alguns estudiosos de franciscanismo. Inegável é a influência deste autor sobre as hagiografias posteriores de São Francisco. Na primeira década após a morte do Santo, a *Primeira Vida* aparece absoluta como ponto de referência para os hagiógrafos. Em outras palavras, quem se dispusesse a escrever uma vida de São Francisco devia necessariamente ter diante dos olhos a obra de Tomás de Celano.

A presente publicação coloca em evidência duas das três principais obras deste hagiógrafo, a saber, a *Primeira Vida*, e o *Memoriale in desiderio animae*, comumente chamada de *Segunda Vida*. As siglas usadas para estas obras são 1Cel e 2Cel, seguidas do número do parágrafo e do número do versículo.

Antes, porém, de conhecermos estas obras, impõe-se a necessidade de conhecer, ao menos em linhas gerais, algo a respeito do autor. Deste modo, esta introdução contém duas partes: a primeira tenta recolher alguns dados biográficos do autor; a segunda trata especificamente das duas mencionadas obras.

1. O autor

Tomás de Celano é muito discreto em seus escritos, não oferecendo dados precisos de sua vida. Seu propósito é escrever a vida de São Francisco e, deste modo, ele não oferece praticamente nada a respeito de si próprio. E quando faz qualquer leve aceno de algum

---

1. Para a elaboração desta Introdução foram utilizadas as Introduções de: *Fontes Franciscani*, Ed. Porziuncola, Santa Maria degli Angeli – Assisi, 1995; *Fonti Francescane*, Ed. Messaggero, Padova, 1980; FERNANDO URIBE, *Introducción a las Hagiografías de San Francisco y Santa Clara de Asís (siglos XIII y XIV)*, Murcia, 1999.

dado autobiográfico, o faz de maneira tão vaga que somente um estudioso acostumado pode percebê-lo. Alguns dados mais precisos são colhidos de escritos da época, como a *Crônica* de Jordano de Jano.

Não se sabe a data exata de seu nascimento. A partir da época de sua entrada na Ordem (em 1215), sendo ele já adulto e formado na universidade, supõe-se que tenha nascido em 1190 ou pouco antes. É provável que, quando entrara na Ordem, já tivesse sido ordenado sacerdote.

A partir de seu cognome e de crônicas do século XIII e XIV, não resta dúvida de que sua terra natal tenha sido a cidade de Celano, situada nos Abruços. Aí havia um castelo da família dos Celano, à qual provavelmente deve ter pertencido Tomás. Sua família, possivelmente situada na classe social da nobreza, deve ter tido suficiente recurso econômico que permitisse ao jovem Tomás tornar-se um homem letrado. Nada se sabe, porém, sobre qual universidade frequentou.

A primeira notícia certa nos é dada por ele mesmo e remonta ao ano de 1215: "Mas o bom Deus, a quem unicamente por benignidade aprouve recordar-se de mim de muitos..., trouxe-o de volta da viagem iniciada"[2]. Com estas palavras, o autor faz referência a um grupo de homens letrados e nobres que entraram na Ordem com ele: "Voltando ele [Francisco] a Santa Maria da Porciúncula, não muito tempo depois, juntaram-se a ele com muita satisfação alguns homens letrados e nobres"[3].

Não se tem notícia de Tomás de Celano no período entre 1215 e 1221. Na segunda expedição dos frades menores à Alemanha, decidida e organizada no Capítulo geral de 1221, sob o comando de Frei Cesário de Espira, entre os vinte e sete, sendo doze clérigos e quinze irmãos leigos, é citado, entre outras pessoas que sobressaíam em cultura, o nome de Tomás de Celano, "que depois escreveu tanto a primeira como a segunda legenda de São Francisco"[4].

---

2. 1Cel 56, 6.

3. 1Cel 57, 1.

4. *Crônica de Jordano de Jano* (= JJ), 19.

Em abril de 1223, Tomás de Celano tornou-se custódio da região do Reno. Em setembro do mesmo ano, ele foi confirmado para esta custódia, que compreendia também Mainz, Worms e Espira[5].

Não se sabe com exatidão quanto tempo ele ficou na Alemanha. Pelo fato de descrever os dois últimos anos da vida de Francisco, especialmente a morte, com muitos detalhes[6], há quem afirme que o retorno dele à Itália deva ter sido em 1224. Uma coisa, porém, nos parece fora de qualquer dúvida: sua presença junto ao leito de morte de Francisco. No *Tratado dos Milagres*, após a descrição dos estigmas, assim ele se expressa: "O que acabamos de afirmar, nós o vimos. E tocamos com nossas mãos aquilo que com nossas mãos aqui descrevemos; com os olhos marejados de lágrimas registramos aquilo que pelos lábios confessamos; e sustentamos sempre a verdade daquilo que outrora juramos com a mão sobre os objetos sagrados"[7].

Aos 16 de julho de 1228, dia da solene canonização de São Francisco, Tomás de Celano era testemunha ocular do acontecimento. A detalhada descrição da solene cerimônia não deixa dúvidas quanto a isto. E teria sido esta a ocasião em que o Papa Gregório IX o encarregou de redigir a *Primeira Vida*, segundo depoimento pessoal do autor: "Desejando narrar os atos e a vida do nosso mui bem-aventurado pai Francisco..., procurei desenvolver, com piedosa devoção e de maneira ordenada... pelo menos aquelas coisas que ouvi de sua própria boca ou cheguei a saber de testemunhas fiéis e comprovadas; [fiz isto] por ordem do senhor e glorioso Papa Gregório, da maneira como pude, embora sem a perícia das palavras"[8].

Em 1230, no dia 25 de maio, o corpo de São Francisco foi trasladado solenemente da igreja de São Jorge para a Basílica Inferior. É certo que Tomás de Celano esteve presente nesta ocasião, pois presenteou Jordano de Jano, antigo companheiro de expedição

---

5. Cf. JJ 30-31.33.

6. Cf. 1Cel 88.109.110.112.113.

7. 3Cel 5, 6.

8. 1Cel Prol. 1, 1.

missionária, com uma relíquia para levar para a Alemanha[9]. Nesta mesma ocasião, deve ter escrito, a pedido de Frei Benedito de Arezzo, ministro provincial da Grécia, a *Legenda para o uso do coro*. Trata-se de uma seleção de textos extraídos da *Primeira Vida* destinada ao uso litúrgico.

Até 1246-1247, não se tem notícia de Tomás de Celano. Neste período, o ministro geral, Crescêncio de Iesi, incumbiu-o de escrever a *Segunda Vida*. Muito provavelmente, ele estaria residindo em Assis. Poucos anos mais tarde, 1250-1252, ainda estaria residindo em Assis, quando escreveu o *Tratado dos Milagres*, a pedido do ministro geral João de Parma. E no período de 1255-1256, escreveu, a pedido do Papa Alexandre IV, a *Legenda de Santa Clara*.

No fim de sua vida, Tomás de Celano voltou para a região dos Abruços, dedicando-se à assistência espiritual das clarissas do mosteiro de São João, no Vale de Varri, e de Tagliacozzo, perto de Celano.

Antiga tradição afirma que o primeiro hagiógrafo de São Francisco morreu aos 4 de outubro de 1260 e foi sepultado no mosteiro de São João de Varri. Seus restos mortais, no final de 1516 ou começo de 1517, foram trasladados para a igreja conventual, onde ainda se encontram e são venerados pelos fiéis.

Para concluir estes poucos dados biográficos, convém que se diga que Tomás de Celano era um homem altamente competente, possuidor de grande cultura eclesiástica, escritor brilhante que usava com habilidade a língua latina e um reconhecido poeta sacro. A ele são atribuídas as sequências *Dies irae* (da missa dos fiéis defuntos) e *Sanctitatis nova signa* (da missa de São Francisco). Acrescente-se a isto o fato de ter conhecido pessoalmente São Francisco, o que confere credibilidade aos seus escritos, e de ter participado ativamente do desenvolvimento da Ordem.

2. A obra

A obra hagiográfica de Tomás de Celano é extensa. Contam-se atualmente seis escritos hagiográficos de sua autoria: a *Primeira*

---

9. Cf. JJ 59.

Vida, a *Segunda Vida*, o *Tratado dos Milagres*, a *Legenda para o uso do coro*, a *Legenda de Santa Clara* e, descoberta recentemente, uma nova vida de São Francisco, escrita a pedido de Frei Elias. Este último escrito só foi encontrado em janeiro de 2015, por Jacques Dalarun, e identificada como obra de Tomás de Celano. Esta hagiografia é anterior à *Segunda Vida*, devendo ser datada antes de 1239.

a) Primeira Vida (1Cel)

No final do século XIX, o estudioso de franciscanismo, Paul Sabatier, colocava em dúvida se Tomás de Celano era o primeiro hagiógrafo de São Francisco. Hoje, após detalhados estudos, não existe dúvida a este respeito. Ele deve ter iniciado a *Primeira Vida* no ano de 1228, possivelmente depois da canonização de São Francisco, a pedido do Papa Gregório IX, como o próprio Tomás diz no Prólogo. Um antigo manuscrito (cod. 3817 da Biblioteca Nacional de Paris) afirma que, no dia 25 de fevereiro de 1229, o papa, estando em Perúgia, recebeu, confirmou e aprovou a legenda escrita por Tomás de Celano. Por ser este manuscrito da metade do século XIV, há estudiosos que colocam sob suspeita esta afirmação.

Ainda com relação à data de composição da obra, ouve-se com certa frequência, em meios não especializados, que a *Primeira Vida* fora escrita para a canonização. Trata-se, porém, de um equívoco.

Quanto à finalidade da obra, deve-se levar em conta primeiramente que há uma grande diferença entre uma obra hagiográfica e uma obra histórica ou biográfica. Numa obra hagiográfica, especialmente na medieval, não se pode procurar uma história completa da pessoa segundo os moldes de uma biografia moderna. O hagiógrafo medieval não estava interessado primeiramente na história da pessoa com o máximo de informações detalhadas. Interessava-lhe, sim, apresentar um modelo de vida e de santidade aos fiéis. Esta era, portanto, a intenção do papa ao pedir a Tomás de Celano que escrevesse uma vida de São Francisco. E essa era também a intenção do autor.

Deste modo, os destinatários da *Primeira Vida* não eram os frades, mas os fiéis em geral. Era necessário naquele momento histórico, povoado de heresias, de contestação, de negligência eclesiástica e de maus costumes do clero, apresentar um Francisco que soube ser modelo de fidelidade ao Evangelho e à Igreja.

Tomás de Celano dedicou-se à incumbência com seriedade. Antes de começar a escrever, pôs-se à procura das fontes de sua obra, pois é a partir das fontes que uma obra adquire credibilidade. Dentre estas fontes, ele recorda primeiramente aquilo que ele próprio ouvira de São Francisco. Tomás conhecera Francisco pessoalmente, foi recebido na Ordem por ele e certamente por diversas ocasiões deve ter-se encontrado e conversado com ele. O autor, portanto, é testemunha presencial, e isto tem um peso enorme para a credibilidade de um autor.

Mas recorreu também ao testemunho de outros que conviveram mais longamente com Francisco, os quais ele qualifica como "testemunhas fiéis e comprovadas". De fato, não consta que Tomás fosse do grupo dos companheiros mais próximos de Francisco. Por isso mesmo, a necessidade de colher testemunhos além da esfera de sua experiência pessoal.

Tomás não cita fontes escritas. Mas certamente teve diante de si alguns escritos de São Francisco, tais como a Regra Bulada, a Regra não Bulada, o Testamento, o Cântico do Irmão Sol e outros. Tinha em seu poder a Carta encíclica de Frei Elias e possivelmente o texto da Bula de Canonização (*Mira circa nos*, de 19 de julho de 1228). Ter-se-ia apropriado de clichês hagiográficos contidos na vida de São Martinho de Tours, de São Bento e de São Bernardo de Claraval. Isto lhe mereceu pesadas críticas de autores modernos, que o acusam de plágio e de falta de originalidade.

Esta crítica soa severa demais, pois os critérios de hagiografia medieval são diferentes dos da hagiografia moderna. Embora Tomás se tenha servido de modelos hagiográficos próprios da Idade Média, não se deixou determinar por eles e soube fornecer uma figura original de Francisco. Apesar das coisas parecidas com as de outros santos, o autor é consciente em apresentar Francisco e de sua obra como uma *novidade*, "um homem diferente de todos os outros"[10], "um homem do outro mundo"[11] que, com o testemunho de sua vida e por meio de sua pregação, renovou o mundo e restabeleceu a inocência original.

A *Primeira Vida*, embora com seus limites, constitui uma fonte insubstituível para o conhecimento de São Francisco e da forma de vida da primitiva Fraternidade. É um texto básico. Tornou-se ponto de referência necessário para quase todas as fontes posteriores que dela dependem ou que foram redigidas com referência a ela. Sem a *Primeira Vida*, de Tomás, muito pouco saberíamos da história de São Francisco.

b) Segunda Vida (2Cel)

A *Primeira Vida*, escrita em um tempo bastante breve, deve ter cumprido a finalidade proposta. Elogio a ela e a outras hagiografias aparece de maneira incontestável na carta dos companheiros Leão, Ângelo e Rufino: "Há algum tempo, foram redigidas legendas de sua vida... em linguagem tão verídica quáo elegante"[12].

No entanto, os tempos mudaram. A *Primeira Vida* parecia não responder mais às necessidades da fraternidade minorítica. Dezoito anos após a redação da *Primeira Vida*, já haviam entrado na Ordem muitos membros que não conheceram Francisco pessoalmente. Sentia-se então a urgência de uma hagiografia que apresentasse Francisco não apenas como modelo de todos os fiéis (*Primeira Vida*), mas especificamente como modelo dos frades menores.

Para isso, o Capítulo geral de 1244, no início do governo de Crescêncio de Iesi, convocou todos os frades que se lembrassem de fatos e ditos ou de episódios da vida cotidiana de Francisco, não escritos nas legendas anteriores[13], para compilá-los e enviar-lhos. Se esses episódios não fossem escritos, corriam o risco de desaparecer da memória dos frades mais antigos.

---

10. 1Cel 57, 10.

11. 1Cel 36, 4, 82, 1.

12. *Legenda dos Três Companheiros* (= LTC) 1, 8.10.

13. No Prólogo, o autor faz referência a notícias que não haviam chegado ao conhecimento dele quando redigiu a *Primeira Vida* (cf. 2Cel Prol. 2, 1).

O material recolhido foi enviado a Crescêncio. Destaque dentre o material enviado merece o preparado pelos companheiros de Francisco: Leão, Ângelo e Rufino. Este material, que denominamos pelo termo genérico de *florilégio*, consistia em escritos sem ordem cronológica, isto é, "não percorrendo a sequência histórica, mas como que colhendo em ameno prado, algumas flores (por isso, o nome de *florilégio*), as mais belas"[14]. Em 11 de agosto de 1246, estes três companheiros de São Francisco enviaram uma carta a Crescêncio juntamente com o material coletado por eles. E Crescêncio entregou a Tomás de Celano não só o florilégio dos três companheiros, mas todo o material recolhido, incumbindo-o da seleção e organização da matéria e da redação do novo texto.

A data da composição da obra deve ser colocada, então, entre 11 de agosto de 1246 até 13 de junho de 1247. De fato, o texto da *Segunda Vida* foi entregue a Crescêncio na qualidade de ministro geral, e este, em junho de 1247 deixou o cargo, sendo substituído por João de Parma. Um tempo muito breve também para a composição da *Segunda Vida*.

Um detalhe da *Segunda Vida* tem levado alguns estudiosos a questionarem a autoria de Tomás de Celano. Querem ver na obra a redação de vários autores. E o argumento é o seguinte: O texto apresenta uma contradição interna, pois, às vezes, aparece como obra de diversos autores (a deduzir do uso dos verbos e pronomes na primeira pessoa do plural), outras vezes, como obra de um só autor (a deduzir do uso dos verbos e pronomes na primeira pessoa do singular)[15].

Não se pode descartar o trabalho de equipe, já que vários contribuíram para a coletânea de episódios. Mas o trabalho redacional competiu unicamente a Tomás. E este se destaca e se reconhece como aquele que redigiu a obra: "Suplicamos também com todo o afeto do coração, ó benigno pai, por aquele teu filho que agora como outrora escreveu com devoção os teus louvores"[16].

---

14. LTC 1, 9.

15. Cf. 2Cel Prol. 1-2; 2Cel 221-224.

16. 2Cel 223, 1.

A tradição, de fato, sempre atribuiu a Tomás de Celano a autoria da *Segunda Vida*. A crônica de Jordano de Jano afirma-o sem deixar sombra de dúvida. Ao nomear Tomás de Celano pela primeira vez em sua Crônica, o cronista diz: "Tomás de Celano, que depois escreveu tanto a primeira como a segunda legenda de São Francisco"[17]. Igualmente, o cronista Salimbene de Parma: "Este [Crescêncio] ordenou a Frei Tomás de Celano, que escreveu a primeira legenda do bem-aventurado Francisco, que de novo escrevesse outro livro, pelo fato de que eram encontradas muitas coisas sobre o bem-aventurado Francisco que não haviam sido escritas. E ele escreveu um livro belíssimo sobre os milagres e a vida dele, o qual intitulou de *Memorial do bem-aventurado Francisco no desejo da alma*[18].

A uma pergunta sobre a diferença básica, não apenas circunstancial, entre a *Primeira* e a *Segunda Vida*, poder-se-ia responder que a 1Cel é uma *Legenda*, enquanto que a 2Cel é um *Memorial*. Na legenda prevalece a ordem cronológica dos fatos, o autor é mais historiador. O *Memorial* não é propriamente uma biografia ou história, mas uma coletânea de exemplos da vida do santo para avivar, na memória dos frades, os ensinamentos e os fatos dignos de imitação.

Pode-se então afirmar que a *Segunda Vida* é uma obra mais interpretativa do que histórica, pois tem mais o objetivo de apresentar o significado de Francisco às novas gerações da Ordem do que o de narrar a história do Santo e das origens da Fraternidade. Isso, porém, não significa que a *Segunda Vida* não tenha fundamento histórico. Significa que não tem uma finalidade histórica em sentido estrito, no sentido moderno da palavra.

Auguramos que esta introdução possa ser útil ao leitor/à leitora em sua busca de compreender melhor o homem e o santo de Assis.

Frei Celso Márcio Teixeira, OFM

---

17. JJ 19.

18. *Crônica de Salimbene de Parma* (= Slb) 15.

Primeira vida de São Francisco

Frei Tomás de Celano

Prólogo

Em nome do Senhor. Amém.

Começa o prólogo da vida do bem-aventurado Francisco.

1 [1]Desejando narrar os atos e a vida do nosso mui bem-aventurado pai Francisco, tendo sempre a verdade como guia e mestra, procurei desenvolver, com piedosa devoção e de maneira ordenada – visto que a memória de ninguém retém plenamente tudo o que ele *fez e ensinou* (cf. At 1,1) –, pelo menos aquelas coisas que ouvi de sua própria boca ou cheguei a saber de testemunhas fiéis e comprovadas; [fiz isto] por ordem do senhor e glorioso Papa Gregório, da maneira como pude, embora sem a perícia das palavras. [2]Mas, oxalá eu mereça ser discípulo daquele que sempre evitou a maneira enigmática de falar e ignorou os ornatos das palavras!

2 [1]Dividi, por isso, em três livros tudo o que pude colher sobre este santo homem, distribuindo-o todo pelos diversos capítulos para que a diferença das épocas não confundisse a ordem dos [seus] feitos grandiosos e não colocasse a verdade em dúvida. – [2]E, assim, o primeiro livro conserva a ordem da história e é dedicado, acima de tudo, à pureza de seu bem-aventurado modo de ser e de sua vida, aos seus santos costumes e salutares ensinamentos. [3]Neste, estão inseridos também uns poucos milagres dos muitos que, enquanto vivia *na carne* (cf. Fl 1,22), o Senhor nosso Deus se dignou operar por meio dele.

[4]O segundo livro narra os [seus] feitos desde o penúltimo ano de sua vida até ao seu feliz trânsito.

[5]O terceiro contém muitos milagres – e se cala a respeito de muitos [outros] – que o gloriosíssimo santo, reinando *com Cristo* (cf. Ap 20,4) nos céus, opera na terra. [6]Relata também a reverência, a honra, o louvor e a glória que o glorioso Papa Gregório e juntamente com ele todos os cardeais da santa Igreja Romana com muita devoção lhe tributaram, inscrevendo-o no catálogo dos santos.

[7]Graças a Deus onipotente que sempre se mostra admirável e amável *em seus santos* (cf. Sl 67,36).

Termina o prólogo.

PRIMEIRO LIVRO

[1]Para o louvor e glória de Deus onipotente, Pai e Filho e Espírito Santo. Amém.

Começa a vida de nosso beatíssimo pai Francisco.

Capítulo I – Como viveu no hábito e no espírito secular

1 [1]*Havia na* cidade de Assis, que está situada nos limites do Vale de Espoleto, um *homem* (cf. Jó 1,1) de nome Francisco que, desde o primeiro ano de sua vida, foi criado imoderadamente pelos pais, segundo a vaidade do mundo, e imitou durante muito tempo a mísera vida e costumes deles; tornou-se ele próprio [ainda] mais frívolo e imoderado. – [2]Porque de tal modo cresce este péssimo costume por toda parte entre aqueles que se declaram com o nome cristão – e de tal modo foi firmada e prescrita por toda parte esta perniciosa doutrina, como que por lei pública – que desde os próprios berços [os pais] se esforçam por educar seus filhos de maneira demasiadamente relaxada e dissoluta. [3]Pois, logo que começam a falar ou a balbuciar, os meninos apenas nascidos são instruídos, por sinais e por palavras, em algumas coisas muito vergonhosas e execráveis: e quando chega o tempo do desmame, são coagidos não somente a falar, mas também a praticar atos de dissolução e libertinagem. [4]Não ouse algum deles, coagido pelo temor da idade, comportar-se honestamente, porque por causa disto é submetido a duros castigos. [5]Por isso, bem diz o poeta secular: "Porque crescemos no meio das práticas dos [nossos] pais, desde a infância nos seguem todos os males". [6]Este testemunho é verdadeiro, pois que, quanto mais funestos foram os desejos dos pais com relação aos filhos, tanto mais favoravelmente eles os seguiram. [7]Mas também, depois de terem progredido um pouquinho mais em idade, conduzindo-se já a si mesmos, sempre deslizam para obras piores. [8]Pois a árvore de raiz corrompida continua crescendo corrompida, e o que uma vez se tornou depravado dificilmente pode ser reconduzido à regra da equidade. [9]Depois de terem começado a entrar pelas portas da adolescência, o que julgas que eles se tornam? [10]Então, flutuando em todo gênero avançado de dissolução, pelo fato que lhes é permitido realizar tudo o que lhes apraz, com todo gosto se entregam a atos vergonhosos. [11]Assim, pois, tornando-se por voluntária servidão *servos do pecado*, oferecem todos os seus membros como *instrumentos da iniquidade* (cf. Rm 6,13.20) e, não trazendo em si nada da religião cristã na vida ou nos costumes, defendem-se apenas com o nome de cristãos. [12]Frequentes vezes, os míseros simulam ter feito coisas piores do que fizeram, para não parecerem mais dignos de desprezo, quanto mais inocentes permanecerem.

2 [1]Estes são os míseros princípios nos quais esse homem, que hoje veneramos como santo – porque é verdadeiramente santo –, se exercitava desde a infância e nos quais quase até o vigésimo quinto ano de sua idade perdeu e consumiu miseravelmente o seu tempo. [2]Mais ainda, progredindo miseravelmente *acima de* todos os seus *coetâneos* nas vaidades, *sobressaía mais do que o necessário como instigador de males e competidor* (cf. Gl 1,14; 2Mc 4,1.2) na extravagância. [3]Causava admiração a todos e esforçava-se por ultrapassar os outros no fausto da vanglória, nos jogos, nas extravagâncias, nas palavras jocosas e frívolas, nas canções, nas vestes macias e amplas: [4][isto], porque era muito rico, não avarento, mas pródigo, não acumulador de dinheiro, mas dilapidador de bens, negociante cauteloso, mas também esbanjador muito frívolo; no entanto, [era] homem que agia muito humanamente, habilidoso e muito afável, embora para a própria insensatez. [5]Mormente por causa disto, iam atrás dele muitos promotores de males e instigadores de crimes; e assim, cercado por bandos de iníquos, andava altivo e magnânimo, caminhando pelas praças da Babilônia, [6]até o momento em que *o Senhor o olhou do céu* (cf. Sl 32,13) e *por causa de seu nome afastou* dele o seu *furor* e com seu *louvor pôs-lhe na boca um freio para que ele não perecesse* (cf. Is 48,9) completamente. [7]*Pousou*, pois, *sobre ele a mão do Senhor* (cf. Ez 1,3), e *transformou-o* a *destra do Altíssimo* (cf. Sl 76,11), para que por meio dele fosse dada aos pecadores a confiança de renascerem para a graça, e ele se tornasse para todos exemplo de conversão a Deus.

Capítulo II – Como Deus visitou seu coração por meio da enfermidade do corpo e de uma visão noturna

3 [1]De fato, quando este homem ainda fervia em pecados com paixão juvenil e a lúbrica idade o impelia a satisfazer insolentemente as tendências da juventude e quando, não sabendo amansar-se, estava instigado pela virulência da antiga serpente, de repente a vingança divina, ou melhor, a unção divina faz-se presente sobre ele e começa primeiro a reconduzir o coração errante, trazendo-lhe uma angústia no espírito e uma enfermidade no corpo, segundo aquela palavra do profeta: *Eis que eu cercarei teu caminho com espinhos e o cercarei com muralha* (cf. Os 2,6). [2]E assim, esmagado longamente pela enfermidade, como merece a obstinação dos homens que dificilmente se emenda, a não ser com castigos, começou a *pensar consigo mesmo* (cf. Lc 12,17) outras coisas que não as de costume. [3]E como já estivesse um pouco restabelecido e, apoiado em um bastão, tivesse começado a andar pela casa daqui e dali com vistas à recuperação da saúde, num certo dia saiu e começou a contemplar mais cuidadosamente a região que se estendia ao redor. [4]Mas a beleza dos campos, a amenidade das vinhas e tudo o que é belo ao olhar em nada pôde deleitá-lo. [5]Por esta razão, admirava-se pela súbita transformação de si mesmo e julgava estultíssimos os que amavam as preditas coisas.

4 [1]E assim, desde aquele dia, começou a considerar a si mesmo como vil e a desprezar as coisas que antes tinha admirado e amado. [2]Não plenamente, porém, nem de verdade, porque ainda não estava desprendido dos *vínculos das vaidades* (cf. Is 5,18) nem *havia sacudido da nuca o jugo* (cf. Gn 27,40) da perversa escravidão. [3]Pois é muito custoso deixar [os vícios] habituais, e, uma vez arraigados no espírito, não se arrancam facilmente; o espírito, mesmo isolado por longo tempo, volta ao aprendizado do princípio, e pela assiduidade o vício geralmente se converte em natureza. – [4]Assim, Francisco tenta ainda fugir da mão divina e, esquecido da correção paterna durante pouco tempo, estando a prosperidade a sorrir-lhe, *preocupa-se com as coisas que são do mundo* (cf. 1Cor 7,34) e, ignorando o *desígnio de Deus* (cf. Sb 9,13), promete que ainda há de realizar as maiores coisas da glória e da vaidade do mundo. [5]Pois um nobre da cidade de Assis prepara-se não modestamente com armas militares e, inflado pelo vento da *vanglória* (cf. Gl 5,26), compromete-se a ir à Apúlia, a fim de aumentar os lucros da riqueza e da honra. [6]Tendo ouvido estas coisas, Francisco, porque era de espírito leviano e não pouco audaz, põe-se em acordo para ir com ele, [embora] inferior na nobreza da origem, mas superior em grandeza de alma, mais pobre em riquezas, mas mais pródigo em generosidade.

5 [1]Então, numa noite, depois de entregar-se com toda a deliberação a levar a cabo estas coisas e, queimando-se de desejo, anelar principalmente a fazer a viagem, Aquele que o ferira com a vara da justiça o visita por meio de uma *visão noturna* (cf. Jó 4,13; 33,15) com a suavidade da graça; e porque ele era ávido de glória, atrai-o e exalta-o com o fastígio da glória. [2]Parecia-lhe, pois, ter toda sua casa cheia de armas militares, a saber, de selas, escudos, lanças e outras armaduras; e alegrando-se muito, [pensava] consigo mesmo o que seria aquilo e admirava-se em silêncio. [3]Pois não estava acostumado a ver em sua casa tais coisas, mas antes pilhas de tecidos para vender. [4]E como estivesse não pouco estupefato diante do súbito acontecimento das coisas, foi-lhe respondido que todas aquelas armas seriam suas e de seus cavaleiros. [5]Despertando de manhã, levantou-se com espírito alegre e, julgando a visão um presságio de grande prosperidade, assegura-se de que sua viagem à Apúlia será coberta de êxito. [6]*Não sabia o que dizer* (cf. Mc 9,5) e ainda desconhecia completamente a tarefa que lhe fora dada do céu. [7]Mas podia perceber que sua interpretação da visão não era verdadeira, porque, embora ela contivesse de alguma maneira bastante semelhança com os fatos acontecidos, no entanto, seu espírito não se alegrava com relação a tais fatos como de costume. [8]Era, pois, necessário fazer a si mesmo uma certa violência para realizar as coisas meditadas e levar a efeito a viagem desejada. – [9]E, na verdade, bastante no início se faz belamente menção das armas, e muito oportunamente as armas são entregues ao cavaleiro que lutará contra o forte armado para, como outro Davi *em nome do Senhor Deus dos exércitos* (cf. 1Sm 17,45), libertar Israel do inveterado opróbrio dos inimigos.

Capítulo III – Como, transformado no espírito, mas não no corpo, falava alegoricamente do tesouro encontrado e da esposa

6 [1]Mudado de espírito, não de corpo, desde então se recusa a ir à Apúlia e se esforça por orientar sua vontade para a vontade divina. [2]E assim, subtraindo-se por pouco tempo do tumulto do mundo e dos negócios, empenha-se em esconder Jesus Cristo em seu íntimo. [3]Como negociante prudente, oculta aos olhos dos iludidos a *pérola encontrada* e, às escondidas, *depois de ter vendido tudo* (cf. Mt 13,46), empenha-se em comprá-la. [4]De fato, na cidade de Assis, ao sobressair um certo homem mais do que os demais como [amigo] predileto seu – porque tinha a mesma idade dele e [porque] a assídua familiaridade de mútua afeição lhe dava coragem de comunicar-lhe seus segredos –, [Francisco] conduzia-o a lugares remotos e aptos a deliberações, asseverando que tinha encontrado um grande e precioso tesouro. [5]Aquele homem exulta e, mostrando-se ansioso pelas coisas ouvidas, anda com ele de boa vontade, todas as vezes que é chamado. [6]Havia uma gruta perto da cidade, à qual indo frequentemente, falavam um com o outro sobre o tesouro. [7]Entrava o homem de Deus – ele já era santo pelo santo propósito – naquela gruta, ficando o companheiro a esperá--lo do lado de fora, e, imbuído de novo e singular espírito, rezava a seu *Pai no segredo* (cf. Mt 6,6). [8]Desejava que ninguém soubesse o que fazia lá dentro e, ocultando sabiamente para o bem o que é melhor, consultava somente a Deus em seu santo propósito. [9]Rezava devotamente para que o Deus eterno e verdadeiro dirigisse seu caminho e o *ensinasse a cumprir sua vontade* (cf. Sl 142,10). [10]Suportava grandíssimo padecimento de espírito e, enquanto não realizasse o que concebera no coração, não podia descansar; alternavam-se [nele] pensamentos vários, e a importunação deles perturbava-o duramente. [11]Abrasava-se interiormente pelo fogo divino e não conseguia ocultar exteriormente o ardor concebido da mente; penitenciava-se por ter pecado tão gravemente e por ter ofendido *os olhos da majestade* (cf. Is 3,8), e já não o deleitavam os males passados ou presentes; mas ainda não recebera plenamente a certeza de abster-se dos futuros. [12]Por esta razão, quando voltava para fora, para junto do companheiro, estava tão consumido pela fadiga que parecia um ao entrar e outro ao sair.

7 [1]Num certo dia, como tivesse invocado mais plenamente a misericórdia do Senhor, foi-lhe mostrado o que ele precisava fazer. [2]E, em seguida, *encheu-se de* tão grande *alegria* (cf. Sl 125,2) que, não se contendo de contentamento, mesmo não querendo, proferia alguma coisa aos ouvidos dos homens. [3]Mas, embora não pudesse calar-se diante da grandeza do amor [que lhe fora] inspirado, no entanto, com mais cautela falava alguma coisa em parábola. [4]Pois, como ao amigo especial, como foi dito, falava do *tesouro escondido* (cf. Mt 13,44), assim também se esforçava por falar aos outros de maneira figurativa; dizia que não queria ir à Apúlia, mas prometia fazer na própria terra coisas mais nobres e maiores. [5]Os homens julgavam que ele quisesse casar-se e, interrogando-o, diziam: "Francisco, queres casar-te?" [6]Ele, respondendo, dizia-lhes: "Casar-me-ei com a mais

nobre e mais bela esposa, como jamais havereis de ver, a qual pela beleza excede as outras e pela sabedoria supera a todas". [7]E, de fato, a esposa *imaculada* de Deus é a verdadeira *Religião* (cf. Tg 1,27) que ele abraçou, e o tesouro escondido *é o reino dos céus* (cf. Mt 13,44) que com tanto desejo ele buscou; [8]porque necessariamente devia cumprir-se plenamente a vocação evangélica naquele que seria o *ministro do Evangelho* (cf. Ef 3,7) *na fé e na verdade* (cf. 1Tm 2,7).

Capítulo IV – Como, depois de ter vendido tudo, desprezou o dinheiro recebido

8 [1]Assim, o bem-aventurado servo do Altíssimo, tomado e confirmado pelo Espírito Santo, porque chegara o *tempo estabelecido* (cf. Jó 12,5), segue aquele santo ímpeto de seu espírito, com o qual, depois de ter calcado as coisas do mundo, se vai aos melhores bens. [2]Doravante, não convinha demorar, porque uma doença letal já havia crescido em toda parte e de tal modo havia tomado conta de todas as articulações de muitos que, ao retardar o médico por algum tempo, depois de ter sufocado o sopro vital, arrebataria a vida. [3]Levanta-se, por conseguinte, munindo-se com o sinal da santa cruz e, tendo preparado o cavalo, monta sobre ele e, levando consigo panos escarlates para vender, dirige-se apressado à cidade que se chama Foligno. [4]Aí, tendo vendido, como de costume, todas as coisas que levara, o feliz comerciante, depois de ter recebido o preço, deixou também o cavalo em que então montava e, voltando de lá, tendo deposto o fardo, pensava com religioso intuito o que faria do dinheiro. [5]Total e rapidamente convertido de modo admirável à obra de Deus, sentindo-se muito pesado por carregar aquele dinheiro ainda que por uma hora e considerando como areia todo aquele ganho, apressa-se por desfazer-se dele o quanto antes. [6]E, ao voltar para a cidade de Assis, descobre perto da estrada uma igreja que outrora havia sido construída em honra de São Damião, mas que ameaçava ruína próxima devido à demasiada antiguidade.

9 [1]Chegando a ela, o novo *cavaleiro de Cristo* (cf. 2Tm 2,3), por piedade comovido de tão grande necessidade, entrou com temor e reverência. [2]E, tendo encontrado lá um sacerdote pobre e tendo beijado as sagradas mãos dele com grande fé, ofereceu-lhe o dinheiro que trazia e narrou-lhe por ordem seu propósito. [3]O sacerdote, estupefato e, mais do que se podia crer, admirando a súbita transformação das coisas, recusou-se a acreditar no que ouvira. [4]E porque pensava que era enganado, não quis reter consigo o dinheiro oferecido. [5]Pois ele o vira no dia anterior, como direi, quase a viver desregradamente *entre os parentes e conhecidos* (cf. Lc 2,44) e a *exaltar sua loucura* (cf. Pr 14,29) mais do que os outros. [6]E ele, continuando com mais insistência, esforçava-se por fazê-lo acreditar em suas palavras, rogando com mais empenho e suplicando ao sacerdote, pelo amor do Senhor, que lhe permitisse morar com ele. [7]Finalmente, o sacerdote aquiesceu com relação à morada dele, mas por temor dos parentes não recebeu o dinheiro que o verdadeiro desprezador do dinheiro atira em uma janela e considera como pó. [8]Pois desejava *possuir a sabedoria* que é *melhor do que o ouro* e *adquirir a prudência* que é *mais preciosa do que a prata* (cf. Pr 16,16).

Capítulo V – Como o pai que o perseguia o prendeu

10 [1]Portanto, *morando* (cf. Mt 25,5) *o servo do Deus Altíssimo* (cf. At 16,17) no predito lugar, o pai dele rodou por toda parte como zeloso investigador, desejando saber o que tinha sido feito de seu filho. [2]E depois que ele ficou sabendo que [Francisco] vivia daquela maneira no dito lugar, *tocado interiormente pela dor do coração* (cf. Gn 6,6), *ficou muito perturbado* (cf. Sl 6,4) com o súbito acontecimento das coisas e, *tendo convocado os amigos e vizinhos* (cf. Lc 15,6), correu com muita pressa ao lugar em que morava o servo de Deus. [3]E ele, porque era o novo atleta de Cristo, ao ouvir as ameaças dos perseguidores e pressentir a chegada deles, querendo *deixar agir a ira* (cf. Rm 12,19), se esconde numa gruta oculta que ele mesmo preparara para este fim. [4]Aquela gruta estava numa casa – conhecida talvez somente por um [amigo] – e nela se escondeu por um mês contínuo, de modo que mal ousava sair para as necessidades humanas. [5]E quando se lhe dava o alimento, comia-o no fundo da gruta; e se lhe prestava todo o serviço clandestinamente. [6]E, ao rezar, orava continuamente banhado pelas águas das lágrimas, para que o *Senhor o libertasse das mãos dos que perseguiam a sua alma* (cf. Sl 141,7) e para que cumprisse com benigno favor os seus piedosos votos: *em jejum e pranto* (cf. Jl 2,12) suplicava a clemência do Salvador e, desconfiando de sua capacidade, *lançava todo o pensamento no Senhor* (cf. Sl 54,23). [7]E, embora estivesse na gruta e *colocado nas trevas* (cf. Dn 2,22), era inundado por indizível alegria até então não experimentada por ele; inflamando-se totalmente desta alegria, tendo deixado a gruta, expôs-se abertamente aos ultrajes dos perseguidores.

11 [1]E, assim, levantou-se imediatamente sem hesitação, ligeiro e alegre e, levando à frente *o escudo da fé* (cf. Ef 6,16) para lutar pelo Senhor, munido com as armas de grande confiança, tomou o caminho em direção à cidade; e, abrasado pelo ardor do calor divino, começou a acusar-se muito a si mesmo de lentidão e covardia. [2]Tendo-o visto, todos os que o conheceram, confrontando as novas circunstâncias com as antigas, começaram a insultá-lo miseravelmente e, aclamando-o como insano e demente, atiram contra ele *pedras* (cf. Jo 8,59) *e lama das praças* (cf. Sl 17,43). [3]Viam-no alterado dos antigos costumes e muito debilitado pela maceração da carne e, por isso, atribuíam à exinanição e à demência tudo o que ele fazia. – [4]Mas, porque *melhor é o paciente do que o arrogante* (cf. Ecl 7,9), o servo de Deus fazia-se surdo a todas estas coisas e, sem se quebrar e se alterar por nenhuma injúria, por tudo isto dava graças ao Senhor. – [5]Pois em vão o iníquo persegue o que procura as coisas honestas, porque, quanto mais este tiver sido combatido, tanto mais fortemente triunfará. A desonra – diz alguém – torna mais forte o espírito generoso.

12 [1]E como o boato e o aplauso a respeito dele percorressem por muito tempo *as praças e bairros da cidade* (cf. Ct 3,2), e de cá e de lá ecoasse o tumulto dos zombadores, entre muitos cujos ouvidos tocou, o boato destas coisas chegou finalmente a seu pai. [2]Este, depois que ouviu que o nome do seu filho – e no nome, a própria pessoa – era distorcido pelos concidadãos, levantou-se imediatamente não para libertá-lo, mas antes para perdê-lo; [3]sem observar nenhuma comiseração, voa como lobo para cima da ovelha e, olhando-o com rosto ameaçador e furioso, tendo-lhe lançado mão, arrastou-o para a própria casa de maneira bastante irreverente e indecorosa. [4]E assim, retirada toda comiseração, encerrou-o por oito dias num lugar escuro e, julgando dobrar o espírito dele ao seu modo de pensar, age primeiro com palavras, depois com açoites e cadeias. – [5]Ele, porém, a partir daí se tornava mais pronto e forte para realizar o santo propósito e, repreendido por palavras e fatigado pelas cadeias, nem assim abandonou a paciência. – [6]Pois aquele que tem por preceito alegrar-se na tribulação não pode, por meio de açoites e cadeias, desviar-se da reta intenção da mente e do seu modo de ser nem ser tirado fora do rebanho de Cristo; [7]e não treme no *dilúvio de muitas águas* (cf. Sl 31,6) aquele que tem como refúgio na tribulação o Filho de Deus que, para que as nossas [tribulações] não nos pareçam ásperas, mostra sempre que são maiores as que ele sofreu.

Capítulo VI – Como sua mãe o soltou, e como ele se desnudou diante do bispo

13 [1]E aconteceu que, como o seu pai por causa familiar urgente se tivesse ausentado por algum tempo de casa e como o homem de Deus permanecesse algemado na prisão da casa, sua mãe, que ficara sozinha com ele em casa, não aprovando o ato de seu marido, consola o filho com palavras ternas. [2]E ao ver que não podia chamá-lo de volta de seu propósito, suas entranhas maternas se comoveram para com ele e, tendo quebrado as cadeias, permitiu que ele partisse livre. [3]E ele, rendendo graças a Deus onipotente, voltou depressa ao lugar em que estivera antes. – [4]Provado, pois, pelos ensinamentos das tentações, ele agora usufrui maior liberdade e, por meio de múltiplas guerras, revestira-se de um aspecto mais alegre; a partir das injúrias recebera um espírito mais seguro e, dirigindo-se livre por toda parte, andava mais magnânimo. [5]Nesse meio-tempo, o pai retorna e, não o tendo encontrado, acumulando pecados sobre pecados, passa a insultar a esposa. [6]Correu em seguida ao lugar, fremindo e gritando, para pelo menos expulsá-lo da região, se não pudesse trazê-lo de volta. [7]Mas, porque *no temor do Senhor há pode-*

rosa confiança (cf. Pr 14,26), assim que o filho da graça ouviu dizer que o pai carnal vinha procurá-lo, ofereceu-se espontaneamente, seguro e alegre, clamando com voz livre que considerava como nada as cadeias e açoites dele. [8]Afirmava, além disso, que pelo nome de Cristo sofreria alegremente todos os males.

14 [1]E o pai, vendo que não podia trazê-lo de volta do caminho iniciado, empenha-se totalmente em arrancar-lhe o dinheiro. [2]O homem de Deus desejava oferecê-lo e gastá-lo todo em alimento dos pobres e na restauração daquele lugar, mas aquele que não amava o dinheiro não podia ser enganado por nenhuma aparência de bem dele, e aquele que não se detinha por nenhum afeto por ele não se perturbava em nada por perdê-lo. [3]E assim, tendo encontrado o dinheiro que o grande desprezador dos bens terrenos e ávido procurador das riquezas celestes atirara ao pó e à janela, extingue-se o furor do exasperado pai, e abranda-se de algum modo a sede da avareza pelo cheiro do dinheiro encontrado. [4]Em seguida, leva-o à presença do bispo da cidade para que, renunciando nas mãos dele a todos os bens, restituísse tudo o que tinha. [5]Ele não apenas não recusou a fazê-lo, mas também, alegrando-se muito, apressou-se com espírito pronto a fazer o que lhe fora pedido.

15 [1]E depois que foi conduzido à presença do bispo, não suporta delonga nem hesita a respeito de nada; não espera nem profere palavra, mas imediatamente, tendo deposto e atirado todas as vestes, restitui-as ao pai. [2]Além disso, sem reter sequer os calções, desnuda-se totalmente diante de todos. [3]E o bispo, percebendo a coragem e admirando muito o fervor e firmeza dele, levantou-se imediatamente e, acolhendo-o entre seus braços, cobriu-o com o manto com que estava vestido. [4]Compreendeu claramente que era um desígnio divino e reconheceu que as atitudes do homem de Deus que ele vira pessoalmente continham um mistério. [5]Por esta razão, *tornou-se* em seguida *auxílio* (cf. Sl 29,11) para ele e, animando-o e confortando-o, abraçou-o com entranhas da caridade. [6]Eis que agora o nu luta com o nu e, tendo desprezado todas *as coisas que são do mundo* (cf. 1Cor 7,33), lembra-se tão somente da justiça divina. [7]Então, esforça-se por desprezar a própria vida, deixando de lado toda preocupação por ela, de modo que, como pobre, tinha paz num caminho cercado [de insídias], e somente a parede da carne o separava por enquanto da visão de Deus.

Capítulo VII – Como foi capturado por ladrões e atirado na neve; e como serviu os leprosos

16 [1]Vestido agora com andrajos aquele que outrora usava escarlate, ao caminhar por um bosque e cantar louvores ao Senhor em língua francesa, de repente ladrões caíram sobre ele. [2]Perguntando-lhe eles com espírito feroz quem ele era, o homem de Deus respondeu com confiança à plena voz, dizendo: "Sou o arauto do *grande Rei* (cf. Sl 47,3; Mt 27,4)! Que vos importa?" [3]E eles, batendo nele, atiraram-no em um lugar cavado, cheio de muita neve, dizendo: "Fica aí, ó grosseiro arauto de Deus!" [4]E ele, revolvendo-se daqui e dali, sacudindo de si a neve, depois que eles se retiraram, saltou para fora da fossa e, alegrando-se com grande júbilo, começou a cantar em alta voz pelos bosques louvores ao Criador de todas as coisas. [5]Finalmente, chegando a um mosteiro de monges, estando durante muitos dias vestido somente com uma camisa barata como servente na cozinha, ele desejou saciar-se ao menos com o caldo. [6]Mas, tendo sido retirada toda comiseração e não podendo ele adquirir uma veste velha sequer, saindo dali, não movido pela ira, mas pela necessidade, chegou à cidade de Gubbio onde um antigo amigo adquiriu para ele uma túnica. – [7]Mas, depois destas coisas, decorrido então pouco tempo, quando a fama do homem de Deus se difundia por toda parte e *o nome dele se divulgava* (cf. 2Cr 26,8; Lc 4,37) no meio do povo, o prior do mencionado mosteiro, recordando e compreendendo o que fora feito ao homem de Deus, foi ter com ele e, por reverência ao Salvador, pediu-lhe humildemente perdão para si e para os seus.

17 [1]Em seguida, o santo amante de toda humildade transferiu-se para junto dos leprosos e permanecia com eles, servindo com o maior cuidado a todos por amor de Deus e, lavando deles toda a podridão, limpava também a secreção purulenta das úlceras, como ele próprio fala em seu Testamento, dizendo: [2]"Porque, como eu estivesse em pecados, parecia-me sobremaneira amargo ver leprosos, e o Senhor conduziu-me entre eles, e fiz misericórdia com eles". – [3]Pois, como ele dizia, antigamente era-lhe tão amargo ver leprosos que, quando no tempo de sua vaidade via as casas deles a uma distância de quase duas milhas, tapava o nariz com suas próprias mãos. [4]Mas, como *pela* graça e *virtude do Altíssimo* começasse a pensar coisas santas *e úteis* (cf. Lc 1,35; Tt 3,8), vivendo ainda no hábito secular, num certo dia encontrou um leproso e, superando-se a si mesmo, aproximou-se *e beijou-o* (cf. Mc 14,45). – [5]E, a partir de então, começou a desprezar-se mais e mais até chegar, pela misericórdia do Redentor, à perfeita vitória sobre si mesmo. – [6]Ajudava também os outros pobres, enquanto permanecia no mundo e seguia o mundo, estendendo a mão da misericórdia aos que nada tinham e mostrando afeto de compaixão aos aflitos. – [7]Pois, num dia – contra seu costume, porque era muito cortês – ao censurar a um pobre que lhe pedia esmola, imediatamente *levado pelo arrependimento* (cf. Mt 27,3), *começou a dizer consigo mesmo* (cf. Lc 7,49) que era grande vitupério e grande desonra negar as coisas pedidas a quem pede em nome de tão grande Rei. [8]Em seguida, colocou *em seu coração* (cf. Sl 13,1; At 5,4) [o propósito de] que daí em diante, na medida do possível, a ninguém que lhe pedisse por amor de Deus negaria algo. [9]E isto ele fez e cumpriu com a maior diligência até oferecer-se totalmente a si mesmo de todos os modos, tornando-se antes cumpridor do que ensinador do conselho evangélico. [10]Dizia: "*Dá àquele que te pede e não te desvies daquele que quer pedir-te emprestado*" (cf. Mt 5,42).

Capítulo VIII – Como construiu a igreja de São Damião; e a vida das senhoras que moravam nesse lugar

18 [1]E assim, obtida a libertação da mão de seu pai carnal, a primeira obra que o bem-aventurado Francisco empreende: constrói uma casa para Deus e não tenta construí-la de novo, mas restaura a antiga, conserta a velha; [2]não arranca o fundamento, mas edifica sobre aquele [fundamento], reservando – embora sem o saber – sempre a Cristo aquela prerrogativa: *Ninguém, pois, pode pôr outro fundamento além daquele que foi posto, que é o Cristo Jesus* (1Cor 3,11). [3]E depois que voltou ao lugar em que – como foi dito – antigamente fora construída a igreja de São Damião, acompanhando-o a graça do Altíssimo, restaurou-a cuidadosamente em breve tempo. – [4]Este é aquele feliz e santo lugar em que, decorrido já o espaço de quase seis anos da conversão do bem-aventurado Francisco, teve feliz início, por intermédio do mesmo homem bem-aventurado, a gloriosa Religião e excelentíssima Ordem das Damas Pobres e virgens santas; [5]neste lugar, viveu a Senhora Clara, oriunda da cidade de Assis, pedra preciosíssima e fortíssima, fundamento de outras pedras sobrepostas. [6]Na verdade, depois do início da Ordem dos Irmãos, depois que a dita senhora se converteu a Deus pelas admoestações do santo homem, ela foi posta como proveito para muitas e como exemplo para inúmeras. [7]Nobre pela estirpe, mas mais nobre pela graça; virgem no corpo, castíssima no espírito; jovem na idade, mas madura no espírito; [8]firme no propósito e ardentíssima no desejo do amor divino; dotada de sabedoria e de especial humildade: Clara de nome, mais clara pela vida, claríssima pelos costumes.

19 [1]Sobre ela ergueu-se a nobre estrutura de preciosíssimas pérolas, *cujo louvor provém não dos homens, mas de Deus* (cf. Rm 2,29), visto que nem a limitada faculdade de pensar é capaz de meditá-la, nem a concisa linguagem é capaz de explicá-la. – [2]Pois, antes de tudo, vigora entre elas a especial virtude da mútua e contínua caridade que de tal forma une as vontades delas que, morando juntas quarenta ou cinquenta no mesmo lugar, o mesmo querer e o mesmo não querer fizeram nelas de diversos um único espírito. – [3]Em segundo lugar, em cada uma brilha a gema da humildade que de tal modo conserva os dons concedidos e os bens recebidos dos céus que merecem as demais virtudes. – [4]Em terceiro lugar, o lírio da virgindade e da castidade de tal maneira asperge todas com admirável odor que, esquecidas dos pensamentos terrenos, elas desejam meditar unicamente os celestes, e da fragrância dele nasce tão grande amor para com o Esposo eterno nos corações delas que a integridade deste sagrado afeto exclui delas todo costume da vida anterior. – [5]Em quarto lugar, todas foram marcadas pelo título da altíssima pobreza a ponto de mal ou nunca consentirem em satisfazer a extrema necessidade do alimento e da veste.

20 [1]Em quinto lugar, elas adquiriram especial graça da abstinência e do silêncio a ponto de absolutamente não precisarem esforçar-se para coibir o apetite e frear a língua; e algumas delas estão tão desacostumadas das conversas que, quando a necessidade exige que elas falem, mal se recordam de formar as palavras como convém. – [2]Em sexto lugar, elas são adornadas tão admiravelmente pela virtude da paciência em tudo que nenhuma adversidade de tribulação ou injúria ou incômodo quebra ou muda o estado de espírito delas. – [3]Finalmente, em sétimo lugar, de tal modo alcançaram o mais alto grau da contemplação que nela aprendem tudo que deve ser feito ou evitado por elas, e de modo feliz aprenderam a deixar-se arrebatar *com a mente em Deus* (cf. 2Cor 5,13), perseverando dia e noite nos louvores divinos e orações. – [4]Que o Deus eterno se digne concluir por sua santa graça tão santo início com êxito mais santo. [5]E por enquanto sejam suficientes estas palavras sobre as virgens consagradas a Deus e devotíssimas servas de Cristo, visto que a admirável vida e gloriosa instituição delas – que elas receberam do senhor Papa Gregório, naquele tempo bispo de Óstia – requerem uma obra própria e disponibilidade de tempo.

Capítulo IX – Como, tendo mudado o hábito, restaurou a igreja de Santa Maria da Porciúncula e, tendo ouvido o Evangelho e deixado tudo, inventou e fez o hábito que os irmãos usam

21 [1]Neste meio-tempo, o santo de Deus, tendo mudado o hábito e restaurado a predita igreja, migrou para outro lugar perto da cidade de Assis, no qual, começando a reedificar uma igreja em ruínas e quase destruída, não desistiu do bom princípio, enquanto não concluísse tudo perfeitamente. – [2]E daí ele se transferiu a outro lugar que se chama Porciúncula, no qual havia uma igreja da Bem-aventurada Virgem Mãe de Deus construída na antiguidade, mas estava então deserta e por ninguém era cuidada. ³Quando o santo de Deus a viu assim destruída, movido de compaixão, porque se abrasava de devoção para com a Mãe de toda bondade, começou a morar aí permanentemente. – ⁴E aconteceu que, depois que restaurou a dita igreja, decorria o terceiro ano de sua conversão. ⁵Neste tempo, trajando um hábito parecido com o eremítico, cingindo uma correia e portando um bastão, andava com os pés calçados.

22 ¹Mas, num certo dia, quando se lia na mesma igreja o Evangelho sobre como o Senhor enviara seus discípulos a pregarem, estando presente o santo de Deus, como tivesse entendido de alguma forma as palavras do Evangelho, depois que se celebraram as solenidades da missa, ele suplicou humildemente ao sacerdote que lhe fosse explicado o Evangelho. – ²Depois que este lhe expôs tudo *por ordem* (cf. Est 15,9), ouvindo São Francisco que os discípulos de Cristo *não* deviam *possuir ouro* ou *prata* ou *dinheiro, não* levar *bolsa nem alforje nem pão* nem *bastão pelo caminho* nem ter *calçados* nem *duas túnicas* (cf. Mt 10,9-10; Mc 6,8; Lc 9,3; 10,4), mas pregar *o reino de Deus e a conversão* (cf. Lc 9,2; Mc 6,12), *exultando* imediatamente no *espírito de Deus* (cf. Lc 1,47), ³disse: "É isto que eu quero, é isto que eu procuro, é isto que eu desejo fazer do íntimo do coração". ⁴Por conseguinte, apressa-se o santo pai, *transbordando de alegria* (cf. 2Cor 7,4), em cumprir o salutar conselho e não suporta demora alguma, mas começa devotamente a colocar em prática o que ouviu. ⁵*Desata* imediatamente *os calçados dos pés* (cf. Ex 3,5), depõe o bastão das mãos e, contente com uma só túnica, trocou a correia por um cordão. ⁶Desde então, prepara para si uma túnica que traz a imagem da cruz para nela expulsar todas as fantasias demoníacas; ⁷prepara-a muito áspera *para* nela *crucificar a carne com os vícios* (cf. Gl 5,24) e pecados; ⁸prepara-a, finalmente, paupérrima e grosseira, para que de maneira alguma ela possa ser desejada pelo mundo. ⁹E ansiava por cumprir com a máxima diligência e reverência as outras coisas que ouvira. ¹⁰Pois não fora um ouvinte surdo do Evangelho, mas, confiando o que ouvira à [sua] louvável memória, cuidava de cumprir tudo à letra diligentemente.

Capítulo X – A pregação do Evangelho, o anúncio da paz e a conversão dos seis primeiros irmãos

23 [1]A partir de então, com grande fervor de espírito e alegria da alma, começou a pregar a todos a penitência, edificando os ouvintes com palavras simples, mas com o coração nobre. [2]A palavra dele era como *fogo ardente* (cf. Sir 23,32) que penetrava o mais íntimo do coração e enchia as mentes de todos de admiração. [3]Parecia totalmente outro do que fora e, *olhando para o céu* (cf. Mc 6,41), não se dignava olhar para a terra. [4]E é certamente admirável, porque *começou a pregar* (cf. Mt 4,17) onde no início, quando era criança, aprendera a ler; e nesse lugar também foi primeiramente sepultado, de modo que o feliz início era exaltado por uma mais feliz consumação. [5]Onde aprendeu, aí também ensinou, e onde começou, aí terminou de maneira feliz. – [6]Em toda pregação sua, antes de propor a palavra de Deus aos que estavam reunidos, invocava a paz, dizendo: "*O Senhor vos dê a paz!*" (cf. 2Ts 3,16). [7]Anunciava-a sempre mui devotamente a homens e mulheres, aos que ele encontrava e aos que lhe vinham ao encontro. [8]Por esta razão, muitos *que odiavam a paz* (cf. Sl 119,7), *com a cooperação do Senhor* (cf. Mc 16,20), abraçaram de todo o coração a salvação juntamente com a paz, tornando-se também eles *filhos da paz* (cf. Lc 10,6) e desejosos da salvação eterna.

24 [1]Dentre estes, o primeiro que devotamente seguiu o homem de Deus foi alguém de Assis que tinha o espírito piedoso e simples. [2]Depois deste, Frei Bernardo, abraçando a *legação da paz* (cf. Lc 14,32), correu alegremente atrás do *santo de Deus* (cf. Lc 4,34) para adquirir *o reino dos céus* (cf. Mt 13,44-46). [3]Ele, pois, hospedara frequentemente o bem-aventurado pai, cuja vida e costumes ele vira e experimentara e, restabelecido pelo odor de santidade dele, concebeu o temor e deu à luz o espírito de salvação. [4]Pois, via-o a noite toda a rezar – muito raramente a dormir – e a louvar a Deus e a gloriosa Virgem mãe dele, admirava-se e dizia: "*Verdadeiramente este homem* (cf. Lc 23,47) provém de Deus". [5]Apressou-se, por conseguinte, em *vender todos os seus bens* (cf. Mt 13,46) e deu-os aos pobres, não aos parentes; e, tomando o título da via mais perfeita, cumpriu o conselho do santo Evangelho: *Se queres ser perfeito, vai e vende tudo que tens e dá aos pobres e terás um tesouro no céu e vem e segue-me* (Mt 19,21). [6]Tendo feito isto, associou-se a São Francisco na vida e no hábito e estava sempre com ele até que, multiplicados os irmãos, com a obediência do piedoso pai foi mandado para outras regiões. [7]De fato, a conversão dele a Deus tornou-se, para os que haveriam de converter-se, modelo na maneira de vender as posses e de distribuí-las aos pobres. [8]E São Francisco *alegrou-se com júbilo muito grande* (cf. Mt 2,10) com a chegada e a conversão de tão grande homem, pelo fato que o Senhor parecia ter cuidado dele, dando-lhe o companheiro necessário e *o amigo fiel* (cf. Sir 6,14).

25 [1]E seguiu-o logo após um outro homem da cidade de Assis, o qual foi muito louvável em seu modo de vida; e o que ele começou santamente, depois de pouco tempo, consumou mais santamente ainda. – [2]Não *muito tempo depois* (cf. Mt 25,19) deste, segue Frei Egídio, *homem simples, correto e temente a Deus* (cf. Jó 1,8; 2,3) que, *vivendo* muito tempo *de maneira* santa, *justa e piedosa* (cf. Tt 2,12), deixou-nos exemplos de perfeita obediência, de trabalhos com as próprias mãos, de vida solitária e de santa contemplação. – [3]E, acrescentando-se um outro a estes, completou o número de sete Frei Filipe, cujos *lábios* o Senhor *tocou com o carvão* (cf. Is 6,6-7) da pureza para que falasse dele coisas suaves e proferisse coisas melífluas; [4]compreendendo também e interpretando as Sagradas Escrituras, *embora não as tivesse estudado* (cf. Jo 7,15), tornou-se imitador daqueles que os príncipes dos judeus censuravam por serem *idiotas e iletrados* (cf. At 4,13).

Capítulo XI – O espírito de profecia e as admoestações de São Francisco

26 [1]O bem-aventurado Francisco *enchia-se* a cada dia *da consolação* e da graça *do Espírito Santo* (cf. At 9,31) e com toda vigilância e preocupação formava os novos filhos com novas instituições, ensinando-os a andar com passo indeclinável no caminho da santa pobreza e da bem-aventurada simplicidade. [2]E, num certo dia, ao admirar-se da misericórdia do Senhor com relação aos benefícios a ele concedidos e ao desejar que lhe fosse indicado pelo Senhor [como seria] o processo de sua conversão e dos seus, dirigiu-se a um lugar de oração, como ele fazia frequentíssimas vezes; [3]lá, ao perseverar longamente *com temor e tremor* (cf. Tb 13,6) na presença *do Dominador de toda a terra* (cf. Zc 4,14) e ao pensar *na amargura de sua alma os anos* (cf. Is 38,15) malgastos, [4]repetindo com frequência aquela palavra: "*Ó Deus, sede propício a mim, pecador*" (Lc 18,13), [5]uma indizível alegria e máxima suavidade pouco a pouco começaram a inundar o íntimo de seu coração. [6]Começou também a sentir-se indigno e, tendo sufocado os maus sentimentos e afugentado as trevas que, pelo temor do pecado, haviam crescido em seu coração, foi-lhe infundida a certeza do perdão de todos os pecados e mostrada a confiança de viver na graça. [7]Em seguida, foi arrebatado em êxtase e totalmente absorvido por uma luz e, tendo-se-lhe dilatado as fronteiras do coração, viu claramente as coisas que haveriam de acontecer. [8]Retirando-se finalmente aquela suavidade e luz, *renovado no espírito*, ele parecia *transformado em* um outro *homem* (cf. Sl 50,12; 1Sm 10,6).

27 [1]E assim, voltando-se alegremente, disse aos irmãos: "*Confortai-vos*, caríssimos, *alegrai-vos no Senhor* (cf. Fl 3,1) e não fiqueis tristes por parecerdes poucos, nem vos amedronte a minha ou a vossa simplicidade, porque, como me foi mostrado pelo Senhor na verdade, Deus nos fará crescer [transformando-nos] na maior multidão e nos dilatará de maneira múltipla até aos confins da terra. [2]Também para o vosso proveito sou obrigado a dizer o que vi, o que eu certamente preferiria calar, se a caridade não me obrigasse a relatar-vos. – [3]*Vi* grande *multidão* (cf. Ap 7,9) de homens que vinham a nós e queriam conviver conosco no hábito, no santo modo de vida e na regra da bem-aventurada Religião. [4]E eis que ainda está *nos meus ouvidos* (cf. Ct 2,14) o ruído *daqueles que vão e voltam* (cf. Gn 8,3) segundo o mandato da santa obediência. [5]Vi os caminhos como que cheios da multidão deles a se reunirem *de* quase *todas as nações* (cf. At 2,5) nestas regiões. [6]Vêm franceses, apressam-se espanhóis, correm alemães e ingleses, e avança a maior multidão de outras línguas diversas". [7]Quando os irmãos ouviram isto, encheram-se de salutar alegria tanto por causa da graça que o Senhor Deus conferia a seu santo quanto porque tinham sede ardente da conquista de outros que eles desejavam fossem acrescentados a cada dia [ao seu número], para que fossem *salvos em Deus* (cf. At 2,47).

28 [1]E disse-lhes o santo: "Irmãos, para rendermos graças fiel e devotamente ao Senhor nosso Deus por todos os seus dons e para que saibais de que maneira se deve conviver com os irmãos presentes e futuros, compreendei a verdade dos processos que hão de acontecer. [2]Agora, no início de nosso modo de vida, encontraremos frutos muito doces e suaves para comer, mas, pouco depois, ser-nos-ão oferecidos alguns de menor suavidade e doçura; [3]e no fim, ser-nos-ão dados alguns *cheios de amargor* (cf. Lm 1,20), os quais não poderemos comer, porque, devido à sua acidez, serão incomestíveis a todos, embora apresentem algum perfume e beleza exterior. [4]E, como eu vos disse, o Senhor verdadeiramente nos aumentará *em povo numeroso* (cf. Gn 12,2). [5]Mas por último acontecerá como quando um homem lança as suas redes ao mar ou em algum lago e apanha *copioso cardume de peixes* (cf. Lc 5,6) e, depois de ter jogado todos em seu barco, não querendo por causa da grande quantidade levar todos, *escolhe* os maiores e os que lhe agradam *em seus vasos e* atira *fora* (cf. Mt 13,47-48) os demais". [6]Aos que consideram com espírito de verdade ficaram bastante manifestas a verdade com que refulgem e a clareza com que se manifestam todas estas coisas que o santo de Deus predisse. [7]Eis como o *espírito de profecia repousou* (cf. Is 11,2) sobre São Francisco.

Capítulo XII – Como os enviou dois a dois pelo mundo; e como em breve tempo eles se reuniram novamente

29 [1]Naquela mesma ocasião, entrando na Religião um outro homem bom, eles atingiram o número de oito. [2]Então, o bem-aventurado Francisco convocou todos a si e, anunciando-lhes muitas coisas *sobre o reino de Deus* (cf. At 1,3), o desprezo do mundo, a abnegação da própria vontade e o domínio do próprio corpo, dividiu-os *dois a dois* para as quatro partes do mundo [3]e disse-lhes: "Ide, caríssimos, *dois a dois* (cf. Lc 10,1), pelas diversas partes do mundo, *anunciando* aos homens *a paz* (cf. At 10,36) e *a penitência para a remissão dos pecados* (cf. Mc 1,4); e sede *pacientes na tribulação* (cf. Rm 12,12), seguros de que o Senhor cumprirá seu propósito e sua promessa. [4]Respondei humildemente aos que vos perguntarem, *abençoai os que vos perseguirem* (cf. Rm 12,14), agradecei aos que vos injuriarem e infligirem calúnias, porque por estas coisas nos *é preparado o reino eterno* (cf. Mt 25,34)". [5]E eles, *com júbilo e* grande *alegria* (cf. 1Mc 5,54), recebendo o mandato da santa obediência, prostravam-se suplicantes por terra diante de São Francisco. [6]E ele, abraçando-os, dizia a cada um terna e devotamente: *"Lança tua preocupação no Senhor, e ele te nutrirá"* (Sl 54,23). [7]Dizia esta palavra todas as vezes que enviava alguns irmãos à obediência.

30 [1]Então Frei Bernardo, juntamente com Frei Egídio, tomou o caminho de Santiago [de Compostela], e São Francisco escolheu outra direção do mundo com um companheiro, e os outros quatro, caminhando dois a dois, tomaram as direções restantes. [2]Mas, decorrido apenas pouco tempo, São Francisco, desejando ver a todos eles, *rezava ao Senhor* (cf. Ex 8,30) que *congrega os dispersos de Israel* (cf. Sl 146,2) para que se dignasse misericordiosamente congregá-los em breve. [3]E assim aconteceu que em pouco tempo, de acordo com o desejo dele, sem nenhuma convocação humana, todos se reuniram ao mesmo tempo, *dando graças a Deus* (cf. Cl 3,17). [4]E, *tendo-se reunido* (cf. 1Cor 11,20), celebram grandes alegrias por verem o piedoso pastor e admiram-se de terem-se reunido deste modo unicamente por um desejo. [5]Em seguida, relatam as coisas boas que o *misericordioso Senhor* (cf. Sl 114,5) lhes fizera e, se de algum modo tivessem sido negligentes e ingratos, pedem humildemente ao santo pai a correção e penitência e cumprem-nas diligentemente. – [6]Assim, eles costumavam fazer sempre, quando vinham ter com ele, e não lhe ocultavam o menor pensamento e nem mesmo os primeiros devaneios do espírito e, depois de terem cumprido *tudo o que* lhes havia sido *ordenado*, julgavam-se *servos inúteis* (cf. Lc 17,10). [7]E assim, o espírito de pureza tomava posse de toda aquela primeira escola do bem-aventurado Francisco, de modo que, sabendo eles realizar coisas úteis, *santas e justas* (cf. Fl 4,8.9), absolutamente não sabiam alegrar-se nelas de maneira fútil. [8]E o bem-aventurado pai, abraçando seus filhos com muita caridade, começou a manifestar--lhes seu propósito e a indicar-lhes as coisas que o Senhor lhe revelara.

31 [1]E logo outros quatro homens bons e idôneos *se juntaram* (cf. At 2,41) a eles e seguiram o santo de Deus. [2]Por conseguinte, surgiu grande boato no meio do povo, e a fama do homem de Deus começou a dilatar-se para mais longe. [3]Naquele tempo, São Francisco e seus irmãos tinham, realmente, *alegria* muito grande *e júbilo* (cf. Lc 1,14) especial, quando alguém – quem quer e qualquer que fosse – fiel, rico, pobre, nobre, sem nobreza, desprezado, benquisto, sábio, simples, clérigo, iletrado, leigo no povo cristão, *levado pelo espírito* (cf. Mt 4,1) de Deus, vinha para receber o hábito da santa Religião. [4]Também os seculares tinham com relação a todos grande admiração, e o exemplo da humildade provocava-os à via de uma vida mais correta e à penitência dos pecados. [5]Nenhuma falta de nobreza e nenhuma fragilidade de pobreza constituíam obstáculo a que fossem edificados em obra de Deus aqueles que *Deus* queria *edificar* (cf. At 20,32), pois ele se compraz em estar com os [que são] rejeitados pelo mundo e *com os simples* (cf. Pr 3,32).

Capítulo XIII – Como, tendo onze irmãos, primeiro escreveu a regra; e como o senhor Papa Inocêncio a confirmou; e a visão da árvore

32 [1]Vendo o bem-aventurado Francisco que o Senhor Deus *a cada dia aumentava* (cf. At 2,47) o seu número, escreveu para si e para seus irmãos presentes e futuros, de maneira simples e com poucas palavras, uma forma e regra de vida, utilizando principalmente palavras do santo Evangelho, a cuja perfeição unicamente aspirava. [2]E inseriu poucas outras coisas que eram absolutamente necessárias para a prática do santo modo de viver. [3]Por conseguinte, chegou a Roma com todos os ditos irmãos, desejando muito que lhe fosse confirmado pelo senhor Papa Inocêncio III o que ele escrevera. [4]Estava naquela ocasião em Roma o venerável bispo de Assis, de nome

Guido, que honrava São Francisco e todos os irmãos em tudo e os venerava com especial devoção. [5]E como tivesse visto São Francisco e os irmãos, desconhecendo a causa, ficou desgostoso com a chegada deles; temia, pois, que quisessem deixar a própria terra, na qual o Senhor por meio de seus servos já começara a operar as maiores coisas. [6]Alegrava-se muito por ter tão grandes homens em sua diocese, a respeito de cuja vida e costumes ele fazia muitíssimas conjecturas. [7]Mas, depois de ter ouvido a causa e compreendido o propósito deles, *alegrou-se muito no Senhor* (cf. Fl 4,10; Mt 2,10), prometendo-lhes para isto dar-lhes conselho e prestar-lhes auxílio. [8]São Francisco dirigiu-se também ao reverendo senhor bispo de Sabina, de nome João de São Paulo, que entre outros príncipes e maiores da Cúria Romana parecia desprezar as coisas terrenas e amar as celestes. [9]Este, recebendo-o benigna e caritativamente, exaltou muito a vontade e propósito dele.

33 [1]Mas, porque era homem prudente e de discernimento, começou a interrogá-lo a respeito de muitas coisas e persuadia-o a que passasse à vida monástica ou eremítica. [2]E São Francisco recusava humildemente, como podia, o conselho dele, não desprezando os conselhos, mas, desejando ardente e piedosamente outras coisas, era levado por desejo mais elevado. [3]Aquele senhor admirava o fervor dele e, temendo que voltasse atrás em tão grande propósito, mostrava-lhe caminhos mais fáceis. [4]Finalmente, vencido, aquiesceu aos constantes pedidos dele e empenhou-se em promover daí em diante os negócios dele diante do papa. [5]Governava naquele tempo a *Igreja de Deus* (cf. 1Cor 1,2) o senhor Papa Inocêncio III, homem ilustre, também muito rico em doutrina, famosíssimo na palavra, fervoroso no zelo da justiça e nas coisas que a causa do cultivo da fé cristã exigia. [6]Depois de ter conhecido o desejo dos homens de Deus, após prévio discernimento, concedeu assentimento ao pedido deles e concluiu com a subsequente efetivação e, exortando-os e admoestando-os a respeito de muitas coisas, abençoou a São Francisco e aos irmãos [7]e disse-lhes: "Irmãos, ide com o Senhor e pregai a todos a penitência, como o Senhor se dignar inspirar-vos. [8]E quando o *Senhor* onipotente vos *multiplicar* (cf. Dt 7,12.13) em número e graça, relatar-me-eis *com* *alegria* (cf. Lc 10,17), e eu vos concederei mais coisas e vos confiarei mais seguramente coisas mais importantes". – ⁹*Verdadeiramente, o Senhor estava com* (cf. 1Sm 3,19) São Francisco *para onde quer que ele se dirigisse* (cf. Gn 20,16), alegrando-o com revelações e encorajando-o com benefícios. ¹⁰Numa noite, pois, depois que se entregou ao sono, pareceu-lhe que andava por um caminho à beira do qual havia *uma árvore de grande altura.* ¹¹Aquela *árvore* era *bela e forte*, grossa e *muito alta* (cf. Dn 4,7.8). ¹²*E aconteceu* que *se aproximou* (cf. Lc 7,11.12) dela e, enquanto, estando de pé debaixo dela, *lhe admirava a beleza* (cf. Jd 10,14) e altura, de repente o próprio santo chegou a tão grande altura que tocava o cume da árvore e, tomando-a com a mão, a inclinava até à terra. ¹³E na verdade assim aconteceu, quando o senhor Inocêncio, a mais sublime e excelsa árvore do mundo, se inclinou de modo tão benigno ao pedido e vontade dele.

Capítulo XIV – A volta dele da cidade de Roma para o Vale de Espoleto e a permanência dele pelo caminho

34 ¹São Francisco, com seus irmãos, alegrando-se muito pela concessão e graça de tão grande pai e senhor, *rendeu graças a Deus* (cf. At 27,35) onipotente *que eleva os humildes e ergue os aflitos* (cf. Jó 5,11). ²E foi logo visitar a igreja de São Pedro e, terminada a oração, tendo saído de Roma e tomando o caminho para o Vale de Espoleto, partiu com os companheiros. – ³Enquanto caminhavam, *conversavam uns com os outros* (cf. Lc 24,17) sobre todos os bens que o clementíssimo Deus lhes havia concedido: como foram simpaticamente recebidos pelo vigário de Cristo, o senhor e pai de todo o povo cristão; ⁴como poderiam cumprir as admoestações e preceitos dele; ⁵como poderiam sinceramente observar e indelevelmente guardar a regra que receberam; ⁶como caminhariam em toda santidade e na Religião diante do Altíssimo; ⁷enfim, como a vida e costumes deles, pelo incremento das santas virtudes, serviriam de exemplo para o próximo. ⁸E depois que os novos discípulos de Cristo disputaram suficientemente sobre estas coisas na escola da humildade, o dia se dirigiu ao ocaso, e *a hora passou.* ⁹Chegaram então, muito fatigados pelo esforço da viagem, *a um lugar deserto* (cf. Mt 14,15) e, famintos, não podiam encontrar refeição alguma, pelo fato que aquele lugar era muito distante da habitação dos homens. [10]E imediatamente, sob os cuidados da graça divina, *foi-lhes ao encontro um homem* que trazia *na mão um pão e lhes deu* (cf. Mc 14,13; 1Sm 10,3-4) e se retirou. [11]E eles, como não o conheciam, ficaram admirados *em seus corações* (cf. Sl 34,25), e um admoestava devotamente ao outro, para que confiassem mais na misericórdia divina. [12]E, tendo tomado o alimento e não pouco confortados por ele, chegaram a um lugar perto da cidade de Orte e aí permaneceram por quase quinze dias. [13]Alguns deles, entrando na cidade, adquiriam o alimento necessário e comiam juntos, *com ação de graças e alegria de coração* (cf. At 24,3; Is 30,29), aquele pouco que podiam adquirir de porta em porta, levando aos outros irmãos. [14]E se sobrava alguma coisa, porque não podiam dá-la a ninguém, guardavam-na em algum sepulcro – que em algum tempo havia guardado os corpos dos mortos –, para comê-la mais tarde. [15]Aquele lugar era deserto e abandonado e era frequentado por raros ou por ninguém.

35 [1]Eles tinham grande exultação, quando nada viam ou nada tinham que os pudesse deleitar de maneira vã ou carnal. [2]Por esta razão, ali mesmo, eles começaram a manter aliança com a santa pobreza e, bastante consolados pela falta de todas *as coisas que são do mundo* (cf. 1Cor 7,33), resolveram estar perfeitamente unidos a ela em toda parte, da maneira como ali estavam. [3]E porque, tendo deixado de lado *toda preocupação* (cf. 1Pd 5,7) dos bens terrenos, somente a divina consolação os deleitava, estabelecem e confirmam que, por nenhuma tribulação que os agitasse e por nenhuma tentação que os impelisse, se afastariam *dos amplexos* (cf. Ecl 3,5) dela. [4]E, embora a amenidade do lugar – que pode [servir] para corromper não pouco o verdadeiro vigor do espírito – não atraísse os afetos deles, tendo deixado este lugar e seguindo o feliz pai, entraram naquele tempo no Vale de Espoleto, para que uma permanência mais longa não prendesse a eles nada de propriedade, ainda que só exterior. – [5]Verdadeiros cultores da justiça, discutiam juntos se deveriam conviver no meio dos homens ou recolher-se em lugares solitários. [6]Mas São Francisco, que não confiava na própria capacidade, mas *prevenia* todos os afazeres *com a* santa *oração* (cf. Sl 87,14), escolheu *viver* não só *para si*, mas para aquele que *morreu por todos* (cf. 2Cor 5,15), sabendo que fora enviado para conquistar para Deus as almas que o demônio se esforçava por arrebatar.

Capítulo XV – A fama do bem-aventurado Francisco e a conversão de muitos a Deus; e como a Ordem se chamou dos frades Menores; e como o bem-aventurado Francisco formava os que entravam na Religião

36 [1]Por conseguinte, Francisco, o fortíssimo cavaleiro de Cristo, *percorria cidades e aldeias* (cf. Mt 9,35), anunciando o reino de Deus, *pregando a paz* (cf. Mt 9,35; At 10,36), ensinando a salvação e a penitência *para a remissão dos pecados* (cf. Mc 1,4), *não nas palavras persuasivas da sabedoria humana, mas* na doutrina e *no poder do espírito* (cf. 1Cor 2,4). – [2]Estava *agindo* em tudo *mais confiantemente* (cf. At 9,28) pela autoridade apostólica que lhe fora concedida, não usando qualquer adulação, qualquer lisonja sedutora. [3]Não sabia afagar as culpas de ninguém, mas pungi-las, nem favorecer a vida dos que pecam, mas golpear com dura censura, porque primeiramente persuadia a si mesmo em obra o que persuadia aos outros em palavras e, não temendo repreensor, falava a verdade com muita confiança, de modo que até homens letradíssimos, célebres em glória e dignidade, admiravam os sermões dele e na presença dele eram tomados por temor eficaz. [4]Acorriam homens, acorriam também mulheres, apressavam-se os clérigos, aceleravam os religiosos para ver e ouvir o santo de Deus, o qual parecia a todos um homem de outro mundo. [5]Gente de toda idade e sexo apressava-se para ver as maravilhas que Deus de maneira nova operava no mundo por meio de seu servo. [6]Realmente, naquele tempo, seja pela presença seja pela fama de São Francisco, parecia enviada do céu à terra uma nova luz que afugentava toda escuridão das trevas que de tal modo havia ocupado quase toda a região que mal alguém sabia para onde dirigir-se. [7]Assim, pois, a grande profundidade do esquecimento de Deus e a letargia da negligência de seus mandamentos haviam subjugado a quase todos, de modo que mal admitiam afastar-se de alguma forma dos velhos e inveterados males.

37 [1]Brilhava como *estrela* refulgente *na escuridão da noite* (cf. Sir 50,6; Pr 7,9) e *como aurora expandida sobre* (cf. Jl 2,2) as trevas; e, assim, aconteceu que em breve tempo a face de toda a província foi renovada e se apresentava por toda parte com rosto mais alegre, depois de ter deixado de lado toda fealdade. [2]Foi afugentada a aridez precedente, e depressa se levantou a colheita no campo árido; a *vinha* não cultivada começou a germinar *o germe* (cf. Zc 8,12) *do perfume do Senhor* (cf. Lv 1,9) e, tendo produzido de si *flores de suavidade*, produziu igualmente *frutos de honra e honestidade* (cf. Sir 24,23). [3]Ressoavam, por toda parte, *a ação de graças e o canto* de louvor (cf. Is 51,3), de modo que muitos, tendo abandonado as cortes seculares, na vida e ensinamento do bem-aventurado pai Francisco recebiam o conhecimento de si mesmos e aspiravam ao amor e à reverência para com o Criador. – [4]Começaram a vir a São Francisco muitos do povo, nobres e sem nobreza, clérigos e leigos, compungidos pela divina inspiração, desejando militar para sempre sob a instrução e magistério dele. [5]O santo de Deus, irrigando a todos eles com as chuvas dos carismas, como rio fertilíssimo da graça celeste embelezava o campo do coração deles com as flores das virtudes: [6]na verdade, era um *egrégio artífice* (cf. Ex 38,23), a cujo exemplo, regra e ensinamento – deixando fora o elogio –, em ambos os sexos se renovava a Igreja de Cristo e triunfava a tríplice milícia dos que devem salvar-se. [7]E a todos dava uma norma de vida e demonstrava de maneira segura a via da salvação em todos os graus.

38 [1]Mas é principalmente urgente uma palavra sobre a Ordem que ele assumiu e manteve por amor e pela profissão. [2]O que dizer? Ele próprio plantou no início a Ordem dos Frades Menores e naquela ocasião lhe impôs este nome. [3]Realmente, quando assim escrevia na regra: "E sejam menores", ao proferir esta palavra, naquela mesma hora, disse: "Quero que esta fraternidade se chame Ordem dos Frades Menores". – [4]E eram verdadeiramente menores os que, sendo submissos a todos, sempre buscavam os lugares desprezados e exercer o ofício em que parecesse haver alguma desonra, para que assim merecessem fundar-se no sólido [fundamento] da verdadeira humildade e neles, pela feliz disposição, se erguesse a construção espiritual de todas as virtudes. – [5]Na verdade, *sobre o fundamento* (cf. Ef 2,20) da constância, levantou-se a nobre estrutura da caridade na qual *as pedras vivas* (cf. 1Pd 2,5), recolhidas de todas as partes do mundo, foram *edificadas como habitação do Espírito Santo* (cf. Ef 2,22). [6]Com quanta caridade os novos discípulos de Cristo se abrasavam! Quão grande amor de companheirismo vigorava neles! [7]Pois, quando se reuniam em algum lugar, ou se encontravam no caminho, como acontece, resplandecia o fogo do amor espiritual, espargindo sobre todo amor as sementes da verdadeira afeição. [8]Como? Abraços castos, afetos suaves, ósculo santo, conversa agradável, riso modesto, fisionomia alegre, *olhar simples* (cf. Mt 6,22), ânimo suplicante, *língua que abranda, resposta delicada* (cf. Pr 15,4.1), o mesmo propósito, pronto serviço e mão infatigável.

39 [1]Certo é que, ao desprezarem todas as coisas terrenas e nunca se amarem a si mesmos com amor parcial, transbordando em comum o afeto do amor total, esforçavam-se por oferecer-se a si mesmos para ajudar de modo igual à necessidade fraterna. [2]Eram desejosos de reunir-se, mais desejosos de estar juntos; mas pesada de ambas as partes era a separação do companheiro, amargo o afastamento, penoso o momento da partida. – [3]E não ousavam antepor nada aos preceitos da santa obediência os obedientíssimos cavaleiros que, antes que se completasse a palavra da obediência, se preparavam para executar a ordem; [4]nada sabendo distinguir nos preceitos, quase se precipitavam a quaisquer ordens, sem qualquer contradição. – [5]Seguidores da santíssima pobreza, porque nada tinham, nada amavam, por conseguinte nada receavam perder. [6]Estavam contentes com uma só túnica, remendada às vezes por dentro e por fora; nela nada havia de enfeite, mas se manifestavam muito desprezo e vileza, para que nela eles parecessem completamente *crucificados para o mundo* (cf. Gl 6,14). [7]Cingidos por uma corda, trajavam calções baratos e tinham o piedoso propósito de permanecer em todas estas coisas e de nada mais possuir. – [8]Por esta razão, estavam seguros em toda parte, não apreensivos por temor algum, não distraídos por qualquer cuidado, sem qualquer preocupação esperavam o dia seguinte e, colocados frequentemente em grande perigo de viagem, não ansiavam sobretudo com relação à hospedagem da noite. [9]Pois, como muitas vezes não tivessem a hospedagem necessária nos frios mais rigorosos, de noite um forno os acolhia ou eles se escondiam humildemente em grutas ou cavernas. – [10]E, durante o dia, os que sabiam trabalhavam com as próprias mãos, permanecendo nas casas dos leprosos ou em outros lugares honestos, servindo a todos com humildade e devoção. [11]Não queriam ofício algum do qual pudesse originar-se escândalo, mas, fazendo sempre coisas santas e justas, honestas e úteis, provocavam todos aqueles com quem conviviam ao exemplo da humildade e à paciência.

40 [1]De tal modo a virtude da paciência os circundara que procuravam antes estar onde sofressem a perseguição de seus corpos do que onde pudessem, reconhecida ou louvada a santidade deles, ser sustentados pelos favores do mundo. [2]Muitas vezes, pois, sofrendo opróbrios, atacados por ofensas, desnudados, açoitados, amarrados, encarcerados, sem valer-se da proteção de ninguém, suportavam tudo tão valorosamente que na boca deles não soavam a não ser *o canto de louvor e ação de graças* (cf. Is 51,3). – [3]Dificilmente ou nunca descuidavam do louvor de Deus e da oração, mas, recolhendo em contínua revisão tudo que haviam feito, rendiam graças a Deus pelos bons atos e gemidos e lágrimas pelas coisas negligenciadas e incautamente cometidas. [4]Julgavam ter sido abandonados por Deus, se não reconhecessem que eram visitados continuamente em espírito de devoção com a habitual piedade. [5]Pois, quando queriam dedicar-se às orações, para que o sono não os surpreendesse, mantinham-se [alerta] com alguns recursos: alguns se sustentavam com cordas suspensas para que a oração não fosse perturbada pelo engano furtivo do sono. – [6]Outros se circundavam com instrumentos de ferro, e outros se cingiam com argolas de madeira. [7]Se por acaso pela abundância de alimento ou de bebida, como costuma acontecer, a sobriedade deles fosse perturbada ou pelo cansaço da viagem ultrapassasse até em pouco as metas da necessidade, atormentavam-se rigorosamente com a abstinência de muitos dias. [8]Enfim, esforçavam-se por reprimir com tanta maceração os estímulos da carne que muitas vezes não recusavam desnudar-se no mais frio gelo e, espetando todo o corpo com espinhos pontiagudos, irrigá-lo com a efusão do sangue.

41 [1]De tal modo desprezavam valorosamente todos os bens terrenos que mal admitiam receber as coisas extremamente necessárias à vida e, desligados por tão longo costume da consolação do corpo, não temiam qualquer rigor. – [2]Em todas estas coisas *seguiam a paz* e a mansidão *com todos* (cf. Hb 12,14) e, fazendo sempre *coisas puras e pacíficas* (cf. Tg 3,17), evitavam com o máximo empenho todo escândalo. [3]Pois mal falavam em tempo necessário, e *da boca* deles não *procedia* (cf. Mt 4,4) nada de inconveniente ou de ocioso, de modo que em toda a vida e conversação deles não se podia encontrar nada de impudico ou desonesto. – [4]Toda ação deles era disciplinada, todo andar modesto e todos os sentidos eram neles de tal modo mortificados que mal consentiam em ouvir ou ver, a não ser o que a atenção deles exigia: tendo os olhos fixos na terra, uniam-se com a mente ao céu. [5]Nenhuma inveja, nenhuma malícia, nenhum rancor, nenhuma discussão áspera, nenhuma suspeição, nenhuma amargura tinha neles lugar, mas neles havia muita concórdia, tranquilidade contínua, *ação de graças e canto de louvor* (cf. Is 51,3). [6]Estes são os ensinamentos do piedoso pai com os quais, *não tanto pela palavra* e *pela língua, mas mormente em obra e verdade* (cf. 1Jo 3,18), ele formava os novos filhos.

Capítulo XVI – A permanência dele em Rivotorto e a guarda da pobreza

42 [1]Recolheu-se o bem-aventurado Francisco, juntamente com os demais, perto da cidade de Assis, em um lugar que se chama Rivotorto. [2]Neste lugar, havia um tugúrio abandonado sob cuja sombra viviam os valorosíssimos desprezadores das grandes e belas casas, e aí se protegiam dos transtornos das chuvas. [3]Pois, como dizia o santo, mais depressa se sobe ao céu de um tugúrio do que de um palácio. [4]Conviviam no mesmo lugar com o bem-aventurado pai todos os filhos e irmãos, *em muito trabalho* (cf. 2Cor 11,27) e em escassez de tudo, muitas vezes privados do conforto do páo, contentes unicamente com os rábanos que, na angústia, mendigavam aqui e ali pela planície de Assis. [5]Aquele lugar era táo apertado que nele mal podiam sentar-se ou descansar. [6]Não ressoa por estas coisas nenhuma murmuração, nenhuma queixa, mas de coração tranquilo, com o espírito cheio de alegria, conservam a paciência. [7]Com muita diligência, São Francisco fazia quotidiano, ou melhor, contínuo exame de si e dos seus e, não permitindo que neles residisse nada de mundano, afastava dos corações deles toda negligência. – [8]Vigiando sempre *em seu posto de sentinela* (cf. Is 21,8), era rígido na disciplina; pois, se a tentação da carne, como acontece, de vez em quando o assaltava, mergulhava numa fossa cheia de gelo, quando era inverno, ficando nela até que toda a depravação da carne se afastasse. [9]E os outros seguiam com muito fervor o exemplo de táo grande mortificação.

43 [1]Ensinava-os não só a mortificar os vícios e a reprimir os impulsos da carne, mas também os próprios sentidos exteriores, por meio dos quais a morte entra na alma. [2]Como naquela ocasião o Imperador Oto passasse por aquelas regiões com grande estrépito e pompa para receber a coroa do império terreno, o santíssimo pai, permanecendo com os demais irmãos no predito tugúrio à beira do caminho de sua passagem, nem sequer saiu para ver [3]nem permitiu que alguém olhasse, a não ser um que lhe anunciasse ininterruptamente que esta glória haveria de durar pouco tempo. – [4]Estava, pois, o glorioso santo habitando no íntimo de si mesmo e, andando *na largueza de seu coração* (cf. Sl 118,45), preparava em si uma digna *habitação para Deus* (cf. Ef 2,22); [5]e, por isso, o clamor exterior não arrebatava seus ouvidos, e voz alguma podia abater ou interromper a enorme obra que tinha nas mãos. [6]Estava fortalecido pela autoridade apostólica e, por isso mesmo, recusava absolutamente ser adulado pelos reis e pelos príncipes.

44 [1]Estava sempre atento à santa simplicidade e não permitia que o lugar apertado impedisse *a largueza do coração* (cf. Sl 118,45).

²Por esta razão, escrevia os nomes dos irmãos pelos portais da cabana, para que cada um, querendo rezar ou descansar, reconhecesse seu lugar e para que a pequenez apertada do lugar não perturbasse o silêncio do espírito. – ³E, enquanto aí moravam, aconteceu que num certo dia chegou alguém conduzindo um burro à porta da cabana em que morava o homem de Deus com os companheiros; e para não permitir recusa, instigando o seu burro a entrar, falou esta palavra: "Vai para dentro, porque faremos bem a este lugar". ⁴São Francisco, ouvindo esta palavra, ficou indignado, conhecendo a intenção daquele homem; pensava, pois, aquele homem que eles queriam morar ali para aumentar o lugar e para ajuntar *casa a casa* (cf. Is 5,8). ⁵E São Francisco, saindo imediatamente dali, tendo deixado o tugúrio por causa da palavra do camponês, transferiu-se para um outro lugar não distante daquele, o qual se chama Porciúncula, onde, como foi dito acima, algum tempo antes, fora reparada por ele a igreja de Santa Maria. ⁶Não queria ter propriedade alguma para poder possuir tudo mais plenamente no Senhor.

Capítulo XVII – Como o bem-aventurado Francisco ensinou os irmãos a rezar; e a obediência e pureza dos irmãos

45 ¹Naquele tempo, os irmãos pediram que ele os *ensinasse a rezar* (cf. Lc 11,1), porque, *andando na simplicidade* (cf. Pr 20,7) do espírito, ainda não conheciam o ofício eclesiástico. ²Ele lhes disse: "*Quando orardes, dizei: Pai nosso* (cf. Mt 6,9); e: Nós vos adoramos, ó Cristo, em todas as igrejas que há em todo o mundo vos bendizemos, porque pela vossa santa cruz remistes o mundo". – ³E isto os próprios irmãos, discípulos do piedoso mestre, cuidavam de observar com a máxima diligência, porque se esforçavam por cumprir com a maior eficácia não somente aquelas coisas que o bem-aventurado pai lhes dizia com fraterno conselho ou com paterna ordem, mas também aquelas coisas que ele pensava ou planejava, se eles o pudessem saber por algum indício. ⁴Dizia-lhes, pois, o bem-aventurado pai que a obediência devia ser não só proferida, mas descoberta, não só mandada, mas desejada; ⁵isto é: "Se o irmão súdito não apenas ouve a voz do irmão prelado, mas capta a vontade, imediatamente deve dispor-se todo à obediência e fazer o que por algum indício capta que ele quer". – [6]Por esta razão, em qualquer lugar em que houvesse uma igreja construída, mesmo que eles não estivessem presentes e somente pudessem de algum modo divisá-la de longe, inclinavam-se na direção dela prostrados por terra de corpo e alma, adoravam o Onipotente, dizendo como o santo pai lhes ensinara: "Nós vos adoramos, ó Cristo, em todas as vossas igrejas". [7]E, o que não é menos de se admirar, faziam o mesmo onde quer que vissem uma cruz ou um sinal da cruz, seja no chão seja na parede seja nas árvores seja nas sebes.

46 [1]De tal modo os cumulara a simplicidade santa, os instruía a inocência de vida, os possuía a pureza de coração que ignoravam completamente a duplicidade de espírito, porque, como tinham *uma só fé*, assim também tinham *um só espírito* (cf. Ef 4,3.5), uma só vontade, uma só caridade, sempre coerência de espírito, concórdia dos costumes, cultivo da virtude, conformidade das mentes e piedade das ações. – [2]Pois, visto que com frequência confessavam seus pecados a um sacerdote dos seculares – o qual tinha muito má fama e pela enormidade dos pecados era digno de ser desprezado por todos – e por meio de muitos lhes fosse dado a conhecer a má conduta dele, no entanto, de modo algum queriam crer nem por esta razão deixar de confessar-lhe habitualmente seus pecados nem de manifestar-lhe a devida reverência. [3]E, num certo dia, como ele ou outro sacerdote tivesse dito a um dos irmãos: "Cuida, irmão, para que não sejas hipócrita", imediatamente, por causa da palavra do sacerdote, aquele irmão acreditou que era hipócrita. [4]Por causa disto, lamentava-se dia e noite, tomado por excessiva dor. [5]Perguntando-lhe os irmãos o que significavam tão grande tristeza e tão insólita dor, respondeu, dizendo: "Um sacerdote falou-me tal palavra, pela qual sou oprimido com tanta dor que mal posso pensar em outra coisa". [6]E os irmãos consolavam-no e exortavam-no a que não acreditasse nisso. [7]Ele lhes dizia: "O que é que dizeis, irmãos? Quem falou esta palavra é um sacerdote, pode porventura um sacerdote mentir? [8]Portanto, como um sacerdote não mente, então é necessário que creiamos que é verdade o que falou". [9]E permanecendo assim por muito tempo nesta simplicidade, finalmente aquiesceu às palavras do beatíssimo pai que lhe explicou a palavra do sacerdote e escusou com sabedoria a intenção dele. [10]Dificilmente podia algum dos irmãos ter tão grande perturbação da mente que, à *palavra inflamada* (cf. Sl 118,140) dele, não se retirasse toda nuvem e voltasse a serenidade.

Capítulo XVIII – O carro de fogo e o conhecimento que o bem-aventurado Francisco tinha das coisas ausentes

47 [1]*Caminhando com simplicidade na presença do* Senhor e *com confiança* (cf. Gn 17,1; Pr 10,9) diante dos homens, os irmãos daquele tempo mereceram ser cumulados de alegria pela revelação divina. [2]Numa noite, enquanto, abrasados pelo fogo do Espírito Santo, cantavam com voz suplicante o *Pai-nosso* (cf. Mt 6,9) na melodia do espírito – [rezavam] não só nas horas estabelecidas, mas também em qualquer hora, visto que as solicitudes terrenas ou a molesta ansiedade das preocupações pouco os ocupavam –, o beatíssimo pai Francisco ausentou-se corporalmente deles. [3]E eis que, quase à meia-noite, estando alguns dos irmãos a dormir e outros a rezar afetuosamente em silêncio, entrando um esplendidíssimo *carro de fogo* pela portinha da casa, se moveu duas ou três vezes *de cá para lá* (cf. 2Rs 2,11.14) pela sala; sobre ele havia um grandíssimo globo que, tendo o aspecto do sol, fez brilhar a noite. [4]*Os que estavam acordados* ficaram estupefatos (cf. Lc 2,8), os que dormiam ficaram apavorados e sentiram a claridade do coração não menos do que do corpo. [5]E, *reunindo-se, começaram a perguntar entre si* o que *seria* (cf. 1Cor 11,20, Lc 22,23) isto; mas, por força e graça de tão grande luz, a consciência de um era manifesta ao outro. – [6]Enfim, compreenderam e souberam que a alma do santo pai brilhava com tão grande fulgor que, pela graça de sua especial pureza e do piedoso cuidado para com os filhos, mereceu obter do Senhor a bênção de tão grande dom.

48 [1]Na verdade, eles provaram mais vezes e experimentaram com indícios claros que *as coisas ocultas do coração* (cf. 1Cor 14,25) não eram escondidas ao santíssimo pai. [2]Quantas vezes – não o instruindo homem algum, mas revelando-lhe o Espírito Santo – ele conheceu os atos dos irmãos ausentes, revelou *as coisas ocultas do coração* (cf. 1Cor 14,25) e perscrutou as consciências! Quantos ele advertiu em sonhos, aos quais ordenou as coisas a serem feitas e proibiu as coisas a não serem feitas! De quantos, cujos bens presentes pareciam evidentes, ele predisse os males futuros! [3]Assim também, prevendo o fim das iniquidades de muitos, anunciou-lhes a futura graça da salvação. [4]Alguém, que mereceu ser distinguido pelo espírito de pureza e simplicidade, gozou de especial consolação de ter uma visão dele, de modo não experimentado por outros. – [5]Relatarei, entre outros, um fato que cheguei a conhecer, narrando-mo testemunhas dignas de fé. [6]Numa ocasião, como Frei João de Florença tivesse sido constituído por São Francisco ministro dos irmãos na Provença e celebrasse o Capítulo dos irmãos na mesma província, o Senhor Deus abriu-lhe *a porta da palavra* (cf. Cl 4,3) [para pregar] com a habitual piedade e tornou todos os irmãos benévolos e atentos para ouvir. [7]Havia entre eles um irmão sacerdote, célebre pela fama, mais célebre pela vida, de nome Monaldo, cuja virtude, fundada na humildade, auxiliada por oração frequente, era protegida pelo escudo da paciência. [8]Estava também presente naquele Capítulo Frei Antônio, cuja *inteligência* o Senhor *abriu para compreender as Escrituras* (cf. Lc 24,45) e *proclamar* no meio de todo o povo *as palavras* (cf. Sl 44,2) de Jesus, palavras *mais* doces *do que o mel e o favo* (cf. Sl 18,11). – [9]Como ele pregasse com muito fervor e devoção aos irmãos aquela palavra: *Jesus Nazareno Rei dos Judeus* (cf. Jo 19,19), o mencionado Frei Monaldo olhou para a porta da casa em que os irmãos estavam *reunidos* (cf. Js 9,2) e viu lá com os olhos corporais o bem-aventurado Francisco elevado no ar com as mãos estendidas como em cruz a abençoar os irmãos. [10]*Todos* pareciam também *repletos da consolação do Espírito Santo* (cf. At 9,31) e, a partir da alegria concebida da salvação, puderam crer no que ouviram sobre a visão e presença do gloriosíssimo pai.

49 [1]Entre muitas coisas que vários experimentaram, seja relatado para interesse de todos um fato, do qual não pode originar-se nenhuma dúvida de que ele conhecia as coisas ocultas dos corações alheios. [2]Um irmão de nome Ricério, nobre de estirpe, mas mais nobre pelos costumes, que amava a Deus e desprezava a si mesmo, ao ser conduzido por piedoso espírito e plena vontade de poder alcançar e ter perfeitamente o afeto do santo pai Francisco, *temia muito* (cf. Jt 8,8) que São Francisco o detestasse por alguma razão oculta e assim o privasse da graça de sua afeição. [3]Porque *era temente a Deus* (cf. Lc 2,25), aquele irmão julgava que todo aquele que São Francisco amasse com profunda caridade também seria digno de merecer a graça divina; e, pelo contrário, pensava que aquele a quem ele não se mostrasse benévolo e favorável incorreria na ira do juiz celeste. [4]E o dito irmão revolvia estas coisas no espírito, frequentemente *as* falava consigo mesmo *em silêncio* (cf. Gn 24,45), não revelando absolutamente a ninguém o arcano de seu pensamento.

50 [1]Num dia, como o bem-aventurado pai estivesse rezando na cela e o referido irmão, perturbado pelo habitual pensamento, tivesse chegado ao lugar, o *santo de Deus* (cf. Lc 4,34) tanto soube da chegada dele quanto entendeu o que ele revolvia no espírito. [2]Por conseguinte, mandou que ele fosse imediatamente chamado à sua presença e disse-lhe: "Nenhuma tentação te perturbe, filho, nenhum pensamento te exacerbe, porque és caríssimo para mim e saibas que, entre os que me são especialmente caros, és digno de minha afeição e amizade. [3]Vem ter comigo com segurança, quando quiseres, e usa [para comigo] a linguagem da familiaridade". [4]O predito irmão ficou extremamente admirado e, tornando-se a partir daí mais reverente, quanto mais cresceu na simpatia do santo pai tanto mais confiantemente começou a dilatar-se na misericórdia de Deus. – [5]Quão penosamente, santo pai, devem suportar tua ausência os que se desesperam totalmente de encontrar na terra um outro semelhante a ti. [6]Ajuda, nós te pedimos, com tua intercessão, os que vês envolvidos pela nociva mancha do pecado. [7]Pois que já eras repleto do espírito de todos os justos, prevendo coisas futuras e conhecendo as presentes, preferias sempre a forma da santa simplicidade para fugir de toda vanglória. – [8]Mas retornemos aos temas acima, retomando a ordem da história.

Capítulo XIX – O cuidado com que velava pelos irmãos;
e o desprezo de si e a verdadeira humildade

51 [1]Francisco, o homem beatíssimo, voltou corporalmente para junto dos seus irmãos, dos quais, como foi dito, nunca se retirou espiritualmente. [2]Entre os súditos, ele se comportava sempre com santa curiosidade, informando-se com prudente e cuidadoso exame dos atos de todos, nada deixando impune, se encontrasse algo de menos correto. [3]E, de fato, primeiramente via os vícios espirituais, em seguida, julgava os corporais, extirpando por último as ocasiões que costumam abrir acesso aos pecados. – [4]Com todo empenho, com toda solicitude, guardava a senhora santa pobreza, não permitindo, para não chegar a ter coisas supérfluas, que houvesse em casa sequer um pequeno vaso, pois que mesmo sem ele poderia fugir da escravidão da extrema necessidade. [5]Dizia, pois, que era impossível satisfazer à necessidade e não se tornar escravo do prazer. – [6]Difícil ou rarissimamente admitia alimentos cozidos e, quando admitidos, muitas vezes, ou os condimentava com cinza ou extinguia o sabor do condimento com água fria. [7]Quantas vezes, andando pelo mundo para pregar o *Evangelho de Deus* (cf. Rm 1,1), convidado por grandes príncipes ao almoço – os quais o veneravam com admirável afeto –, tendo degustado só um pouco as carnes por causa do Evangelho, colocava no bolso o restante, que parecia comer, levando a mão à boca para que ninguém pudesse perceber o que ele fazia. – [8]O que direi sobre beber vinho, quando nem a própria água, abrasado ele pelo desejo da sede, admitia beber suficientemente?

52 [1]Recebido em toda parte em hospedagem, não permitia que *sua cama* (cf. Ct 1,11) fosse coberta com colchão algum ou colchas, mas a terra nua, interposta apenas a túnica, recebia seu corpo nu. [2]E de vez em quando, ao refazer seu pequeno corpo com o benefício do sono, o mais das vezes sentando-se e não se posicionando de outra maneira, dormia, usando uma madeira ou pedra como travesseiro. – [3]E quando, como acontece, despertava [nele] o apetite de comer alguma coisa, dificilmente consentia em comê-la.

⁴Aconteceu uma vez que, enfraquecido pela enfermidade, depois de ter comido um bocado de carne de frango, tendo retomado de algum modo as forças do corpo, entrou na cidade de Assis. ⁵E depois que chegou à *porta da cidade* (cf. Lc 7,12), ordenou a um irmão que estava com ele que lhe amarrasse uma corda ao pescoço e assim o arrastasse como a um ladrão por toda a cidade, clamando e dizendo com voz de arauto: "Eis! Vede o glutão que se engordou com carnes de galinha, que ele comeu, estando vós a ignorar". ⁶Por isso, acorriam muitos a tão estupendo espetáculo e, chorando com repetidos suspiros, diziam: "Ai de nós, míseros, cuja vida toda se revolve em sangue, e nutrimos nossos corações e nossos corpos com luxúria e embriaguez". ⁷E assim, *de coração compungido* (cf. At 2,37), eram estimulados por tão grande exemplo a um estado de vida melhor.

53 ¹Muitíssimas vezes, ele fazia também muitas coisas deste gênero tanto para desprezar-se perfeitamente a si mesmo como para convidar os demais à honra perpétua. ²Tornara-se para si mesmo *como um vaso perdido* (cf. Sl 30,13); sem estar onerado por nenhum temor, por nenhuma preocupação com o corpo, expunha-o valorosamente aos maus-tratos para não ser forçado a desejar algo temporal por amor de si próprio. – ³Verdadeiro desprezador de si, instruía de modo útil a todos pela palavra e pelo exemplo a desprezarem-se também a si mesmos. ⁴O que [aconteceu] então? *Era engrandecido por todos* (cf. Lc 4,15) e por todos era julgado com sentença de louvor, mas só ele se julgava o mais desprezível, só ele se desprezava com ardor. ⁵Muitas vezes, honrado por todos, dilacerava-se por excessiva dor e, afastando para longe o aplauso dos homens, mandava que, em contrapartida, alguém o insultasse. ⁶Chamava também algum irmão, dizendo-lhe: "Digo-te por obediência que me injuries asperamente e fales a verdade contra as mentiras deles". ⁷E quando aquele irmão, conquanto contra a vontade, o chamava de grosseiro, mercenário e inútil, sorrindo e aplaudindo muito, ele respondia: ⁸"*Que o Senhor te abençoe* (cf. Nm 6,24; Sl 127,5), porque falas as coisas mais verdadeiras; pois tais coisas convém que ouça o filho de Pedro Bernardone!" ⁹Falando assim, recordava as humildes origens de seu nascimento.

54 [1]Para mostrar-se mais desprezível e apresentar aos outros o exemplo de confissão sincera, quando cometia alguma falta, não se envergonhava de confessá-la na pregação diante de todo o povo. [2]Antes, se talvez fosse tocado por um mau pensamento sobre alguém ou em alguma ocasião proferisse uma palavra ofensiva, imediatamente com toda a humildade, confessando o pecado àquele mesmo de quem pensara ou dissera algo de mau, pedia-lhe o perdão. [3]A consciência, testemunha de toda inocência, não permitia que ele descansasse, guardando-se *com todo cuidado* (cf. 2Cor 8,7), enquanto não curasse com ternura a ferida espiritual [causada por ele]. [4]Desejava realmente progredir em todo gênero de coisas notáveis e não ser visto, fugindo de todos os modos da admiração, para nunca incorrer na vaidade. – [5]Ai de nós que assim te perdemos, ó digno pai, modelo de toda bondade e humildade: na verdade, perdemos *com justo juízo* (cf. Dt 16,18) aquele que não cuidamos de conhecer, enquanto o tínhamos!

Capítulo XX – O desejo pelo qual foi levado primeiramente à Espanha para receber o martírio e depois à Síria; e como Deus, multiplicando os víveres, por meio dele libertou os navegantes do perigo

55 [1]Abrasando-se de amor divino, o beatíssimo pai Francisco esforçou-se sempre por lançar mão *a coisas mais valorosas* (cf. Pr 31,19) e, andando com o coração aberto no *caminho dos mandamentos* (cf. Sl 118,32) de Deus, desejava atingir o ápice da perfeição. [2]No sexto ano de sua conversão, inflamando-se sobremaneira pelo desejo do martírio, quis atravessar o mar até às regiões da Síria para pregar a fé cristã e a penitência aos sarracenos e a outros infiéis. [3]Depois que entrou num navio que para lá se dirigia, tendo soprado ventos contrários, encontrou-se com os demais navegantes nas regiões da Eslavônia. [4]E, vendo-se frustrado em tão grande desejo, passado um pequeno intervalo de tempo, suplicou a alguns navegantes que se dirigiam a Ancona que o levassem consigo, porque naquele ano dificilmente pôde algum navio atravessar para a região da Síria. [5]E, recusando eles firmemente a fazê-lo pela falta [do pagamento] das despesas, o santo de Deus, confiando muito na bondade do Senhor, entrou às escondidas no navio com o companheiro. [6]Pela divina providência, apresentou-se alguém, desconhecido de todos, que trazia consigo as coisas necessárias em alimento, o qual chamou a si alguém do navio *que temia a Deus* (cf. Jó 1,1) e disse-lhe: "*Leva contigo* (cf. Tb 11,4) todas estas coisas e fornecerás com fidelidade *em tempo de necessidade* (cf. Sir 8,12) a esses pobres que se escondem no navio". [7]E assim aconteceu que, tendo surgido grande tempestade, depois que consumiram todos os víveres, *pelejando em remar* (cf. Mc 6,48) por muitos dias, somente tinham sobrado os víveres do pobre Francisco. – [8]Esses víveres, pela graça e poder divino, se multiplicaram tanto que, como ainda houvesse muitos dias de navegação, de sua abundância proveram plenamente às necessidades de todos até ao porto de Ancona. [9]E assim, vendo os navegantes que tinham escapado dos perigos do mar por meio de Francisco, o servo de Deus, renderam graças *a Deus onipotente* (cf. Sir 50,19) que sempre se mostra admirável e amável em seus santos.

56 [1]Francisco, *o servo de Deus altíssimo* (cf. Dn 3,93), deixando o mar, caminha por *terra* e, *rasgando-a com o arado* (cf. Dt 21,3) da palavra, *semeia a semente* da vida, produzindo *fruto* (cf. Mt 13,3) bendito. [2]Logo, muitos homens bons e idôneos, clérigos e leigos, *fugindo do mundo* (cf. 2Pd 1,4) e pisando virilmente o demônio, por graça e vontade do Altíssimo, seguiram-no devotamente na vida e no propósito. – [3]Mas, embora a videira do Evangelho produza copiosos frutos escolhidíssimos, no entanto, de modo algum se esfria nele o sublime propósito e ardente desejo do martírio. [4]De fato, *depois de* não *muito tempo* (cf. Mt 25,19), tomou o caminho de Marrocos para pregar o Evangelho de Cristo ao Miramolim e a seus correligionários. [5]Era levado por tão grande desejo que, de vez em quando, deixava para trás *o companheiro de* sua *peregrinação* (cf. 2Cor 8,19) e se apressava, ébrio em espírito, para alcançar o propósito. [6]Mas o bom Deus, a quem unicamente por benignidade aprouve recordar-se de mim e de muitos, depois que ele chegou à Espanha, *opôs-se frontalmente a ele* (cf. Gl 2,11) e, para que não procedesse além, tendo-se manifestado uma doença, trouxe-o de volta da viagem iniciada.

57 [1]Voltando ele a Santa Maria da Porciúncula, não muito tempo depois, alguns homens letrados e alguns nobres se juntaram a ele com muita satisfação. – [2]Ele, como era muito nobre de espírito e discreto, tratando-os com honra e dignidade, colocava piedosamente o que era seu à disposição de cada um. [3]Na verdade, dotado de especial discrição, considerava sabiamente em todos a dignidade dos graus. – [4]Mas ainda não consegue descansar, sem seguir até ao fim de maneira mais fervorosa ainda o beato ímpeto de seu espírito. [5]No décimo terceiro ano de sua conversão, dirigindo-se às regiões da Síria, como a cada dia recrudescessem batalhas fortes e duras entre cristãos e pagãos, tendo tomado consigo um companheiro, não teve medo de apresentar-se diante do sultão dos sarracenos. – [6]Mas quem seria capaz de narrar com quanta virtude do espírito lhe falava, com quanta eloquência e confiança respondia aos que insultavam a lei cristã? [7]Antes de ter acesso ao sultão, capturado pelos correligionários, atacado com ultrajes, castigado com açoites, não se amedronta; ameaçado com suplícios, não teme; com a morte planejada não se apavora. [8]E, embora tivesse sido maltratado por muitos com ânimo bastante hostil e com espírito adverso, no entanto, foi recebido pelo sultão com muita honra. [9]Honrava-o como podia e, tendo-lhe oferecido muitos presentes, tentava dobrar o espírito dele às riquezas do mundo; [10]mas depois que o viu desprezar valorosamente tudo como esterco, encheu-se de máxima admiração e via-o como homem diferente de todos; [11]ficou muito tocado pelas palavras dele e *ouvia-o de muito bom grado* (cf. Mc 6,20). – [12]Em todas estas coisas o Senhor *não realizou o desejo* (cf. Sl 126,5) dele, reservando-lhe a prerrogativa de uma graça especial.

Capítulo XXI – A pregação às aves e a obediência das criaturas

58 [1]Nesse meio-tempo, como foi dito, enquanto muitos *se juntavam* (cf. At 2,41) aos irmãos, o beatíssimo pai Francisco percorria o Vale de Espoleto. [2]Ele se dirigiu a um lugar perto de Bevagna, em que estava reunida a maior multidão de aves de diversas espécies, a saber, de pombas, de gralhas e de outras que vulgarmente se chamam *monjinhas*[19]. [3]Quando Francisco, o beatíssimo servo de Deus, as viu, porque era homem de fervor muito grande e tinha grande afeto de compaixão e doçura também para com as criaturas inferiores e irracionais, correu alegremente até elas, tendo deixado os companheiros na estrada. [4]E estando já bastante perto e vendo que elas o aguardavam, saudou-as do modo habitual. [5]Mas, admirando-se não pouco de como as aves não se tivessem levantado em fuga, como costumam fazer, repleto de enorme alegria, rogou-lhes humildemente que ouvissem a palavra de Deus. [6]E entre muitas coisas que lhes falou, acrescentou também: "Meus irmãos pássaros, muito deveis louvar o vosso Criador e sempre amar aquele que vos deu penas para vestir, asas para voar e tudo de que necessitais. [7]Deus vos fez nobres entre suas criaturas e concedeu-vos a mansão na pureza do ar, porque, como *não semeais nem colheis* (cf. Lc 12,24), ele, todavia, vos protege e governa sem qualquer preocupação vossa". [8]A estas palavras, aquelas aves, como ele próprio dizia e os irmãos que estavam com ele, exultando de modo admirável segundo sua natureza, começaram a esticar os pescoços, a estender as asas, a abrir o bico e a olhar para ele. [9]E *ele, passando pelo meio delas, ia* (cf. Lc 4,30) e voltava, roçando com sua túnica as cabeças e corpos delas. [10]Finalmente, abençoou-as e, tendo feito o sinal da cruz, deu-lhes a licença para voarem a outro lugar. [11]E o bem-aventurado pai, *alegrando-se, ia* com seus companheiros *por seu caminho* (cf. At 8,39) e *rendia graças a Deus* (cf. At 27,35), a quem todas as criaturas veneram com humilde confissão. – [12]Como ele já fosse simples pela graça, não pela natureza, começou a acusar-se de negligência, porque antes não havia pregado às aves, já que elas ouviram a palavra de Deus com tanta reverência. [13]E assim aconteceu que a partir daquele dia, solícito, ele exortava todos os pássaros, todos os animais e todos os répteis e também as criaturas insensíveis ao louvor e amor do Criador, porque a cada dia, *tendo invocado o nome* (cf. At 22,16) do Salvador, conhecia por própria experiência a obediência delas.

59 [1]Num certo dia, pois, como tivesse chegado à aldeia de Alviano para pregar a palavra de Deus, *subindo num lugar mais alto*

---

19. Trata-se de um nome popular dado a uma espécie de corvo.

(cf. Jt 13,16) para ser visto por todos, começou por pedir silêncio. [2]E estando todos em silêncio e pondo-se reverentemente de pé, muitas andorinhas, que faziam ninho no mesmo lugar, gorjeavam e faziam muita algazarra. [3]Estando elas a tagarelar, porque o bem-aventurado Francisco não podia ser ouvido pelos homens, falou às aves, dizendo: "Minhas irmãs andorinhas, já *é tempo que* (cf. Tb 12,20) fale também eu, porque vós falastes até agora. *Ouvi a palavra do Senhor* (cf. Is 1,10) e ficai em silêncio e quietas, até que *se conclua a palavra do Senhor*" (cf. 2Cr 36,21). [4]E as próprias aves, diante da estupefação e admiração dos que estavam presentes, imediatamente se calaram e não se moveram daquele lugar até que ele terminasse a pregação. [5]Aqueles homens, portanto, *ao verem* este *milagre* (cf. Mt 12,38), ficaram repletos da maior admiração, dizendo: "*Verdadeiramente, este homem é* (cf. Lc 23,47) santo e amigo do Altíssimo". [6]E corriam com a maior devoção para, pelo menos, tocar as vestes dele, *louvando e bendizendo a Deus* (cf. Lc 24,53). [7]E é certamente admirável que as próprias criaturas irracionais conhecessem o afeto de piedade e pressentissem o terno amor dele para com elas.

60 [1]Numa ocasião, quando morava perto da aldeia de Greccio, uma pequena lebre, capturada numa armadilha, foi levada viva por um irmão até ele. [2]Vendo-a o beatíssimo homem, movido por compaixão, disse: "Irmã lebre, vem a mim. Por que permitiste ser capturada?" [3]E imediatamente, solta pelo irmão que a detinha, procurou refúgio junto ao santo e, sem que ninguém a obrigasse, descansou *no regaço dele* (cf. 2Sm 12,3; Lc 16,23) como em lugar seguríssimo. [4]E, depois que ela descansou ali um pouco, o santo pai, afagando-na com afeto materno, despediu-a para que voltasse livre ao bosque. [5]Ela, porém, muitas vezes colocada no chão, recorria ao regaço do santo; finalmente ele mandou que ela fosse levada pelos irmãos ao bosque, que era distante. [6]Algo semelhante aconteceu com relação a um coelho, que é um animal não muito doméstico, quando ele estava na ilha do lago de Perúgia.

61 [1]Era conduzido também pelo mesmo afeto de compaixão para com os peixes que, capturados, ele lançava de volta na água, quando tinha oportunidade, ordenando-lhes que se precavessem para não serem capturados de novo. – [2]Numa ocasião, como estivesse num barco perto de um porto no lago de Rieti, um pescador, capturando um grande peixe, que vulgarmente se chama tenca, ofereceu-lho com devoção. [3]Ele, recebendo-o alegre e benignamente, começou a chamá-lo com o nome de irmão e, recolocando-o na água fora do barco, começou a bendizer devotamente *o nome do Senhor* (cf. Sl 112,2). [4]E assim, por algum tempo, enquanto continuava em oração, o dito peixe, brincando na água perto do barco, não se retirava do lugar em que ele o colocara, até que, terminada a oração, o santo de Deus lhe desse a licença de retirar-se. – [5]E assim o glorioso pai Francisco, percorrendo o caminho da obediência e abraçando perfeitamente o jugo da submissão a Deus, conseguiu grande dignidade diante de Deus na obediência das criaturas. – [6]Pois, numa ocasião, até a água se lhe transformou em vinho, quando enfrentava gravíssima doença no eremitério de Santo Urbano. [7]Ao degustá-la, convalesceu com tanta facilidade que todos acreditavam que fosse um milagre, como de fato o era. – [8]E é verdadeiramente santo aquele a quem as criaturas obedecem desta maneira e a cujo aceno os próprios elementos passam para outras utilidades.

Capítulo XXII – Sua pregação em Áscoli; e como, estando ele ausente, os enfermos eram curados por aquelas coisas que ele tocara com a mão

62 [1]Naquela ocasião em que, como foi dito, o venerável pai Francisco pregou aos pássaros, percorrendo as *cidades e aldeias* (cf. Mt 9,35) e espalhando sementes de bênçãos por toda parte, dirigiu-se à cidade de Áscoli. [2]Nela, ao anunciar mui fervorosamente, como de costume, a palavra de Deus, pela mudança *da mão direita do Altíssimo* (cf. Sl 76,11), quase todo o povo ficou repleto de tanta graça e devoção que, desejando ouvi-lo e vê-lo, *se calcavam uns aos outros* (cf. Lc 12,1). [3]Também naquela ocasião, trinta homens, clérigos e leigos, receberam dele o hábito da santa Religião.

[4]Tão grande era a fé dos homens e mulheres, tão grande a devoção para com o santo de Deus que se declarava feliz quem *pelo*

menos tivesse podido tocar *a vestimenta dele* (cf. Mt 21,8). [5]Entrando ele em alguma cidade, alegrava-se o clero, tocavam-se os sinos, exultavam os homens, rejubilavam-se as mulheres, aplaudiam os meninos e, muitas vezes, tendo tomado ramos das árvores, iam ao encontro dele, cantando salmos. – [6]Era confundida a maldade herética, exaltada a fé da Igreja e, ao alegrarem-se os fiéis, os hereges escondiam-se. [7]Manifestavam-se nele tantos sinais de santidade que ninguém ousava contradizê-lo, visto que *a multidão* (cf. Nm 27,22) olhava somente para ele. [8]Entre todas as coisas e acima de tudo, ele julgava que devia ser conservada, venerada e imitada a fé da santa Igreja Romana, na qual unicamente reside a salvação de todos os que devem ser salvos. [9]Venerava os sacerdotes e abraçava com grande afeto toda a hierarquia eclesiástica.

63 [1]As pessoas apresentavam-lhe pães para benzer e, guardando-os por longo tempo, ao prová-los eram curadas de diversas doenças. – [2]Assim também, muitas vezes, levadas pela maior fé, cortavam a túnica dele de tal modo que, às vezes, ele ficava quase nu. [3]E o que é mais de se admirar, se o santo pai tocasse alguma coisa com a mão, também por ela era restituída a saúde a alguns. – [4]Assim, uma mulher que habitava numa pequena vila nas regiões de Arezzo, estando grávida e chegando o tempo do parto, trabalhou por vários dias para dar à luz e assim, atormentada por incrível dor, estava entre a vida e a morte. [5]*Os vizinhos e conhecidos dela* haviam ouvido dizer (cf. Lc 1,58) que o bem-aventurado Francisco haveria de passar por aquele caminho em direção a um certo eremitério. [6]E, *estando eles a esperar* (cf. At 28,6), aconteceu que o bem-aventurado Francisco passou *por outro caminho* (cf. Mt 2,12) ao dito lugar; havia ido a cavalo, pelo fato que estava enfermo e fraco. [7]Mas, chegando ele ao lugar, por meio de um irmão de nome Pedro, mandou de volta o cavalo àquele homem que lho havia concedido por caridade. [8]Frei Pedro, levando de volta o cavalo, passou por aquele caminho no qual a mulher se contorcia [de dor]. [9]Vendo-o os homens daquela terra, correram apressados a ele, julgando que ele fosse o bem-aventurado Francisco; mas, reconhecendo que não era ele, *ficaram extremamente tristes* (cf. Mt 18,31). [10]Finalmente, *começaram a perguntar entre si* (cf. Lc 22,23) se poderia ser encontrada alguma coisa que o bem-aventurado Francisco tivesse tocado com a mão. [11]E, depois que *demoraram* (cf. Mt 24,48) muito à procura destas coisas, finalmente encontraram as rédeas do freio que ele tivera na mão ao cavalgar; [12]e, retirando o freio da boca do cavalo em que montara o santo pai, colocaram sobre a mulher as rédeas que ele tocara com as mãos; [13]ela, depois de ter sido removido o perigo, deu à luz com alegria e saúde.

64 [1]Gualfreduccio, habitante de Città della Pieve, *homem religioso, temente e adorador de Deus com toda a sua família* (cf. At 10,2), tinha consigo um cordão com o qual o bem-aventurado Francisco de vez em quando se cingira. [2]E aconteceu que naquela terra muitos homens e não poucas mulheres sofriam de várias enfermidades e febres. [3]O referido homem ia pelas casas dos doentes e, mergulhando o cordão na água ou misturando nela algum pelo do cordão, dava aos pacientes para beber, e assim *em nome de Cristo* (cf. 1Pd 4,14) todos conseguiam a saúde. – [4]E todas estas coisas – e muito mais coisas do que estas que não poderíamos expor com narração muito longa – aconteciam na ausência do bem-aventurado Francisco. [5]Mas inseriremos brevemente nesta obra algumas poucas coisas daquelas que *o Senhor nosso Deus* (cf. Sl 98,9) se dignou operar na presença dele.

Capítulo XXIII – Como curou um coxo em Toscanella e um paralítico em Narni

65 [1]Numa ocasião, ao percorrer longas e várias regiões para anunciar *o reino de Deus* (cf. Lc 4,43), Francisco, o santo de Deus, chegou a uma cidade que se chama Toscanella. [2]Como nela espalhasse, no modo habitual, a semente da vida, acolheu-o com hospitalidade um cavaleiro da mesma cidade, o qual *tinha um filho único* (cf. Lc 7,12), aleijado e fraco em todo o corpo; este, embora na idade infantil, passara os anos de desmamar e ainda permanecia em berço. [3]E o pai do menino, vendo o homem de Deus dotado de tão grande santidade, *lançou-se-lhe* humildemente *aos pés* (cf. Rt

3,7.8), pedindo-lhe a cura de seu filho. [4]Ao julgar-se inútil e indigno de tanta graça e virtude, [o santo] recusou-se por muito tempo a fazê-lo. [5]Finalmente, vencido pela insistência das preces dele, tendo feito antes uma oração, impôs a mão sobre o menino e, abençoando-o, *levantou-o* (cf. At 3,7). [6]Este imediatamente, estando todos a ver e a alegrar-se, levantou-se são e salvo *em nome de Nosso Senhor Jesus Cristo* (cf. At 4,19) e começou a andar de cá para lá pela casa.

66 [1]E numa ocasião, Francisco, *o homem de Deus* (cf. 1Sm 9,6.10), foi a Narni e aí permaneceu muitos dias; um homem da mesma cidade, de nome Pedro, jazia *paralítico num leito* (cf. Mt 9,2). [2]Este, pelo período de cinco meses, estivera de tal modo privado das funções de todos os membros que de modo algum podia levantar-se nem sequer mover-se; e assim, tendo perdido totalmente as forças dos pés, das mãos e da cabeça, só conseguia mover a língua e abrir os olhos. [3]E, ouvindo dizer que São Francisco havia chegado a Narni, enviou um mensageiro ao bispo da cidade para que se dignasse enviar-lhe, pela compaixão divina, o servo *de Deus altíssimo* (cf. Lc 8,28), confiando que seria libertado, a partir da visão e presença dele, da doença pela qual era detido. [4]E assim realmente aconteceu que, quando o bem-aventurado Francisco se aproximou dele, fazendo sobre ele o sinal da cruz da cabeça aos pés, tendo expulsado imediatamente toda doença, *restituiu-lhe a saúde* (cf. Mt 12,13) primitiva.

Capítulo XXIV – Como restituiu a visão a uma mulher cega; e em Gubbio curou uma outra aleijada

67 [1]Uma mulher da supradita cidade, atingida pela cegueira, recebendo do bem-aventurado Francisco o sinal da cruz sobre os olhos, mereceu receber imediatamente a luz desejada. – [2]Em Gubbio, havia uma mulher que, tendo ambas as mãos aleijadas, não podia fazer nada com elas. [3]Assim que soube que São Francisco havia entrado na cidade, ela correu imediatamente até ele e, com o rosto infeliz e cheio de tristeza, mostrando-lhe as mãos aleijadas, começou a pedir-lhe que se dignasse tocá-las. [4]Ele, movido por compaixão, tocou as mãos dela e curou-as. [5]E, imediatamente a mulher, voltando alegre para casa, fez com as próprias mãos um bolo de queijo e ofereceu-o ao santo homem. [6]E ele, recebendo caritativamente um pouco do mesmo bolo, mandou a mulher comer o restante com a família.

Capítulo XXV – Como libertou um irmão da epilepsia ou do demônio; e como na aldeia de Sangemini libertou uma endemoninhada

68 [1]Um irmão sofria frequentemente uma grave enfermidade, horrível de se ver, a qual não sei com que nome distinguir, já que alguns afirmam que se tratava de um demônio maligno. [2]De fato, muitas vezes, debatia-se todo e, olhando com aspecto miserável, *revolvia-se espumando* (cf. Mc 9,19); ora os membros dele se contraíam, ora se estendiam, ora ficavam dobrados e tortos, ora se tornavam rijos e duros. [3]De vez em quando, todo estendido e enrijecido, com os pés nivelados à cabeça, elevava-se até à altura de um homem e de repente caía por terra. [4]O santo pai Francisco, comiserando-se da gravíssima doença dele, foi ter com ele e, tendo feito uma oração, assinalou-o e abençoou-o. [5]Este, tornando-se subitamente curado, depois não sofreu absolutamente incômodo algum desta enfermidade.

69 [1]Num dia, ao passar o beatíssimo pai pela diocese de Narni, chegou a uma aldeia que se chama Sangemini e, *anunciando ali o reino de Deus* (cf. Lc 4,43), foi recebido com três irmãos em hospedagem por *um homem temente* e *adorador de Deus* (cf. At 10,2), de bastante boa fama naquela terra. [2]E a mulher dele *era atormentada por um demônio* (cf. Mt 15,22), como era do conhecimento de todos os que habitavam naquela terra, e o marido dela rogou ao bem-aventurado Francisco por ela, confiando que ela podia ser libertada pelos méritos dele. [3]Mas, porque em sua simplicidade preferia ser exposto ao desprezo a ser exaltado pelos favores deste mundo por ostentação de santidade, recusava absolutamente a fazê-lo. [4]Finalmente, tendo-lhe rogado muitos, porque Deus estava em causa, aquiesceu, vencido pelas preces. [5]Chamou os três irmãos que estavam com ele e, colocando um irmão em cada ângulo daquela casa, disse-lhes: "Rezemos, irmãos, ao Senhor por esta mulher para que Deus, para seu louvor e glória, *sacuda* dela *o jugo* (cf. Gn 27,40) do demônio. [6]Postemo-nos separadamente nos ângulos da casa para que este espírito maligno não consiga escapar de nós ou enganar-nos, buscando o refúgio dos ângulos". [7]E, *terminada a oração* (cf. Jt 6,16), o bem-aventurado Francisco, *na força do Espírito* (cf. Rm 15,13.19), aproximou-se da mulher, que se contorcia miseravelmente e gritava horrendamente, e disse: *"Em nome de Nosso Senhor Jesus Cristo*, pela obediência *te ordeno*, ó demônio, *que saias dela* (cf. At 16,18) e não ouses mais molestá-la". [8]Mal completara as palavras, *ele saiu* (cf. Gn 39,12) tão velozmente com furor e barulho que, por causa da súbita cura da mulher e da tão apressada obediência do demônio, o santo pai julgava que houvesse sido enganado. [9]E, imediatamente, retirou-se envergonhado daquele lugar, por providência divina, para que não pudesse vangloriar-se em algo. – [10]Por isso, aconteceu, numa outra vez, que, ao passar o bem-aventurado Francisco pelo mesmo lugar – Frei Elias estava com ele –, eis que aquela mulher, assim que ficou sabendo da chegada dele, *se levantou imediatamente* (cf. At 9,34) e, correndo pela praça, *gritava atrás* (cf. Mt 15,23) dele para que se dignasse falar com ela. [11]Ele, porém, não queria falar com ela, sabendo que aquela era a mulher de quem uma vez por virtude divina expulsara o demônio. [12]E ela *beijava as pegadas dos pés dele* (cf. Est 13,13), *dando graças a Deus* (cf. At 28,15) e a São Francisco, servo dele, que *a libertara da mão da morte* (cf. Os 13,14). [13]Finalmente, Frei Elias obrigou o santo com um pedido; ele falou com ela, certificado por muitos da enfermidade e libertação dela, como foi dito.

Capítulo XXVI – Como também em Città di Castello expulsou um demônio

70 [1]Também em Città di Castello havia uma mulher possuída pelo demônio. [2]Como o bem-aventurado Francisco estivesse nesta cidade, a mulher foi conduzida à casa em que ele estava. [3]E aquela mulher, *ficando fora* (cf. Jo 20,11), começou a ranger os dentes e a urrar com rosto ameaçador e com voz digna de compaixão, *como é o costume dos espíritos impuros* (cf. Jo 19,40; Mt 10,1). [4]Muitos daquela cidade, de ambos os sexos, aproximando-se, rogaram a São Francisco pela mulher; pois por muito tempo aquele maligno tanto a afligia com tormentos quanto os perturbava com os urros. [5]Então, o santo pai mandou-lhe um irmão que estava com ele, querendo experimentar se seria o demônio ou um fingimento de mulher. [6]Aquela mulher, vendo-o, começou a zombar dele, sabendo que absolutamente não era São Francisco. [7]O santo pai estava dentro rezando e, terminada a oração, foi para fora; e a mulher começou a tremer e a revolver-se sobre a terra, não suportando a virtude dele. [8]Chamando-a para perto de si, São Francisco disse: "Em virtude da obediência, ordeno-te, *espírito imundo, sai* (cf. Mc 5,8) dela". [9]Ele a deixou imediatamente sem qualquer lesão, afastando-se bastante indignado. – [10]Graças a *Deus onipotente* (cf. Sir 50,19) que *opera tudo* (cf. 1Cor 12,11) em todos. [11]Mas, porque decidimos expor não os milagres – que não fazem a santidade, mas a mostram –, mas antes a excelência da vida e sinceríssima forma de vida dele, omitidos aqueles por causa da grande quantidade, voltemos a relatar as obras *da salvação eterna* (cf. Hb 5,9).

Capítulo XXVII – A sua clareza e firmeza de pensamento e a pregação diante do senhor Papa Honório; e como confiou a si e aos irmãos ao senhor Hugolino, bispo de Óstia

71 [1]Francisco, *o homem de Deus* (cf. 1Sm 9,6.10), fora instruído a não buscar as suas coisas, mas principalmente as que visse parecerem melhores para a salvação dos outros; e desejava acima de tudo *aniquilar-se e estar com Cristo* (cf. Fl 1,23). [2]Por esta razão, seu maior empenho era estar livre de tudo *que há no mundo* (cf. 1Jo 2,15), para que a serenidade de seu espírito não fosse perturbada por uma hora sequer pelo contágio de alguma poeira. [3]Tornava-se insensível a tudo que faz barulho exteriormente e, recolhendo com todas as entranhas, de todos os lados, os sentidos exteriores e coibindo os impulsos do espírito, só se dedicava a Deus; construía o ninho *nas fendas da rocha* e a habitação *na cavidade dos penhascos* (cf. Ct 2,14). [4]Com alegre devoção, visitava casas solitárias e, totalmente esvaziado [de si mesmo], permanecia mais longamente nas chagas do Salvador. [5]Por conseguinte, escolhia frequentemente lugares solitários para poder dirigir totalmente o espírito a Deus, mas não ficava preguiçoso, quando via o tempo oportuno de lançar-se às atividades e aplicar-se de boa vontade à salvação do próximo. – [6]O porto mais seguro dele era a oração, não sendo de um só momento nem vazia ou presunçosa, mas demorada, cheia de devoção, serena na humildade; se ele a iniciava de noite, mal terminava de manhã; andando, estando sentado, comendo e bebendo, estava dedicado à oração. [7]Dirigia-se sozinho de noite para rezar nas igrejas abandonadas e situadas no deserto, nas quais, protegendo-o a graça divina, superou muitos temores e muitas angústias do espírito.

72 [1]Lutava *corpo a corpo* (cf. Ez 21,24) com o demônio, visto que em tais lugares ele não só o golpeava interiormente com tentações, mas também exteriormente o impedia com ruínas e destruição. [2]Mas, sabendo o fortíssimo cavaleiro de Deus que seu Senhor pode tudo em toda parte, não cedia aos terrores, mas dizia em seu coração: "Nada mais, ó maligno, podes [aqui] lançar contra mim com a arma de tua malícia do que se estivéssemos em público, diante de todos".

[3]Na verdade, era constantíssimo e a nada se aplicava, a não ser ao *que era do Senhor* (cf. 1Cor 7,32). [4]Como muitas vezes pregava *a palavra de Deus* (cf. At 13,5) entre muitos milhares de pessoas, era tão seguro como se falasse com um seu companheiro íntimo. [5]Via a maior multidão como se visse um só homem e pregava a um com a maior diligência como se fosse a uma multidão. [6]Da pureza de espírito hauria a segurança de dizer a palavra e, mesmo sem ter-se preparado com antecedência, a todos falava coisas admiráveis e inauditas. [7]Mas, se por acaso preparava um sermão com alguma meditação e, estando já reunidas as pessoas, ele não se recordava e não sabia falar outra coisa, sem rubor algum ele confessava às pessoas que havia pre-

parado muitas coisas e que não podia recordar-se de absolutamente nada; [8]e assim, de repente, enchia-se de tanta eloquência que levava à admiração os ânimos dos ouvintes. [9]E de vez em quando, nada sabendo dizer, depois de ter dado a bênção, a partir unicamente disto, despedia as preditas pessoas.

73 [1]Mas também, numa ocasião, como tivesse ido à cidade de Roma – exigindo-o a causa da Religião –, desejava muito falar diante do senhor Papa Honório e dos veneráveis cardeais. [2]Ao saber disto, o senhor Hugolino, bispo de Óstia, que venerava o santo de Deus com especial afeto, ficou cheio de temor e de alegria, admirando o fervor do santo homem e vendo aquela pureza simples. [3]Mas, *confiando* na misericórdia do *Onipotente* (cf. 2Mc 8,18), a qual *no tempo da necessidade* (cf. Sir 8,12) nunca falta àqueles que o adoram com piedade, conduziu-o à presença do senhor papa e dos reverendos cardeais. [4]Ele, colocando-se de pé diante de tão grandes príncipes, tendo recebido a licença e a bênção, *começou a falar* (cf. Lc 7,15) intrepidamente. [5]E, na verdade, falava com tanto fervor de espírito que, não se contendo de alegria, quando proferia a palavra com a boca, movia os pés como que a dançar, não como quem zomba, mas como quem se inflama no fogo do amor divino, não movendo ao riso, mas arrancando pranto de dor. [6]Muitos deles *foram compungidos no coração* (cf. At 2,37), *admirando a* graça divina e tanta *constância* (cf. At 4,13) do homem. [7]O venerável senhor bispo de Óstia, porém, ficara suspenso pelo temor, rezando ao Senhor com todas as entranhas para que a simplicidade do bem-aventurado homem não fosse desprezada, porque sobre ele recaía a glória do santo e a desonra, pelo fato que fora *constituído* pai *sobre a família* (cf. Lc 12,42) dele.

74 [1]São Francisco, pois, ligara-se a ele como um filho ao pai, como *filho único à sua mãe* (cf. Lc 7,12), *dormindo* e descansando seguro *no regaço* (cf. 2Sm 12,3) de sua clemência. [2]Com segurança, ele cumpria a vez e realizava a obra de pastor, mas deixara o nome de pastor ao santo homem. [3]O bem-aventurado pai cuidava das coisas necessárias, mas aquele feliz senhor as levava a efeito. [4]Quantos, mormente no princípio, quando se realizavam estas coisas, armavam ciladas à *nova plantação* (cf. Sl 143,12) da Ordem para perdê-la! [5]Quantos se esforçavam por sufocar a nova *vinha eleita* (cf. Jr 2,21) que a mão do Senhor plantava benignamente no mundo! [6]Quantos tentavam roubar e consumir os primeiros e mais puros frutos dela! [7]Todos eles *foram aniquilados e reduzidos a nada* (cf. At 5,36) pela espada de tão reverendo pai e senhor. [8]Era um rio de eloquência, muro da Igreja, defensor da verdade e amava os humildes. – [9]Por conseguinte, bendito e memorável aquele dia em que o santo de Deus se confiou a tão venerável senhor. [10]Numa ocasião, quando este senhor exercia a função de legado na Toscana pela Sé Apostólica, como acontecia muitas vezes, o bem-aventurado Francisco, não tendo ainda muitos irmãos e querendo ir à França, chegou a Florença onde então morava o mencionado bispo. [11]Um ainda não estava ligado ao outro por especial amizade, mas unicamente a mútua fama de vida santa os unia em afetuosa caridade.

75 [1]Como era do costume do bem-aventurado Francisco visitar os bispos ou sacerdotes, quando entrava em alguma cidade ou região, ouvindo a respeito da presença de tão grande pontífice, apresentou-se à clemência dele com grande reverência. [2]Vendo-o, o senhor bispo recebeu-o com humilde devoção, como fazia sempre a todos os que dilatavam a sagrada religião e principalmente àqueles que portavam o nobre estandarte da santa pobreza e da santa simplicidade. [3]E porque era solícito em *suprir a penúria* (cf. 2Cor 8,14) dos pobres e em examinar com especial cuidado os problemas deles, inquiriu diligentemente a causa da vinda e entendeu benignamente o propósito dele. [4]Como o visse a desprezar mais do que os outros todos os bens terrenos e a abrasar-se com aquele fogo que Jesus *enviou à terra* (cf. Lc 12,49), desde então sua *alma se uniu à alma* (cf. 1Sm 18,1) dele, pedindo-lhe devotamente a oração e oferecendo-lhe com muita satisfação a sua proteção em tudo. [5]Admoestou-o, por conseguinte, a não concluir a viagem iniciada, mas a estar zelosamente alerta no cuidado e guarda daqueles que o Senhor Deus lhe confiara. [6]E vendo São Francisco que tão reverendo senhor tinha espírito piedoso, afeto suave, palavra eficaz, *alegrou-se com júbilo muito grande* (cf. Mt 2,11) e, a partir daí, *caindo-lhe aos* *pés* (cf. At 10,25), com espírito devoto, entregou-se e confiou-se a si mesmo e seus irmãos a ele.

Capítulo XXVIII – O espírito de caridade e o afeto de compaixão com que se abrasava para com os pobres; e o que fez da ovelha e dos cordeirinhos

76 [1]O pobre Francisco, *pai dos pobres* (cf. Jó 29,16), conformando-se a todos os pobres, sofria ao ver alguém mais pobre do que ele, não pelo impulso de *vanglória* (cf. Gl 5,26), mas unicamente pelo afeto de compaixão. [2]E, embora estivesse contente com uma túnica bastante barata e áspera, muitas vezes, desejava dividi-la com algum pobre. – [3]Mas, levado por grande afeto de compaixão, o riquíssimo pobre, para poder de alguma maneira ajudar os pobres, nos rigores do frio pedia aos ricos deste mundo que lhe emprestassem um manto ou peles. [4]Como estes devotamente o fizessem de mais boa vontade do que o beatíssimo pai lhes pedia, ele lhes dizia: "Receberei isto de vós sob condição de que doravante de maneira alguma espereis reavê-lo". [5]E quando algum pobre lhe vinha ao encontro, exultando e alegrando-se, vestia-o com o [que havia] recebido. – [6]Desagradava--lhe muitíssimo, quando via que algum pobre era repreendido ou quando ouvia que uma *palavra de maldição* (cf. Js 8,34) era proferida contra qualquer criatura. [7]Donde aconteceu que um irmão dirigiu uma palavra de insulto a um pobre que pedia esmola, dizendo: "Vê, talvez sejas rico e simules pobreza". [8]Ouvindo isto, São Francisco, *o pai dos pobres* (cf. Jó 29,16), lamentou profundamente e repreendeu com dureza o irmão que proferia tais coisas e ordenou-lhe que se desnudasse diante do pobre e, beijando-lhe os pés, lhe pedisse perdão. [9]Dizia, pois: "Quem amaldiçoa um pobre comete injúria contra Cristo, de quem ele traz o nobre sinal, o qual por nós se fez pobre neste mundo". – [10]Por conseguinte, com frequência, ao encontrar pobres sobrecarregados com lenha ou outras cargas, oferecia os próprios ombros, embora muito fracos, para ajudá-los.

77 [1]Transbordava em espírito de caridade, tendo entranhas de compaixão não só para com os homens que sofriam necessidade, mas também para com os animais privados de fala e de razão, répteis, pássaros e demais criaturas sensíveis e insensíveis. [2]Mas, entre todas as espécies de animais, amava com especial afeição e mais pronto afeto os cordeirinhos, pelo fato que a humildade de Nosso Senhor Jesus Cristo nas Sagradas Escrituras é frequentemente comparada e mais convenientemente adaptada ao cordeiro. [3]Assim também, abraçava mais carinhosamente e via mais prazerosamente todos aqueles [animais] nos quais principalmente pudesse ser encontrada alguma semelhança alegórica com o Filho de Deus. – [4]Numa ocasião, ao viajar pela Marca de Ancona, como *tivesse pregado* na mesma cidade *a palavra de Deus* (cf. At 15,36) e tomado depois o caminho para Ósimo com o senhor Paulo – que ele *constituíra ministro* (cf. At 26,16) de todos os irmãos na mesma província –, encontrou nos campos um pastor que apascentava um rebanho de cabras e bodes. [5]E entre a grande quantidade de cabras e bodes havia uma ovelhinha, andando humildemente e pastando tranquilamente. – [6]Quando o bem-aventurado Francisco o viu, parou e, *tocado interiormente por uma dor do coração* (cf. Gn 6,6), gemendo mais alto, disse ao irmão que o acompanhava: "Por acaso não vês esta ovelha que anda tão mansa entre estas cabras e bodes? [7]Assim, te digo que Nosso Senhor Jesus Cristo andava *manso e humilde* (cf. Mt 11,29) entre os fariseus e príncipes dos sacerdotes. [8]Por esta razão, filho, rogo-te pela caridade dele que comigo te compadeças desta ovelhinha e, depois de ter pagado o preço, a *tiremos do meio* (cf. Sl 135,11) destas cabras e bodes".

78 [1]E Frei Paulo, admirando a dor dele, começou também ele próprio a sentir compaixão. [2]E como não tivessem nada além das túnicas baratas com que se vestiam e estivessem preocupados em pagar o preço, logo se fez presente um comerciante que viajava e ofereceu o preço que eles desejavam. [3]E eles, *dando graças a Deus* (cf. Cl 3,17), depois de terem tomado a ovelha, chegaram a Ósimo e, indo visitar o bispo da cidade, foram recebidos por ele com grande reverência. [4]E o senhor bispo admirava-se tanto pela ovelha que *o homem de Deus* (cf. 2Rs 4,9) conduzia como pelo afeto com que ela era conduzida. [5]Mas, depois que o servo de Cristo lhe contou longa parábola de um sermão sobre a ovelha, o bispo, *compungido de coração* (cf. At 2,37) por causa da pureza do homem de Deus, *deu graças a Deus* (cf. At 27,35). [6]E, no dia seguinte, saindo da cidade e pensando o que faria da ovelha, de comum acordo com seu companheiro e irmão, entregou-a para ser guardada num mosteiro de servas de Cristo em San Severino. [7]Também as veneráveis servas de Cristo receberam alegres a ovelhinha como grande *presente* dado *por Deus* (cf. 2Mc 15,16). [8]Guardando-a cuidadosamente por muito tempo, da lã dela teceram uma túnica e enviaram-na ao bem-aventurado Francisco por ocasião de um Capítulo na igreja de Santa Maria da Porciúncula. [9]O santo de Deus, recebendo-a e abraçando-a com grande reverência e exultação, beijava-a, convidando todos os presentes a tão grande alegria.

79 [1]E numa outra vez, ao passar pela mesma Marca de Ancona, acompanhando-o alegremente o mesmo irmão, encontrou um homem que levava à feira para vender dois cordeirinhos amarrados e suspensos no seu ombro. [2]E quando o bem-aventurado Francisco ouviu os cordeiros balirem, *comoveram-se suas entranhas* (cf. 1Rs 3,26), e ele, aproximando-se, tocou-os, mostrando afeto de compaixão, como uma mãe para com o filho que chora. [3]E disse ao homem: "Por que maltratas meus irmãos cordeiros assim amarrados e suspensos?" [4]Respondendo, ele disse: "Levo-os à feira para vendê-los, impelido pela necessidade do pagamento". [5]E disse o santo: "Depois, o que acontecerá com relação a eles?" Aquele homem lhe disse: "Os que os comprarem os matarão e comerão". [6]Respondeu o santo: "Nada disto! Que isto não aconteça. Mas, toma como pagamento o manto que visto e dá-me os cordeiros". [7]Ele, com espírito alegre, deu os cordeiros e recebeu o manto, porque o manto era de preço muito maior, o qual o santo naquele mesmo dia recebera de empréstimo de um homem fiel, para expulsar o frio. [8]O santo, tendo recebido os cordeirinhos, preocupado, pensava consigo o que fazer com eles; [9]e, depois de obter a opinião do irmão que o acompanhava, devolveu-os àquele homem para que cuidasse deles [10]e ordenou-lhe que não os vendesse em tempo algum nem lhes fizesse mal, mas os conservasse, nutrisse e tratasse cuidadosamente.

Capítulo XXIX – *O amor que tinha para com todas as criaturas por amor ao Criador; e a descrição de sua pessoa*

80 [1]Seria demasiadamente longo e impossível enumerar e lembrar-se de tudo que o glorioso pai Francisco fez e ensinou enquanto *viveu na carne* (cf. Fl 1,22). [2]Quem, pois, poderia algum dia exprimir o supremo afeto que ele sentia entre todas *as coisas de Deus* (cf. Mt 22,21)? [3]*Quem seria capaz de narrar* (cf. Sir 18,2) a doçura que fruía ao contemplar nas criaturas a sabedoria, o poder e a bondade do Criador? [4]Na verdade, a partir desta consideração, enchia-se muitas vezes de admirável e inefável alegria, quando olhava o sol, quando via a lua, quando contemplava as estrelas e o firmamento. [5]Ó piedade simples, ó simplicidade piedosa! – [6]Inflamava-se em excessivo amor até para com os vermezinhos, porque havia lido o que foi dito sobre o Salvador: *Eu sou um verme e não um homem* (Sl 21,7). [7]E, por esta razão, recolhia-os do caminho, escondendo-os em lugar seguro, para que não fossem esmagados pelas pisadas dos transeuntes. – [8]Que direi a respeito das outras criaturas inferiores, quando até às abelhas, no inverno, para não morrerem no rigor do frio, mandava que fosse fornecido mel ou ótimo vinho? [9]Exaltava com tão grande louvor a eficácia do trabalho e o primor da habilidade delas para a glória de Deus que, algumas vezes, passava um dia em louvores a elas e às demais criaturas. [10]Como outrora os três jovens colocados *na fornalha de fogo ardente* convidavam todos os elementos *a louvarem e glorificarem* o Criador do universo, assim também este *homem, repleto do espírito de Deus*, não cessava de *glorificar, louvar e bendizer* (cf. Dn 3,17.51) em todos os elementos e criaturas o Criador e governador de todas as coisas.

81 [1]Quanta alegria julgas que a beleza das flores lhe trazia à mente, quando ele via a delicadeza da forma e sentia o suave perfume delas? [2]Voltava logo o olhar da consideração para a beleza daquela flor que, brotando luminosa no tempo da primavera *da raiz de Jessé* (cf. Is 11,1), ao seu perfume ressuscitou inúmeros milhares de mortos. [3]E quando encontrava grande quantidade de flores, de tal modo lhes pregava e as convidava ao louvor do Senhor, como se elas fossem dotadas de razão. [4]Assim também, com sinceríssima pureza, admoestava ao amor divino e exortava a generoso louvor os trigais e vinhas, pedras e bosques e todas *as coisas belas dos campos* (cf. Sir 24,19), as nascentes das fontes e todo o verde dos jardins, a terra e o fogo, o ar e o vento. – [5]Enfim, chamava todas as criaturas com o nome de irmão e, de maneira eminente e não experimentada por outros, percebia com agudeza *as coisas ocultas do coração* (cf. 1Cor 14,25) das criaturas, como quem já tivesse alcançado *a liberdade gloriosa dos filhos de Deus* (cf. Rm 8,21). – [6]Agora nos céus, ó bom Jesus, certamente vos louva com os anjos quem, enquanto *posto na terra* (cf. Jó 20,4), vos pregava digno de ser amado por todas as criaturas.

82 [1]Comovia-se acima da compreensão dos homens, quando nomeava *vosso nome, ó Senhor santo* (cf. Sl 8,2; Is 6,3), e, permanecendo todo em júbilo e cheio de castíssima alegria, parecia realmente um homem novo e um homem de outro mundo. – [2]Por esta razão, onde quer que encontrasse algum escrito, seja divino seja humano, no caminho, em casa ou no chão, recolhia-o com muita reverência e recolocava-o em lugar sagrado e honesto, temendo que aí estivesse escrito o nome do Senhor ou [algo] relativo a ele. – [3]De fato, como certo dia tivesse sido interrogado por um irmão para que recolhia também tão cuidadosamente os escritos dos pagãos e onde não havia o nome do Senhor, respondeu, dizendo: "Filho, porque aí há letras com as quais se compõe o gloriosíssimo *nome do Senhor Deus* (cf. Dt 5,11). [4]Também o que aí há de bom não pertence nem aos pagãos nem a homem algum, mas somente a Deus, de quem provém todo bem". – [5]E não menos de se admirar é que, quando mandava escrever algumas cartas por motivo de saudação ou admoestação, não permitia que delas fosse apagada alguma letra ou sílaba sequer, embora fosse muitas vezes supérflua ou inadequada.

83 [1]Quão belo, quão esplêndido, quão *glorioso se manifestava* (cf. 2Sm 6,22) na inocência de vida, na simplicidade das palavras, na pureza de coração, no amor a Deus, na caridade fraterna, na obediência ardorosa, no serviço cordial, no *aspecto angelical* (cf. Jz 13,6)! [2]Delicado nas maneiras, tranquilo por natureza, afável na palavra, muito conveniente na exortação, *fidelíssimo ao que lhe era confiado* (cf. Pr 11,13), previdente na deliberação, eficiente no trabalho, *simpático em tudo* (cf. Est 2,15). [3]Sereno no pensar, brando no ânimo, *sóbrio no espírito* (cf. 2Tm 1,7), absorvido pela contemplação, assíduo na oração e fervoroso em tudo. [4]Firme no propósito, estável na virtude, perseverante na graça e [sempre] o mesmo em tudo. [5]*Veloz* para perdoar, *lento para irar-se* (cf. Tg 1,19), inteligência livre, memória brilhante, *sutil em discutir* (cf. Sb 7,22.23), circunspecto em escolher e simples em tudo. [6]Rigoroso para consigo mesmo, compassivo para com os outros, discreto para com todos.

[7]Homem eloquentíssimo, fisionomia alegre, aspecto benigno, imune de preguiça, desprovido de arrogância. [8]Estatura mediana, mais para pequena, cabeça média e redonda, face um pouco oval e alongada, fronte plana e curta, *olhos* de tamanho médio, negros e *simples* (cf. Mt 6,22), cabelos escuros, supercílios retos, nariz proporcional, fino e reto, orelhas eretas, mas pequenas, têmporas planas, [9]*língua confortadora* (cf. Pr 15,4), abrasadora e penetrante, *voz* forte e *suave* (cf. Ct 2,14), clara e sonora, dentes unidos, iguais e brancos, lábios pequenos e finos, barba negra, não plenamente cerrada, [10]pescoço fino, ombros retos, braços curtos, mãos magras, dedos longos, unhas compridas, pernas delgadas, pés pequenos, pele fina, muito magro, veste áspera, sono brevíssimo, mão sobremaneira generosa. – [11]E porque era muito humilde, *mostrava* toda *mansidão para com todos os homens* (cf. Tt 3,2), conformando-se de maneira saudável aos costumes de todos. O mais santo entre os santos, *entre os pecadores* [parecia] *como um* (cf. Sb 4,10; Gn 3,22) deles. – [12]Ajuda, portanto, os pecadores, ó santíssimo pai que amas os pecadores, e digna-te reerguer misericordiosamente com teus gloriosíssimos sufrágios, te pedimos, os que vês miseramente nas imundícies dos pecados.

Capítulo XXX – O presépio que fez no dia do Natal do Senhor

84 [1]A mais sublime vontade, o principal desejo e supremo propósito dele era observar em tudo e por tudo o santo Evangelho, seguir perfeitamente a doutrina e imitar e seguir os passos de Nosso Senhor Jesus Cristo com toda a vigilância, com todo o empenho, com todo o desejo da mente e com todo o fervor do coração. ²Recordava-se em assídua meditação das palavras e com penetrante consideração rememorava as obras dele. ³Principalmente a humildade da encarnação e a caridade da paixão de tal modo ocupavam a sua memória que mal queria pensar outra coisa. – ⁴Deve-se, por isso, recordar e cultivar em reverente memória o que ele fez no dia do Natal de Nosso Senhor Jesus Cristo, no terceiro ano antes do dia de sua gloriosa morte, na aldeia que se chama Greccio. ⁵*Havia* naquela *terra um homem* (cf. Jó 1,1) de nome João, *de boa fama* (cf. Fl 4,8), mas de vida melhor, a quem o bem-aventurado Francisco amava com especial afeição, porque, como fosse muito nobre e louvável em sua terra, tendo desprezado a nobreza da carne, seguiu a nobreza do espírito. ⁶E o bem-aventurado Francisco, como muitas vezes acontecia, quase quinze dias antes do Natal do Senhor, mandou que ele fosse chamado ⁷e disse-lhe: "Se desejas que celebremos em Greccio a presente festividade do Senhor, apressa-te e *prepara diligentemente* (cf. Pr 24,27) as coisas que te digo. ⁸Pois quero celebrar a memória daquele menino que *nasceu em Belém* (cf. Mt 2,1.2) e ver de algum modo com os olhos corporais os apuros e necessidades da infância dele, como foi *reclinado no presépio* (cf. Lc 2,7) e como, estando presentes o boi e o burro, foi colocado sobre o feno". ⁹O bom e fiel homem, ouvindo isto, *correu mais apressadamente* (cf. Jo 20,4) e preparou no predito lugar tudo o que o santo dissera.

85 ¹E aproximou-se *o dia da alegria, chegou o tempo* (cf. Tb 13,10; Ct 2,12) da exultação. ²Os irmãos foram chamados de muitos lugares; homens e mulheres daquela terra, com ânimos exultantes, preparam, segundo suas possibilidades, velas e tochas para iluminar a noite que com o astro cintilante iluminou todos os dias e os anos. ³Veio finalmente o santo de Deus e, encontrando tudo preparado, *viu e alegrou-se* (cf. Jo 8,56). ⁴E, de fato, prepara-se o presépio, traz-se o feno, são conduzidos o boi e o burro. ⁵Ali se honra a simplicidade, se exalta a pobreza, se elogia a humildade; e de Greccio se fez como que uma nova Belém. ⁶*Ilumina-se a noite* *como dia* (cf. Sl 138,12) e torna-se deliciosa para os homens e animais. [7]As pessoas chegam ao novo mistério e alegram-se com novas alegrias. [8]O bosque faz ressoar as vozes, e as rochas respondem aos que se rejubilam. [9]Os irmãos cantam, rendendo os devidos louvores ao Senhor, e toda a noite dança de júbilo. [10]O *santo de Deus* (cf. Mc 1,24) está de pé diante do presépio, cheio de suspiros, contrito de piedade e transbordante de admirável alegria. [11]Celebra-se a solenidade da missa sobre o presépio, e o sacerdote frui nova consolação.

86 [1]O santo de Deus veste-se com os ornamentos de levita, porque era levita, e com voz sonora canta o Evangelho. [2]E a voz dele, de fato, era uma voz forte, *voz doce* (cf. Ct 2,14), voz clara e voz sonora, a convidar todos aos mais altos prêmios. [3]Prega em seguida ao povo presente e profere coisas melífluas sobre o nascimento do Rei pobre e sobre Belém, a pequena cidade. [4]Muitas vezes, quando queria nomear o Cristo Jesus, abrasado em excessivo amor, chamava-o de "Menino de Belém" e, dizendo "Belém" à maneira de ovelha que bale, enchia toda sua boca com a voz, mas mais ainda com a doce afeição. [5]Também seus lábios, quando pronunciava "Menino de Belém" ou "Jesus", como que o sorvia com a língua, saboreando com feliz paladar e engolindo a doçura desta palavra. [6]Multiplicam-se aí os dons do Onipotente, e uma admirável visão é contemplada *por um homem de virtude* (cf. 1Mc 5,50). [7]Via, pois, deitado no presépio um menino exânime, via que o santo de Deus se aproximava dele e despertava o mesmo menino como que de um sono profundo. [8]E esta visão era muito apropriada, pois que o menino Jesus *tinha sido relegado ao esquecimento* (cf. Sl 30,13) nos corações de muitos, mas neles ele ressuscitou, agindo a sua graça por meio de seu servo São Francisco, e ficou impresso na diligente memória [deles]. [9]Terminada finalmente a solene vigília, cada um voltou com alegria à própria casa.

87 [1]O feno colocado no presépio foi guardado para que, por meio dele, *o Senhor salvasse os jumentos* e animais, *assim como multiplicara sua* santa *misericórdia* (cf. Sl 35,7.8). [2]E, na verdade, aconteceu que muitos animais que tinham diversas doenças pela região ao redor, ao comerem deste feno, foram libertados de suas doenças. [3]Até mesmo as mulheres que trabalhavam em grave e longo parto, colocando sobre si um pouco do predito feno, dão à luz com parto saudável; e a multidão de homens e mulheres obtém a desejada saúde de diversas doenças. – [4]Finalmente, o lugar do presépio foi consagrado como *templo ao Senhor* (cf. 1Rs 8,63), e em honra do beatíssimo pai Francisco construiu-se sobre o presépio um altar, e dedicou-se uma igreja, [5]para que, onde uma vez os animais *comeram forragem de feno* (cf. Dn 5,21), aí doravante os homens comam, para a salvação da alma e do corpo, a carne *do cordeiro imaculado e não contaminado, Nosso Senhor Jesus Cristo* (cf. 1Pd 1,19; 1Cor 1,10), [6]*que* com a suprema e inefável caridade *se entregou a si mesmo por nós* (cf. Tt 2,14), e que vive e reina com o Pai e o Espírito Santo, Deus eternamente glorioso, por todos os séculos *dos séculos. Amém. Aleluia* (cf. Ap 1,18; 19,4). Aleluia.

Termina o primeiro livro da vida e dos atos do bem-aventurado Francisco.

SEGUNDO LIVRO

Começa o segundo livro que contém somente dois anos de vida do nosso beatíssimo pai Francisco e sua feliz morte.

Capítulo I – O teor deste livro; o tempo em que São Francisco faleceu de maneira feliz; e seus progressos

88 [1]No tratado acima, que com a graça do Salvador levamos a bom termo, descrevemos em forma de narração a vida e os atos de nosso beatíssimo pai Francisco até ao décimo oitavo ano de sua conversão. [2]E os demais atos dele, a partir do penúltimo ano de sua vida, conforme pudemos averiguar, desejamos acrescentar de maneira sucinta a este livro; e pretendemos anotar somente os atos que se apresentam como mais necessários, para que aqueles que desejam dizer mais do que estas coisas sempre possam encontrar o que acrescentar.

[3]No ano de 1226 da Encarnação do Senhor, na décima quarta indicção, no dia quatro de outubro, num domingo, nosso beatíssimo pai Francisco, na cidade de Assis, na qual nascera, junto à Santa

Maria da Porciúncula, onde ele próprio no início plantou a Ordem dos Frades Menores, tendo completado vinte anos desde que se uniu da maneira mais perfeita a Cristo, *seguindo* a vida e *as pegadas* (cf. 1Pd 2,21) dos apóstolos, saindo do cárcere da carne, voou de maneira feliz às mansões dos espíritos celestes, consumando com perfeição o que começou. [4]Com hinos e louvores, o sagrado corpo dele foi depositado e sepultado com honra na mesma cidade, onde para a glória do Onipotente brilha com muitos milagres. Amém.

89 [1]E este, visto que desde a primeira flor da juventude era pouco ou nada instruído *no caminho de Deus* (cf. Br 3,13) e no conhecimento dele, permanecendo não pouco tempo na ignorância natural e no ardor dos vícios, depois de ter sido *justificado do pecado pela mudança da destra do Excelso* (cf. Rm 6,7), por graça e *poder do Altíssimo* (cf. Lc 1,35), *foi repleto da sabedoria* (cf. Dt 34,9) divina mais do que todos os que viveram em seu tempo. [2]Pois, como o ensinamento do Evangelho pelas obras – ainda que de maneira não parcial, mas geral – estivesse muito falho em toda parte, ele *foi enviado por Deus* para, a exemplo dos apóstolos, *dar testemunho da verdade* (cf. Jo 1,6.7) por todo o mundo. [3]E assim aconteceu que sua doutrina mostrava da maneira mais evidente que toda *a sabedoria do mundo* era *louca* (1Cor 1,20), e em breve espaço de tempo, *sob a guia de Cristo* (cf. Dn 9,25), levou [os homens] *pela loucura da pregação à* verdadeira *sabedoria de Deus* (cf. 1Cor 1,21). [4]Porque, *nos últimos tempos* (cf. 1Pd 1,5), o novo evangelista, como *um* dos *rios do paraíso* (cf. Gn 2,10; Is 44,3), difundiu *em todo o orbe da terra* (cf. Est 13,4) com piedosa irrigação as águas correntes do Evangelho e pregou com obras o caminho do Filho de Deus e a doutrina da verdade. [5]Por conseguinte, aconteceu nele e por ele inesperada exultação de toda a terra, e uma santa novidade: a vergôntea da antiga religião renovou subitamente os [ramos] longamente envelhecidos e muito antigos. [6]Foi *posto nos corações* dos eleitos *um espírito novo, e no meio* deles *foi derramada* (cf. Ez 11,19; 36,26) uma unção salutar, visto que *o servo de Cristo* e santo, como um dos *luminares do céu* (cf. Gn 1,14; Gl 1,10), brilhou do alto com novo modo de vida e com novos sinais. [7]Foram renovados por meio dele os antigos milagres, enquanto no deserto deste mundo, em nova disposição, mas a modo antigo, foi plantada a *vinha frutífera* que produz *flores de suave odor* (cf. Sir 24,23; Sl 51,10) das santas virtudes, *estendendo* por toda parte *os ramos* (cf. Ez 17,6.7) da sagrada Religião.

90 [1]Embora *tivesse sido passível semelhante a nós* (cf. Tg 5,17), no entanto, ele não se contentou com observar os preceitos comuns, mas, transbordando de fervorosíssima caridade, tomou o caminho de toda perfeição, alcançou o cume da santidade perfeita e *viu o termo de toda realização* (cf. Sl 118,96). [2]Por isso, [pessoas de] todas as classes, sexos e idades têm nele ensinamentos claros de salutar doutrina e têm também os principais exemplos de obras santas. [3]Se alguns propõem lançar *mãos a coisas mais fortes* (cf. Pr 31,19) e tentam *seguir os melhores carismas* (cf. 1Cor 12,31) de um caminho mais excelente, olhem no espelho de sua vida e aprendam toda perfeição. [4]Mas, se alguns recorrem a coisas mais humildes e fáceis, temendo caminhar por caminhos árduos e subir ao vértice da montanha, também neste grau encontrará junto dele as admoestações adequadas. [5]Se alguns, enfim, *buscam sinais* (cf. 1Cor 1,22) e milagres, peçam à santidade dele e alcançarão o que pedem. [6]Na verdade, a vida gloriosa dele ilumina com luz mais clara a perfeição dos primeiros santos; a paixão de Jesus Cristo o prova, e a cruz de Cristo o manifesta da maneira mais plena. [7]Na realidade, o venerável pai foi marcado em cinco partes do corpo com o sinal da paixão e da cruz, como se tivesse pendido na cruz com o Filho de Deus. [8]*Este mistério é grande* (cf. Ef 5,32) e indica a grandeza da prerrogativa do amor; mas nele se esconde um desígnio secreto, e se oculta um reverendo mistério, que cremos unicamente conhecido de Deus e revelado em parte a alguém pelo próprio santo. [9]Por esta razão, não convém procurar muitos louvores para ele; o louvor dele provém de quem é o próprio louvor, a fonte e a mais forte honra de todas as coisas, que concede o prêmio da luz. – [10]Portanto, *bendizendo a Deus santo*, verdadeiro e *glorioso* (cf. Lc 24,53; Is 58,13), voltemos à história.

Capítulo II – O desejo supremo do bem-aventurado Francisco;
e como, na abertura do livro, compreendeu a vontade de Deus a
seu respeito

91 [1]Numa ocasião, o bem-aventurado e venerável pai Francisco, tendo deixado as multidões dos seculares que acorriam mui devotamente a cada dia para ouvi-lo e vê-lo, dirigiu-se a um lugar de quietude, retirado e solitário, desejando dedicar-se a Deus e *purificar*-se, se algo da *poeira* do convívio dos homens se lhe *tivesse aderido* (cf. Lc 10,11). [2]Era seu costume dividir o tempo a ele concedido para merecer a graça e, quando via que era conveniente, gastar um tempo à conquista do próximo e consagrar outro aos beatos recolhimentos da contemplação. – [3]Por conseguinte, *tomou consigo* (cf. Lc 9,28; Mc 14,33) muito poucos companheiros, os que mais do que outros conheciam o seu santo modo de vida, a fim de protegerem-no *da invasão e perturbação dos homens* (cf. Sl 90,6; 30,21) e cuidarem e conservarem sua tranquilidade em tudo. – [4]E depois de ter permanecido ali por algum tempo e de ter conseguido de modo inefável, com contínua oração e frequente contemplação, a familiaridade divina, desejava conhecer o que de si e em si era ou pudesse ser mais agradável *ao Rei eterno* (cf. Sl 28,10). [5]Perguntava com muito zelo e desejava com muita devoção saber de que modo, em qual caminho ou com qual desejo poderia unir-se mais perfeitamente ao Senhor Deus, de acordo com o *conselho* e *beneplácito* da sua vontade (cf. Sir 40,25). [6]Esta foi sempre a sua suprema filosofia, este *desejo* supremo sempre *ardeu* (cf. Nm 11,4) nele, enquanto viveu: perguntar aos simples, aos sábios, aos perfeitos e imperfeitos como poderia tomar *o caminho da verdade* (cf. Sl 118,30) e chegar ao propósito maior.

92 [1]Sendo o mais perfeito dos perfeitos, dizendo que não era perfeito, julgava-se completamente imperfeito. [2]*Saboreara*, pois, *e vira quão doce, suave* (cf. Sl 33,9) e bom era *o Deus de Israel para aqueles que são retos de coração* (cf. Sl 72,1) e *o buscam* (cf. Sb 1,1) na simplicidade pura e na pureza verdadeira. – [3]De fato, a doçura e suavidade infusas – dadas raramente a muito poucos –, que ele sentira soprar-lhe do alto, forçava-o a sair totalmente de si mesmo e, repleto de tão grande prazer, desejava de todos os modos passar totalmente para onde, arrebatado fora de si, já chegara antes com uma parte [de seu ser]. ⁴*Possuindo o espírito de Deus* (cf. 1Cor 7,40), o homem estava preparado para padecer todas as angústias do espírito e para suportar todos os sofrimentos do corpo, se finalmente lhe *fosse permitido* (cf. Js 24,15) que nele *se cumprisse* misericordiosamente *a vontade do Pai celeste* (cf. Mt 6,14; 12,50). ⁵Dirigiu-se, por conseguinte, num certo dia, ao altar sagrado que fora construído no eremitério em que ele permanecia e, tendo tomado o códice em que estavam escritos os sagrados Evangelhos, colocou-o reverentemente sobre o altar. – ⁶E assim, prostrado *em oração a Deus* (cf. Lc 6,12) não menos com o coração do que com o corpo, pedia em humilde prece que o *Deus benigno* (cf. Jl 2,13), *Pai das misericórdias e Deus de toda consolação* (cf. 2Cor 1,3), se dignasse mostrar-lhe sua vontade; ⁷e para poder consumar, de maneira perfeita, o que antigamente começara com simplicidade e devoção, rogava com súplicas que lhe fosse indicado na primeira abertura do livro o que lhe era mais oportuno fazer. ⁸Era, de fato, conduzido pelo espírito dos santos e dos homens mais perfeitos que, como se lê, fizeram algo semelhante com piedosa devoção no desejo da santidade.

93 ¹*Levantando-se da oração em espírito de humildade e com ânimo contrito* (cf. Lc 22,45; Dn 3,39) e munindo-se com o sinal da santa cruz, *tomou o livro* do altar *com reverência e abriu-o* com temor. ²E aconteceu que, *depois de ter aberto o livro* (cf. Ap 5,7.8), ocorreu-lhe primeiramente a paixão de Nosso Senhor Jesus Cristo, e somente isto já anunciava que ele haveria de sofrer tribulação. ³Mas, para que não pudesse suspeitar de maneira alguma de que isto tinha acontecido por acaso, abriu o livro pela segunda e terceira vez e encontrou o mesmo escrito ou semelhante. ⁴Então, *o homem repleto do espírito de Deus* (cf. Gn 41,38) compreendeu que *deveria entrar no reino de Deus através de muitas tribulações* (cf. At 14,21), muitas angústias e muitas lutas. – ⁵Mas o fortíssimo cavaleiro não se perturba por causa das *guerras iminentes* (cf. Ecl 8,8), e não cai em seu ânimo aquele que *haveria de combater os combates do Se-*

nhor (cf. 1Sm 25,28) nos campos de batalha deste mundo. [6]Quem não cedia sequer a si mesmo não temeu sucumbir ao inimigo, visto que por longo tempo tinha suportado fadigas acima da medida das forças humanas. [7]Na verdade, era fervorosíssimo, e, se nos séculos passados houve alguém que partilhasse do [mesmo] propósito, no entanto, ninguém foi encontrado superior a ele no desejo. [8]Pois sabia mais facilmente fazer as coisas perfeitas do que dizer, apresentando sempre eficaz empenho e ação em santas obras, não em palavras que não fazem o bem, mas [apenas] o mostram. [9]Por isso, permanecia firme e alegre e *cantava em seu coração cânticos* (cf. Ef 5,18) de alegria para si e para Deus. [10]Por esta razão, quem deste modo exultou em uma revelação menor foi considerado digno de revelação maior, e *o fiel no pouco* (cf. Lc 19,17) *foi colocado sobre muitas coisas* (cf. Mt 25,21).

Capítulo III – A visão do homem que tinha a imagem do Serafim crucificado

94 [1]Dois anos antes de devolver sua alma ao céu, permanecendo ele no eremitério que pelo lugar em que estava situado se chama Alverne, viu, *numa visão divina* (cf. Ez 1,1; 8,1), um homem à semelhança de um *Serafim* que tinha *seis asas, o qual pairava acima dele* com *as mãos estendidas* e com *os pés unidos*, pregado à cruz. [2]*Duas asas se elevavam sobre a cabeça, duas se estendiam para voar, duas* enfim *cobriam* todo *o corpo* (cf. Is 6,2). [3]E o bem-aventurado servo do Altíssimo, ao ver isto, enchia-se da mais profunda admiração, mas não sabia o que esta visão queria significar. [4]Também rejubilava-se muito e alegrava-se mais intensamente pelo benigno e gracioso olhar com que percebia era olhado pelo Serafim, cuja beleza era demasiadamente inestimável, mas embaraçava-o completamente a crucifixão e a crueldade da paixão dele. [5]E, assim, ele se levantou, por assim dizer, triste e alegre, e a alegria e a tristeza alternavam-se nele. [6]Pensava solícito o que poderia significar esta visão, e o *espírito* dele *ficava* muito *ansioso* (cf. Sl 142,4) para captar o sentido inteligível dela. – [7]E como não percebesse nada dela com inteligência clara e como a novidade desta visão se apoderasse do coração dele, começaram a aparecer-lhe nas mãos e nos pés os sinais dos cravos, à semelhança do homem crucificado que pouco antes vira acima dele.

95 [1]Suas mãos e os pés pareciam traspassados no meio por cravos, aparecendo as cabeças dos cravos na parte interior das mãos e na superior dos pés, e saindo as pontas deles do lado oposto. [2]E aqueles sinais eram redondos na parte interna das mãos e longos na parte externa, e aparecia um pedaço de carne como se fosse ponta dos cravos, retorcida e rebatida, que surgia da carne restante. [3]Assim também nos pés os sinais dos cravos foram impressos e sobressaíam da carne restante. [4]Igualmente, o lado direito fora como que traspassado por uma lança, ficando fechada uma cicatriz, e dele muitas vezes jorrava sangue, de modo que sua túnica e os calções, muitas vezes, ficavam molhados com o sangue sagrado. – [5]Quão poucos, enquanto vivia o servo crucificado do Senhor crucificado, mereceram ver a sagrada chaga do lado! [6]Mas feliz foi Elias que, enquanto o santo vivia, de algum modo mereceu vê-la; mas não menos feliz foi Frei Rufino que a *tocou com as* próprias *mãos* (cf. 1Jo 1,1). [7]De fato, uma vez, o dito Frei Rufino, depois de ter introduzido sua mão no peito do santíssimo homem para friccioná-lo, a sua mão escorregou, como muitas vezes acontece, ao lado direito dele e ocorreu-lhe tocar aquela preciosa cicatriz. [8]Ao toque dela, o santo de Deus teve não pouca dor e, repelindo de si a mão dele, clamou para que *o Senhor o perdoasse* (Gn 19,16). – [9]Com muito empenho escondia estas coisas dos estranhos, ocultava-as com muita cautela dos mais próximos, de modo que os irmãos que estavam a seu lado e eram devotíssimos seguidores por muito tempo as ignoraram. – [10]E, embora o servo e amigo do Altíssimo se visse ornado com tantas e tais pérolas como *com gemas preciosíssimas* (cf. 2Cr 9,9) e decorado mirificamente *acima da honra e glória de* todos *os homens* (cf. Sir 3,19; Sl 8,6), no entanto, não ficou vaidoso em seu coração nem daí *procurou agradar* (cf. Gl 1,10) a alguém por desejo de vanglória; [11]mas, para que o aplauso humano não *roubasse* a graça que lhe fora concedida, esforçava-se por *escondê-las* (cf. Mt 6,18.19) com todos os modos com que podia.

96 [1]Era, pois, costume dele raramente ou a ninguém revelar o segredo especial, temendo *sofrer* algum *detrimento na graça que lhe fora dada* (cf. Rm 12,3; 2Cor 7,9), se eles o revelassem com o pretexto de especial afeição. [2]Trazia, por conseguinte, sempre em seu coração e tinha frequentemente na boca aquela palavra do profeta: "*Em meu coração ocultei vossas palavras para não pecar contra vós*" (Sl 118,11). – [3]E combinara com os irmãos e filhos que com ele moravam um sinal: que, todas as vezes que alguns dos seculares viessem ter com ele, desejando ele abster-se da conversa deles, quando recitasse o predito versículo, imediatamente despedissem com modéstia aqueles que tinham vindo. [4]Experimentara, pois, que grande mal era comunicar tudo a todos; e sabia que não podia ser espiritual aquele cujos segredos não são mais perfeitos e mais numerosos do que aqueles *que se veem no rosto* (cf. 2Cor 10,7) e que podem pela aparência ser julgados em toda parte pelos homens. [5]Pois, ele havia encontrado alguns que concordavam exteriormente com ele e discordavam interiormente, aplaudindo na frente e rindo por trás; estes conquistaram *para si o juízo* (cf. 1Cor 11,29) e fizeram com que os corretos lhe fossem suspeitos. – [6]Pois, muitas vezes, a malícia procura denegrir a pureza, e por causa da mentira, que é amiga íntima de muitos, *não se crê na verdade* (cf. 2Ts 2,11) de poucos.

Capítulo IV – O fervor do bem-aventurado Francisco e a sua enfermidade dos olhos

97 [1]No correr do mesmo tempo, seu corpo começou a padecer de várias doenças, e mais graves do que antes estava acostumado. [2]Sofria frequentes enfermidades, visto que *castigara* completamente seu *corpo* e *desde muitos anos antes* o *submetera à servidão* (cf. 1Cor 9,27; Rm 15,23). [3]Pois, pelo período de dezoito anos, que então se tinha completado, mal ou nunca seu *corpo tivera repouso* (cf. 2Cor 7,5), *percorrendo* várias e longuíssimas *regiões* (cf. Gn 41,46), para em toda parte espalhar *as sementes da palavra de Deus* aquele *espírito pronto* (cf. Lc 8,11; Mt 26,41), aquele espírito devoto, aquele *espírito fervoroso que* o *habitava* (cf. At 18,25; Rm 8,11). [4]*Enchia* toda *a* *terra* (cf. Sb 1,7) com o Evangelho de Cristo, de modo que em um só dia, muitas vezes, *percorria* quatro ou cinco *aldeias* ou até *cidades* (cf. Mc 6,6), *anunciando* a cada uma *o reino de Deus* (cf. Lc 8,1) e, edificando os ouvintes não menos com o exemplo do que com a palavra, fizera de todo o corpo uma língua [para pregar]. – [5]Pois nele havia tanta concórdia entre o corpo e o espírito, tanta obediência que, quando ele buscava atingir toda santidade, o corpo não só não o impedia, mas esforçava-se por correr na frente, de acordo com o que foi escrito: *Minha alma tem sede de vós, meu corpo por vós desfalece mais ainda* (cf. Sl 62,2). [6]E o frequente submeter-se tornou o corpo pronto a obedecer, e a partir do cotidiano humilhar-se ele apreendera a posição de tão grande virtude, porque muitas vezes o costume se converte em natureza.

98 [1]Mas, porque segundo as leis da natureza e o modo de ser da condição humana é necessário que *dia após dia o homem* exterior *pereça*, embora *o interior se renove* (cf. 2Cor 4,16), aquele preciosíssimo *vaso* em que estava *escondido* o *tesouro* (cf. Mt 13,44) celeste começou a quebrar-se daqui e dali e a sofrer a perda de todas as forças. [2]E porque, *quando o homem tiver terminado, então começará e quando* (cf. Sir 18,6) tiver parado então agirá, *no seu corpo enfermo o espírito* tornava-se *mais pronto* (cf. Mt 26,41). [3]Também amava tanto *a salvação das almas* (cf. 1Pd 1,9) e tinha tão grande sede do bem do próximo que, como não podia andar, *percorria as terras* (cf. Lc 9,6), transportado por um burrinho.

[4]Os irmãos admoestavam-no frequentemente, sugerindo-lhe com toda insistência que devia de algum modo refazer o corpo enfermo e muito debilitado com o auxílio dos médicos. [5]Ele, porém, tendo voltado para o céu aquele seu nobre espírito que desejava unicamente *dissolver-se e estar com Cristo* (cf. Fl 1,23), recusava-se definitivamente a fazê-lo. [6]E porque ainda não *completara na carne o que faltava dos sofrimentos de Cristo* (cf. Cl 1,24), *embora trouxesse* em seu *corpo* (cf. Gl 6,17) os estigmas dele, contraiu gravíssima enfermidade dos olhos, *da maneira como Deus quis multiplicar* nele a sua *misericórdia* (cf. Sl 35,8). [7]E como aquela enfermidade crescesse dia a dia e pela falta de cuidado parecesse aumentar-se cada vez

mais, finalmente Frei Elias, a quem ele escolhera para si como mãe e constituíra como pai dos outros irmãos, obrigou-o a não rejeitar o remédio, [8]mas a aceitá-lo *em nome do Filho de Deus* (cf. 1Jo 5,13), por quem fora criado, como foi escrito: *Da terra o Altíssimo criou o remédio, e o homem prudente não o rejeita* (Sir 38,4). [9]E, então, o santo pai aquiesceu benignamente e obedeceu humildemente às palavras daquele que o admoestava.

Capítulo V – Como na cidade de Rieti foi recebido pelo senhor Hugolino, bispo de Óstia, e como o santo predizia que ele seria bispo de todo mundo

99 [1]E aconteceu que, como muitos viessem para ajudá-lo com seus medicamentos, não tendo conseguido a cura, dirigiu-se à cidade de Rieti, na qual se dizia morar homem peritíssimo para curar aquela enfermidade. [2]Ao chegar lá, foi recebido com muita benignidade e honra por toda a Cúria Romana que, então, morava naquela cidade, mas foi recebido principalmente com muita devoção pelo senhor Hugolino, bispo de Óstia, que refulgia mormente pela honestidade dos costumes e pela santidade de vida.

[3]E o bem-aventurado Francisco escolhera-o como pai e senhor sobre toda a Religião e Ordem dos seus irmãos, com consentimento e vontade do senhor Papa Honório, pelo fato que a santa pobreza muito lhe agradava, e porque ele tinha a maior reverência pela santa simplicidade. – [4]Aquele senhor se conformava aos costumes dos irmãos e no desejo de santidade era simples com os simples, humilde com os humildes, pobre com os pobres. [5]Era um irmão entre os irmãos, o menor entre os menores e, conforme lhe era permitido, esforçava-se por comportar-se na vida e nos costumes como um dos demais. [6]Era solícito por plantar a sagrada Religião em toda parte e, com a clara fama de sua vida ainda mais clara, ampliava muito a Ordem nas regiões longínquas.

[7]*Deu-lhe o Senhor uma língua erudita* (cf. Is 50,4), com a qual confundia os adversários da verdade, refutava *os inimigos da cruz de Cristo* (cf. Fl 3,18), *reconduzia* ao caminho *os transviados* (cf. Dt

22,1), pacificava os que estavam em desarmonia e ligava *com o vínculo mais forte da caridade* (cf. Os 11,4) os que viviam harmoniosamente. [8]*Era* na Igreja de Deus *uma lâmpada a arder e iluminar*, uma *seta escolhida* (cf. Jo 3,25; Is 49,2) e preparada *no tempo oportuno* (cf. Sl 31,6). – [9]Quantas vezes, tendo deposto as preciosas vestes e vestido com vestes baratas, andando com os pés descalços como um dos irmãos, *pedia as condições para a paz* (cf. Lc 14,32)! [10]Fazia isto sempre solicitamente, quantas vezes fosse necessário, *entre o homem e seu próximo* (cf. Jr 7,5), entre Deus e o homem! [11]Por esta razão, pouco depois, Deus *o escolheu* (cf. Sir 45,4) como pastor *em toda a* sua santa *Igreja* (cf. At 5,11) e *exaltou a cabeça* dele *sobre todas as nações* (cf. Sl 109,7; Ap 13,7).

100 [1]Para que se saiba que isto foi *inspirado por Deus* (cf. 2Tm 3,16) e feito por vontade de Jesus Cristo, muito tempo antes, o bem-aventurado pai Francisco o predisse com palavras e o indicou com fatos. [2]Pois, quando a Ordem e Religião dos irmãos, por obra e graça divina, já começava a dilatar-se bastante e, como *cedro no paraíso de Deus*, erguia o vértice de santos méritos *nas realidades celestes* (cf. Ez 31,8; Sl 109,3) e, como *vinha escolhida* (cf. Jr 2,21), produzia sagrados *ramos pela extensão da terra* (cf. Sl 79,12; 17,20), São Francisco dirigiu-se ao senhor Papa Honório, que então estava à frente da Igreja Romana, pedindo-lhe com suplicante prece que designasse o senhor Hugolino, bispo de Óstia, como pai e senhor seu e dos seus irmãos. [3]O senhor papa anuiu aos pedidos do santo e, cedendo benignamente, conferiu-lhe o seu poder sobre a Ordem dos irmãos. [4]Ele, recebendo-o reverente e devotamente, *constituído como servo fiel e prudente sobre a família* do Senhor, se esforçava de todos os modos por ministrar *o alimento* (cf. Mt 24,45) da vida eterna *em tempo oportuno* (cf. Sl 144,15) aos que lhe foram confiados. [5]Por esta razão, o santo pai se lhe submetia de todos os modos e o venerava com admirável e reverente afeto.

[6]*Era conduzido pelo espírito* de Deus, do qual estava *repleto* (cf. Mt 4,1; At 13,9), e, por isso, via muito tempo antes o que haveria de acontecer depois *diante dos olhos de todos* (cf. Is 52,10). [7]Todas as vezes, pois, que queria escrever-lhe – por motivo *urgente* da Religião ou até por obrigação da *caridade de Cristo* (cf. 2Cor 5,14) que tinha

para com ele –, de maneira alguma consentia que em suas cartas ele fosse chamado de bispo de Óstia ou de Velletri, como outros usavam nas saudações habituais, mas, iniciando o assunto, assim dizia: "Ao reverendíssimo pai ou senhor Hugolino, bispo do mundo inteiro". – [8]Saudava-o, muitas vezes, com bênçãos inauditas e, conquanto fosse filho em devota submissão, por inspiração do Espírito, de vez em quando o consolava com paternal colóquio [9]para *confortá-lo* [com bênçãos] acima das *bênçãos dos pais, enquanto não lhe vinha o desejo das colinas eternas* (cf. Gn 49,26).

101 [1]Também o mencionado senhor tinha enorme amor para com o santo homem e, por isso, tudo o que o bem-aventurado homem dizia, tudo o que fazia lhe agradava; e, muitas vezes, somente ao vê-lo, se comovia. [2]Ele próprio atesta que nunca tinha tão grande perturbação ou agitação do espírito que, ao ver e conversar com São Francisco, toda nuvem da mente não se afastasse e ele voltasse sereno; fugia a tristeza, e ele aspirava à alegria do alto. – [3]Ele *servia* ao bem-aventurado Francisco como *servo a* seu *senhor* (cf. Lc 12,37) e, todas as vezes que o via, manifestava-lhe reverência como a um *apóstolo de Cristo* (cf. 1Cor 1,1) e, inclinando-se interior e exteriormente, muitas vezes beijava as mãos dele com a boca consagrada.

[4]Solícito e devoto, cuidava que o bem-aventurado pai pudesse recuperar a antiga saúde dos olhos, sabendo que ele era homem *santo e justo* (cf. At 3,14), necessário e *extremamente* (cf. 2Esd 2,2) útil à Igreja de Deus. [5]Compadecia-se, além dele, de toda a família dos irmãos e *comiserava-se dos filhos no pai* (cf. Sl 102,13). [6]Por conseguinte, admoestava o santo pai a que cuidasse de si e a que não rejeitasse as coisas necessárias [para cuidar] da enfermidade, temendo que o descuido destas coisas fosse mais um ato pecaminoso do que um ato meritório. [7]E São Francisco observava humildemente as coisas que lhe eram ditas por tão reverendo senhor e caríssimo pai, fazendo daí em diante mais cauta e seguramente as coisas necessárias à sua cura. [8]Mas o mal já se havia agravado tanto que, para qualquer melhora, requeria habilíssima perícia e exigia tratamentos muito dolorosos. [9]E assim, aconteceu que, tendo sido cauterizada a cabeça em diversos lugares, dissecadas as

veias, colocados emplastros e introduzidos colírios, *nada adiantava* (cf. Sl 88,23), mas quase sempre *se tornava pior* (cf. Mc 5,26).

Capítulo VI – Os costumes dos irmãos que cuidavam de São Francisco; e como ele dispunha conviver

102 [1]Estas coisas ele suportou por quase dois anos em toda paciência e humildade, *dando em tudo graças a Deus* (cf. Tb 2,14; 1Tm 5,18). [2]Mas, para que ele próprio pudesse mais livremente dirigir sua atenção a Deus e, *saindo de si* (cf. 2Cor 5,13) em frequentes êxtases, entrar e percorrer as tendas das bem-aventuradas mansões situadas no céu e apresentar-se na riqueza da graça diante do terníssimo e sereníssimo *Senhor de todas as coisas nos céus* (cf. 2Mc 14,35; Ef 1,3), confiara o cuidado de sua pessoa a alguns irmãos merecidamente muito amados por ele. [3]Eles eram, pois, *homens de virtudes* (cf. 1Mc 5,50), devotos a Deus, que agradavam aos santos, simpáticos aos homens, sobre os quais, como *casa* sobre quatro *colunas*, o bem-aventurado pai Francisco se *apoiava* (cf. Jz 16,29). [4]Omito agora os nomes deles, poupando-lhes a modéstia que eles, como homens muito espirituais, têm como amiga íntima. – [5]A modéstia é, de fato, o ornamento de todas as idades, a testemunha da inocência, indício da mente pura, *a vara da disciplina* (cf. Pr 22,15), glória especial da consciência, guarda da reputação e distintivo de toda honestidade. [6]Esta virtude os adornara, tornava-os amáveis e benévolos aos homens; esta *era* uma graça *comum a todos* (cf. At 2,44), mas cada um era decorado por uma virtude. [7]Um era de especial discrição, outro de singular paciência, outro de gloriosa simplicidade, outro robusto segundo as forças do corpo e manso segundo a natureza do seu espírito. [8]Eles cultivavam a tranquilidade de espírito do bem-aventurado pai com toda vigilância, com todo empenho, com toda a [boa] vontade; cuidavam da enfermidade do corpo, não declinando angústia alguma, trabalho algum, mas se entregavam totalmente ao serviço do santo.

103 [1]Mas, embora o glorioso pai já estivesse consumado na graça diante de Deus e brilhasse com obras santas entre os homens *deste mundo* (cf. Jo 11,9), no entanto, pensava sempre em começar coisas mais perfeitas e, como cavaleiro instruidíssimo *nos acampamentos de Deus* (cf. Gn 32,2), depois de ter provocado o adversário, procurava instigá-lo a novos combates. [2]*Tendo Cristo como guia* (cf. Dn 9,25), propunha fazer grandes coisas e, enfraquecidos os membros e já quase morto o corpo, espera o triunfo sobre o inimigo em nova batalha. [3]Pois a virtude verdadeira desconhece o fim do tempo, quando a expectativa da recompensa é eterna. [4]*Abrasava-se*, por conseguinte, *em desejo muito grande* (cf. Nm 11,4; Mt 2,10) de voltar aos primórdios da humildade e, *alegrando-se na esperança* (cf. Rm 12,12) diante da imensidade do amor, pensava em levar de novo seu corpo à primeira servidão, embora já tivesse chegado ao extremo. [5]Afastava totalmente de si os obstáculos de todos os cuidados e abstinha-se plenamente do estrépito de todas as preocupações. [6]E quando por necessidade moderava o primitivo rigor por causa de sua enfermidade, dizia: "Comecemos, irmãos, a servir ao Senhor Deus, porque até agora apenas pouco ou em nada progredimos". [7]*Não julgava que* já o *tivesse alcançado* (cf. Fl 3,13) e, permanecendo infatigável no propósito de santa renovação, esperava sempre começar. – [8]Queria voltar a servir aos leprosos e ser desprezado, como antigamente. [9]Propunha fugir do convívio dos homens e recolher-se em lugares mais remotos para assim, despojado de todo cuidado, depois de ter deposto a preocupação com outras coisas, somente a parede do corpo o separasse provisoriamente de Deus.

104 [1]Via que muitos corriam aos cargos de dignidade e, detestando a temeridade deles, esforçava-se por chamá-los de volta desta peste pelo seu próprio exemplo. – [2]Dizia, pois, que era bom e aceitável diante de Deus cuidar dos outros; dizia também que somente deviam assumir o cuidado das almas os que nele não *buscassem* nada de *seu* (cf. Fl 2,21), mas atendessem sempre em tudo à vontade divina. [3]A saber, os que nada antepussessem à própria salvação e se aplicassem não ao aplauso, mas ao proveito dos súditos, não à pompa diante dos homens, mas à *glória* diante de *Deus* (cf. Rm 4,2); [4]os que não desejassem, mas temessem o cargo de prelado, os que o cargo mantido não exaltasse, mas humilhasse, e o cargo tirado não rebaixasse, mas exaltasse. [5]Mas especialmente neste tempo em que tanto *cresceu* a malícia e *transbordou* (cf. 2Ts 1,3) a iniquidade, dizia que era perigoso governar e afirmava ser mais útil ser governado. [6]Lamentava que alguns tivessem abandonado *as primeiras obras* (cf. Ap 2,5) e com novas invenções tivessem esquecido a primitiva simplicidade. [7]Por esta razão, lamentava que aqueles que outrora mais se aplicavam com todo desejo às coisas superiores tinham descido às inferiores e, depois de terem deixado as verdadeiras alegrias, percorrem e vagam por frivolidades e vaidades no campo da liberdade vazia. [8]Rezava, por conseguinte, à divina clemência pela libertação dos filhos e suplicava mui devotamente que eles fossem conservados na *graça concedida* (cf. Rm 12,3).

Capítulo VII – Como de Sena veio para Assis; a igreja de Santa Maria da Porciúncula; e a bênção dos irmãos

105 [1]E, no sexto mês antes do dia de sua morte, estando em Sena para tratar da enfermidade dos olhos, começou a adoecer gravemente em todo o corpo e, estando debilitado o estômago por longa doença e pelo mau estado do fígado, vomitou muito sangue, de modo que parecia aproximar-se da morte. [2]Tendo sido informado sobre isto, Frei Elias veio de longe para junto dele muito às pressas. [3]Na chegada dele, o santo pai convalesceu tanto que, tendo deixado aquela terra, veio com ele a Celle di Cortona. [4]Chegando ele e *morando* (cf. Mt 25,5) ali por algum tempo, o ventre dele se dilatou, as pernas intumesceram, os pés incharam, e o mal do estômago atacou cada vez mais, de modo que mal conseguia tomar algum alimento. [5]Pediu, então, a Frei Elias que fizesse com que ele fosse transportado para Assis. [6]O bom filho fez o que o benigno pai ordenou e, depois de ter preparado tudo, conduziu-o ao lugar desejado. [7]*Alegrou-se a cidade à chegada* (cf. Est 8,15; 2Cor 7,6) do bem-aventurado pai, e todas as pessoas *louvavam a Deus* (cf. Dn 3,51); [8]pois toda *a multidão do povo* esperava que *o santo de Deus* (cf. Lc 1,10; Mc 1,24) morresse em breve, e esta era a causa de tanta exultação.

106 [1]Também aconteceu *por vontade de Deus* (cf. Jó 26,11) que a sua santa alma, libertada do corpo, daí passasse ao *reino dos céus* (cf. Mt 3,2); aí, enquanto ainda *permanecia na carne* (cf. Fl 1,24), foi-lhe dado no início o conhecimento das coisas do alto, e infundida a salutar unção. [2]Pois, como soubesse que *o reino dos céus* está estabelecido *em* todo *lugar habitável da terra* (cf. Ez 34,13; Mt 5,3) e cresse que a graça divina é dada aos *eleitos de Deus* (cf. Rm 8,33) em qualquer lugar, no entanto, conheceu por experiência que o lugar de Santa Maria da Porciúncula era repleto de mais copiosa graça e frequentado pela visitação dos espíritos celestes. [3]Por isso, dizia muitas vezes aos irmãos: "Cuidai, filhos, para nunca deixardes este lugar. [4]Se fordes expulsos por uma parte, entrai de novo por outra; pois este *lugar é* verdadeiramente *santo* (cf. Ez 42,13) e *habitação de Deus* (cf. 1Cr 29,1). [5]Aqui, *quando éramos poucos* (cf. 1Cr 16,19), o Altíssimo nos aumentou; aqui, com a luz de sua sabedoria, *ele iluminou os corações* (cf. Ef 1,18) de seus pobres; aqui, com o fogo de seu amor, inflamou as nossas vontades. [6]Quem rezar aqui com coração devoto obterá o que pedir, e aquele que o ofender será mais gravemente punido. [7]Por esta razão, filhos, tende em toda honra este *lugar da habitação de Deus* (cf. 1Rs 8,30.33) e aqui *confessai a Deus com todo o vosso coração, com voz de exultação e louvor* (cf. Jr 29,13; Sl 41,5; 135,2)".

107 [1]Nesse meio-tempo, agravando-se a enfermidade, todo o vigor do seu corpo se enfraqueceu e, destituído de todas as forças, não podia mover-se de modo algum. [2]E, como tivesse sido interrogado por um irmão sobre o que preferia, a saber, suportar esta persistente e tão longa enfermidade ou padecer algum martírio violento pelo carrasco, ele respondeu: [3]"Filho, isto sempre foi e é a coisa mais cara para mim, mais suave, mais agradável: que se faça em mim e com relação a mim o que mais *agrada ao Senhor meu Deus* (cf. Dt 13,18; Rm 12,1), com cuja vontade unicamente desejo encontrar-me sempre concorde e obediente em tudo. [4]Mas ser-me-ia mais doloroso suportar esta enfermidade ainda que por três dias em comparação com qualquer martírio; falo isto não pela remuneração de um salário, mas unicamente pela dor que o *sofrimento causa* (cf. Dn 3,50)". – [5]Ó homem duas vezes mártir que, rindo e alegrando-se, tolerava de muito boa vontade o que era a todos penoso e insuportável olhar. [6]Na verdade, nenhum membro nele ficara sem a excessiva dor de sofrimento, e, tendo perdido gradualmente o calor natural, a cada dia se aproximava mais do fim. [7]Os médicos ficavam estupefatos, os irmãos admiravam-se de como o espírito podia viver em carne assim morta, quando, *consumida a carne*, só a pele *aderia aos ossos* (cf. Jó 19,20).

108 [1]De fato, ao ver que estava iminente o último dia – o que também dois anos antes lhe fora indicado por revelação divina –, *tendo chamado para junto de si* os irmãos que *queria* (cf. Mc 3,13), abençoou a cada um, conforme lhe fora *dado do alto* (cf. Jo 19,11), como antigamente o patriarca Jacó a seus filhos ou até como outro Moisés que, *estando para subir* ao *monte* que *Deus* lhe *indicou* (cf. Dt 32,49), cumulou de bênçãos os filhos de Israel. [2]E, estando Frei Elias à sua esquerda, sentando-se os demais filhos ao redor, tendo ele cruzado *os braços, colocou a mão direita sobre a cabeça* (cf. Gn 48,14) dele e, privado da luz e do uso dos olhos corporais, diz: "Sobre quem tenho a minha mão direita?" Eles dizem: "Sobre Frei Elias". [3]Diz ele: "É assim que eu quero". E diz: "Filho, abençoo-te *em tudo e por tudo* (cf. Ef 4,6) e, como o Altíssimo em tuas mãos aumentou meus irmãos e filhos, assim também sobre ti e em ti abençoo a todos. [4]*No céu e na terra, abençoe-te Deus* (cf. Sl 112,6; Tb 9,9), Rei de todas as coisas. [5]Abençoo-te como posso e mais do que posso; e o que não posso possa em ti aquele que tudo pode. [6]*Que Deus se recorde* (cf. Dn 14,37) de tua ação e trabalho, e reservado seja teu quinhão na *retribuição dos justos* (cf. Hb 2,2). [7]Que encontres toda bênção que desejas, e que se cumpra o que pedes com justiça". – [Dirigindo-se a todos, diz:] [8]"Filhos todos, passai bem *no temor de Deus* (cf. Sir 9,22) e permanecei sempre nele, porque está por vir sobre vós a maior *provação*, e a *tribulação* (cf. Sir 27,6; Sl 21,12) se aproxima. [9]Felizes *os que perseverarem* (cf. Mt 10,22) naquilo que começaram; os escândalos que hão de acontecer separarão alguns dentre estes. [10]Apresso-me em ir ao Senhor *e* já espero ir *a meu Deus, a quem servi* devotamente *em meu espírito*" (cf. Sl 29,9; Rm 1,9).

[11]Estava, naquela ocasião, hospedado no palácio do bispo de Assis e, por esta razão, rogou aos irmãos que o transportassem apressadamente ao eremitério de Santa Maria da Porciúncula. [12]Pois queria entregar a alma a Deus lá onde, como foi dito, no início conheceu com perfeição *o caminho da verdade* (cf. Sl 118,30).

Capítulo VIII – O que fez e disse quando morreu de maneira feliz

109 [1]Já estava consumado o período de vinte anos de sua conversão, conforme lhe fora revelado pela vontade divina. [2]Pois, quando o bem-aventurado pai e Frei Elias moravam numa ocasião em Foligno, numa noite, depois de se terem entregado a sono profundo, apresentou-se a Frei Elias um sacerdote vestido de branco, de idade muito avançada e de aspecto venerável, dizendo: [3]"Levanta-te, irmão, e dize a Frei Francisco que se completaram dezoito anos desde que, renunciando ao mundo, aderiu a Cristo; e, permanecendo doravante nesta vida somente dois anos, *chamando-o o Senhor* (cf. Gn 3,9) para junto de si, entrará no *caminho de todo ser vivo* (cf. Js 23,14)". [4]E assim aconteceu que *a palavra do Senhor*, que ele muito tempo antes predissera, *se cumpria* (cf. 2Cr 36,21) no tempo estabelecido.

[5]Portanto, depois de ter descansado poucos dias no lugar muito desejado e sabendo que *era iminente a hora* (cf. Hb 9,9) da morte, chamou junto a si dois irmãos e filhos seus prediletos, ordenando-lhes que cantassem em alta voz e *na exultação* (cf. Sl 106,22) do espírito os Louvores ao Senhor pela morte próxima, ou antes, pela vida tão próxima. [6]E ele, como pôde, prorrompeu naquele salmo de Davi e disse: "*Com minha voz clamei ao Senhor, com minha voz supliquei ao Senhor*" (Sl 141,2-8). – [7]E um irmão dos que o assistiam, a quem o santo amava com amor muito grande e que era muito solícito para com todos os irmãos, ao ver estas coisas e saber que a morte do santo se aproximava, disse-lhe: "Benigno pai, os filhos agora ficam *sem pai* (cf. Lm 5,3) e são privados da *verdadeira luz* (cf. 1Jo 2,8) dos olhos! [8]Lembra-te, portanto, dos órfãos que deixas e, tendo perdoado todas as culpas, alegra com tua santa bênção tanto os presentes como os ausentes". [9]Disse-lhe o santo: "Filho, eis que sou chamado por Deus. [10]Perdoo todas as ofensas e culpas

a meus irmãos ausentes e presentes e, como posso, os absolvo; tu, anunciando-lhes estas coisas, de minha parte abençoarás a todos".

110 [1]Mandou, finalmente, que fosse trazido o códice dos Evangelhos e pediu que lhe fosse lido o Evangelho segundo João a partir daquele lugar em que começa: *Seis dias antes da Páscoa, sabendo Jesus que chegara a sua hora de passar deste mundo ao Pai* (Jo 13,1). [2]Antes que lhe fosse ordenado, este era o Evangelho que o ministro lhe propusera ler; e este ocorreu também na primeira abertura do livro, embora fosse inteira e completa a Bíblia, na qual este Evangelho devia ser lido. [3]Mandou, em seguida, que fosse colocado sobre o cilício e aspergido com cinza aquele que em breve seria *terra e cinza* (cf. Sir 10,9; 17,31).

[4]E assim, *reunindo-se muitos* (cf. Dt 31,11) irmãos dos quais *ele era* pai e *guia* (cf. At 14,11), estando todos eles reverentemente de pé a esperar o beato *fim* e a feliz *consumação* (cf. Sir 33,24), aquela alma libertou-se da carne e, absorvida ela pelo abismo da claridade, o corpo *dormiu no Senhor* (cf. At 7,60). – [5]E um dos irmãos e discípulos dele, de fama não pouco célebre, cujo nome agora julgo dever calar, porque enquanto *vive na carne* (cf. Gl 2,20) não quer gloriar-se de tão grande louvor, viu a alma do santíssimo pai *subir* em linha reta *ao céu sobre grandes águas* (cf. Js 8,20; Sl 283). [6]Era *como uma estrela* (cf. Sir 50,6) que tinha de algum modo a imensidade da lua e *a claridade do sol*, conduzida por uma *nuvenzinha branca* (cf. 1Cor 15,41; Ap 14,14).

111 [1]Por esta razão, possamos a respeito dele exclamar: "Quão glorioso é este santo, cuja alma o discípulo viu *subir ao céu! *[2]*Bela como a lua, brilhante como o sol* (cf. At 2,34; Ct 6,9), *ao subir na nuvem branca, resplandecia* (cf. Ap 14,14; Ct 3,6) com grande glória! [3]Ó verdadeira *lâmpada* do mundo que *iluminas a Igreja de Cristo* (cf. Mt 5,15; Rm 16,16) mais esplendidamente do que o sol, eis que já recolheste os raios de tua luz e, retirando-te para aquela pátria luminosa, trocaste a nós, míseros, pelo *convívio dos anjos* (cf. Hb 12,22) e dos Santos! [4]Ó gloriosa beleza de insigne arauto, não prives os filhos de teu cuidado, embora já estejas privado da semelhança de nossa carne! [5]Saibas, saibas na verdade em quão grande perigo os deixaste colocados; somente tua feliz presença, a toda hora, aliviava misericordiosamente os inúmeros trabalhos e as frequentes angústias deles. [6]Ó santíssimo pai, verdadeiramente misericordioso, que estavas sempre pronto a compadecer-te dos filhos que pecavam e a perdoá-los benignamente! [7]Portanto, nós *te bendizemos*, ó digno pai, *a quem* o Altíssimo *abençoou* (cf. Tb 8,17; Gn 27,27), o qual *é Deus sempre bendito sobre todas as coisas. Amém"* (cf. Rm 9,5).

Capítulo IX – Lamento e alegria dos irmãos, quando o viram portando os sinais da cruz; e as asas do Serafim

112 [1]Por esta razão, *deu-se a afluência de muitas pessoas que louvavam a Deus e diziam* (cf. At 21,30; Mq 5,7; Lc 2,13): *"Louvado e bendito sois vós, Senhor nosso Deus* (cf. Dn 3,57; Sl 40,14), que confiastes a nós indignos tão precioso depósito! [2]Louvor e glória a vós, Trindade inefável!"* [3]Aos bandos, *toda a cidade* (cf. Mt 8,34) de Assis se precipita, e *toda a região* se apressa para ver *as maravilhas de Deus* (cf. Mt 3,5; At 2,11), as quais *o Senhor da majestade* (cf. Is 2,10) mostrara gloriosamente em seu santo servo. [4]E cada um cantava um cântico de alegria, como *o júbilo do coração* (cf. Lm 5,15) lho sugeria, e todos bendiziam a onipotência do Salvador pelo seu *desejo cumprido* (cf. Fl 4,19). [5]Entretanto, privados de tão grande pai, os filhos lamentavam e mostravam com lágrimas e suspiros o piedoso afeto do coração.

[6]Mas uma alegria inaudita temperava a tristeza, e a novidade do milagre levava as mentes deles a enorme estupefação. [7]*Transformou-se o luto* (cf. Est 13,17) em cântico, e o pranto em júbilo. [8]Pois, nunca haviam ouvido dizer nem haviam lido em escritos o que lhes era mostrado aos olhos; também mal teriam podido ser convencidos disto, se não fosse comprovado por tão evidente testemunho. [9]Na verdade, sobressaía nele a forma da cruz e da paixão do *Cordeiro imaculado* (cf. 1Pd 1,19) *que lavou* os crimes *do mundo* (cf. Ap 1,5); ele parecia como que recentemente deposto da cruz, tendo as mãos e os pés atravessados por cravos e o *lado* direito como que ferido *por uma lança* (cf. Jo 19,34).

[10]Contemplavam, pois, a carne dele, que antes era escura, a brilhar com grande candura e a anunciar, por sua beleza, o prêmio da bem-aventurada ressurreição. [11]Viam, enfim, *o rosto dele* como *rosto de anjo* (cf. At 6,15), como se vivesse, não como se estivesse morto, e os demais membros dele convertidos na maciez e flexibilidade de uma criança. [12]Não se contraíram os nervos dele, como costumam os dos mortos, não se endureceu a pele, não se tornaram rígidos os membros, mas flexíveis de cá para lá, segundo o modo como eram colocados.

113 [1]E, ao resplandecer com tão admirável beleza diante de *todos que o viam* (cf. Ex 33,10) e ao tornar-se mais cândida a sua carne, era admirável ver no meio de suas mãos e pés não as perfurações dos cravos, mas os próprios cravos formados pela sua carne, mantendo-se a negritude do ferro, e o lado direito avermelhado de sangue. [2]Os sinais do martírio não incutiam horror às mentes dos que os contemplavam, mas conferiam muita beleza e graça, como costumam num pavimento branco as pedrinhas negras.

[3]Acorriam os irmãos e filhos e, chorando, beijavam as mãos e os pés do piedoso pai que os deixava, bem como o lado direito em cuja chaga se fazia a célebre memória daquele que, derramando daquele lugar ao mesmo tempo *sangue e água, reconciliou o mundo* (cf. Rm 5,10; 2Cor 5,19) com o Pai. – [4]Qualquer um do povo acreditava que lhe era concedido o maior presente, se era admitido não só a beijar, mas também a ver os sagrados *estigmas de Jesus* Cristo, os quais São Francisco *trazia em* seu *corpo* (cf. Gl 6,17). – [5]Quem, pois, ao ver estas coisas, estaria inclinado ao pranto e não à alegria? E, se chorasse, não o fizesse mais por alegria do que pela dor? [6]Quem teria peito de ferro, de modo a não se mover ao gemido? [7]Quem teria *coração de pedra* (cf. Ez 11,19), de modo a não se abrir à compunção, a não se inflamar ao amor divino, a não se munir de boa vontade? [8]Quem tão duro e tão insensível que não reconhecesse com a manifestação desta verdade que este santo, como que honrado por especial dom na terra, assim devia ser *engrandecido* com inefável glória *nos céus* (cf. Is 33,5)?

114 [1]Ó dom singular e sinal de privilégio do amor o fato de o cavaleiro ser adornado com as mesmas armas da glória que, por sua excelentíssima dignidade, só convêm ao rei! [2]Ó milagre digno de *memória eterna* e sacramento digno de ser recordado com a mais admirável reverência e *sem* qualquer *interrupção* (cf. Sl 111,7; Rm 1,9), sacramento que torna novamente presente, com testemunho ocular, aquele mistério em que *o sangue do Cordeiro imaculado* (cf. 1Pd 1,19), jorrando copiosamente das cinco chagas, *lavou* os crimes *do mundo* (cf. Ap 1,5)! [3]Ó sublime beleza da cruz vivificante que dá vida aos mortos, cujo peso oprime tão suavemente e punge tão docemente que nela o corpo morto revive, e o espírito enfermo se robustece! [4]*Muito* te *amou* (cf. Lc 7,47) aquele a quem tão gloriosamente tu decoraste! [5]*Glória e bênção unicamente ao Deus sábio* (cf. Ap 5,13; Rm 16,27) que *renova os sinais e muda as maravilhas* (cf. Sir 36,6), para consolar as mentes enfermas com novas revelações e para que, por meio da *admirável obra* (cf. Sl 138,14) das coisas visíveis, os corações deles sejam arrebatados ao amor das realidades invisíveis! [6]Ó maravilhosa e amável disposição de Deus que, para que nenhuma suspeição pudesse originar-se a respeito da novidade do milagre, primeiro mostra misericordiosamente naquele que *proviera do céu* (cf. Jo 3,13.31) o que pouco depois seria admiravelmente realizado naquele que morava na terra! [7]E, de fato, o verdadeiro *Pai das misericórdias* (cf. 2Cor 1,3) quis indicar quão grande prêmio merece aquele que se esforçara por *amá-lo de todo o coração* (cf. Mt 22,37), tanto que está colocado na mais alta ordem, acima dos espíritos celestes, mais próxima dele.

[8]Sem dúvida alguma, nós poderemos alcançar isto, se, a modo do Serafim, *estendermos duas asas sobre a cabeça* (cf. Ez 1,22.23), isto é, tendo, a exemplo do bem-aventurado Francisco, intenção pura e reto modo de operar em toda obra boa, e, dirigidos estes a Deus, nos esforçarmos infatigavelmente por agradar em tudo unicamente a ele. [9]Elas se juntam necessariamente para velar a cabeça, porque *o Pai das luzes* (cf. Tg 1,17) absolutamente não aceitará a retidão da obra sem a pureza de intenção e vice-versa, estando ele mesmo a dizer: [10]*Se teu olho for puro, todo o teu corpo estará na luz; se, porém, for mau, todo teu corpo estará nas trevas* (cf. Mt 6,22-23). [11]Pois o olho puro não é o que não vê o que deve ser visto, por faltar-lhe o co-

nhecimento da verdade, ou o que contempla o que não deverá ser visto, por não ter intenção pura. [12]No primeiro [caso], uma mente esclarecida não o julgará puro, mas cego, no segundo o julgará mau. [13]*As penas* destas *asas* (cf. Ez 1,23.24) são o amor do Pai, que salva misericordiosamente, e *o temor do Senhor* (cf. Sir 1,11), que julga terrivelmente; elas, reprimindo os impulsos maus e ordenando os afetos castos, devem elevar acima das coisas terrenas os pensamentos dos eleitos. [14]Com *duas asas deve-se voar* (cf. Is 6,2) para dedicar todo o esforço à dupla caridade para com o próximo, a saber, refazendo-lhe a alma *com a palavra de Deus* (cf. Lc 4,4) e sustentando-lhe o corpo com o auxílio terreno. [15]Estas *asas* rarissimamente *se juntam* (cf. Ez 1,11), porque dificilmente ambas [as tarefas] podem ser realizadas por alguém. [16]*As penas* delas são as diversas obras requeridas para o conselho e o auxílio a serem mostrados ao próximo. [17]Finalmente, *com duas* asas *deve-se cobrir o corpo* (cf. Ez 1,11) despido de merecimentos, o que então se realiza regularmente, quando ele se reveste da inocência da contrição e da confissão, todas as vezes que for desnudado por intervenção do pecado. [18]As penas destas [asas] são os diversos afetos que nascem da execração dos pecados e do desejo de justiça.

115 [1]O beatíssimo pai Francisco, que teve a imagem e forma do Serafim, realizou tudo isto da maneira mais perfeita e, perseverando na cruz, mereceu voar até ao grau dos espíritos sublimes. [2]Pois, tanto quanto podia, sempre esteve na cruz, não se esquivando de nenhum trabalho ou dor, para cumprir a vontade do Senhor em si e com relação a si.

[3]Além disso, os irmãos que conviveram com ele sabiam quão cotidiana e contínua fora na boca dele a conversa sobre Jesus, *quão doce e suave* (cf. Ez 33,32) a sua maneira de falar e quão benigna e cheia de amor a maneira de conversar sobre ele. [4]*A boca falava da profusão do coração* (cf. Mt 12,34), e a fonte de amor iluminado, enchendo todas as entranhas dele, jorrava para fora. [5]Realmente, ele tinha muitas coisas com Jesus: sempre trazia Jesus no coração, Jesus na boca, Jesus nos ouvidos, Jesus nos olhos, Jesus nas mãos, Jesus nos demais membros. – [6]Quantas vezes, quando se sentava para o almo-

ço, ao ouvir ou nomear ou pensar em Jesus, se esqueceu do alimento corporal e, como se lê sobre um santo: "Olhando, não via e, ouvindo, não percebia". [7]Muitas vezes também, quando ia pelo caminho, meditando e exaltando Jesus, se esquecia do caminho e convidava todas as criaturas ao louvor de Jesus. [8]E porque sempre trazia com admirável amor e *conservava em seu coração* (cf. Lc 2,19) o *Cristo Jesus, e Jesus crucificado* (cf. 1Cor 2,2), por esta razão foi marcado com seu sinal de maneira mais gloriosa do que os demais; [9]*em êxtase* (cf. 2Cor 5,13) ele o contemplava na glória indizível e incompreensível sentado à direita do Pai, [10]com quem o *Filho do Altíssimo* (cf. Lc 1,32), semelhantemente altíssimo, na unidade do Espírito Santo, vive e reina, vence e impera, *Deus* eternamente *glorioso* (cf. Dn 3,52) por *todos os séculos dos séculos. Amém* (cf. Dn 3,90).

Capítulo X – O pranto das senhoras em São Damião; e como foi sepultado com louvor e glória

116 [1]Portanto, os irmãos e filhos que se reuniram com toda *a multidão de pessoas* (cf. Ez 27,33) que, tendo vindo das cidades vizinhas, se alegravam por estar presente a tão grandes solenidades, passaram em louvores divinos toda a noite em que morreu o santo pai, de modo que, pela suavidade da jubilação e pela claridade das luzes, parecia que fosse vigília de anjos. [2]*E quando amanheceu, reuniu-se a multidão* (cf. Jo 21,4; At 2,6) da cidade de Assis com todo o clero e, tomando o sagrado corpo do lugar em que ele morrera, com hinos e louvores, *tocando trombetas* (cf. Js 6,20), levaram-no com honras à cidade. [3]Cada um *tomava ramos* de oliveira e de outras *árvores* (cf. Jo 12,13; Mt 21,8), seguindo solenemente as sagradas exéquias e, tendo multiplicado a quantidade de luminárias, cantavam louvores em altas vozes. – [4]E, estando os filhos a levar o pai e o rebanho a seguir o pastor que se encaminhava rapidamente ao *Pastor de todos* (cf. Ez 37,24), depois que se chegou ao lugar em que ele próprio no início plantou a Religião e Ordem das santas virgens e Senhoras Pobres, tendo-o depositado na igreja de São Damião – na qual moravam suas referidas filhas que ele conquistara para o Senhor –, foi aberta a pequena janela pela qual as servas de Cristo costumavam *no tempo estabelecido* (cf. 2Sm 24,15) receber em comunhão o sacramento do corpo do Senhor. [5]Foi aberta também a arca em que se escondia o tesouro de virtudes supercelestes, na qual era levado por poucos aquele que costumava arrastar a muitos. [6]E eis que a senhora Clara, que era verdadeiramente clara pelos méritos da santidade – primeira mãe das outras, porque foi a primeira planta desta santa Ordem –, veio com as demais filhas para ver o pai que já não lhes falava nem mais voltaria a elas, mas se dirigia apressadamente a outro lugar.

117 [1]E, tendo intensificado os suspiros, olhando-o com grande *gemido do coração* (cf. Sl 37,9) e com muitas lágrimas, elas *começaram a clamar* (cf. Js 3,3) com voz abafada: "Pai, ó pai, o que faremos? Por que nos abandonas a nós, míseras? Ou a quem nos deixas assim desoladas? [2]Por que não nos enviaste alegres na frente para onde vais, a nós que tu deixas aqui a sofrer? O que ordenas que façamos, a nós, presas deste modo neste cárcere, a nós, que nunca mais te dispões a visitar, como de costume? [3]Contigo se vai toda *nossa consolação* (cf. 2Cor 1,5), e semelhante conforto não resta para nós, que estamos sepultadas para o mundo! Quem nos consolará em tão grande pobreza não menos dos méritos quanto das coisas? [4]Ó *pai dos pobres* (cf. Jó 29,16) que amas a pobreza! Quem [nos] socorrerá na tentação, ó tu que experimentaste inúmeras tentações, ó profundo conhecedor das provações? [5]Quem na tribulação consolará as atribuladas, ó *auxílio nas tribulações que muito nos assaltaram?* (cf. Sl 45,2). [6]Ó amaríssima separação, ó desventurada ausência! Ó morte excessivamente horrenda que trucidas milhares de filhos e filhas privados de tão grande pai, ao te apressares em levar irrevogavelmente para longe aquele por meio de quem floresceram principalmente *nossos esforços* (cf. Jr 7,3.5), se é que os temos!" – [7]Mas o virginal pudor reprimia o copioso pranto e não convinha muito *chorar sobre aquele* (cf. Zc 12,10) a cujo trânsito afluiu a multidão dos exércitos de anjos e se alegraram *os cidadãos dos Santos e os familiares de Deus* (cf. Ef 2,19). [8]E assim, colocadas entre a tristeza e a alegria, elas beijavam as esplêndidas mãos dele ornadas com as preciosíssimas gemas e brilhantes pérolas; e, tendo ele sido levado, *fechou-se* para elas *a porta* (cf. Mt 25,10) que absolutamente não mais se abrirá para tão grande dor. – [9]Quanta dor havia na lamentação de todas elas, lamentação digna de compaixão e cheia de piedade! Quantos lamentos, principalmente dos filhos entristecidos! [10]A dor de cada um deles era comum a todos, de modo que dificilmente alguém podia abster-se do pranto, pois que *choravam amargamente os anjos da paz* (cf. Is 33,7).

118 [1]Finalmente, chegando todos à cidade, *com* grande *alegria e exultação* (cf. Br 3,35; Sl 44,16), *colocaram o* santíssimo *corpo* (cf. Mt 27,59) no lugar sagrado, mas daí em diante mais sagrado; ali, para a glória *do* sumo e *onipotente Deus* (cf. Ap 16,14), ele *ilumina o mundo* (cf. Jo 1,9) com a multiplicidade dos milagres, como até agora o iluminou admiravelmente com a doutrina de santa pregação. Demos graças a Deus. Amém.

[2]Eis, ó santíssimo e bendito pai, que te acompanhei com devidos e dignos louvores, conquanto insuficientes, e descrevi a modo de narração os teus feitos. [3]Por esta razão, concede a mim, mísero, poder seguir-te tão dignamente no presente que mereça, por misericórdia, seguir-te no futuro. [4]Recorda-te, ó piedoso [pai], dos pobres filhos; depois de ti, único e singular consolo deles, mal lhes resta alguma consolação. [5]Pois, embora tu – que és a primeira e melhor porção de todos eles – estejas unido aos coros dos anjos e incluído entre os Apóstolos *no trono da glória* (cf. Dn 3,53.54), todavia eles jazem *no lamaçal de lodo* (cf. Sl 39,3), reclusos em cárcere escuro, clamando a ti em prantos: [6]"Apresenta, ó pai, a Jesus Cristo, Filho do Pai supremo, os sagrados estigmas dele e, por conseguinte, mostra-lhe os sinais da cruz – do lado, das mãos e dos pés –, para que ele se digne misericordiosamente mostrar as próprias chagas ao Pai que, na verdade, por causa disto sempre *há de compadecer-se* (cf. Jó 33,26) de nós míseros. Amém. *Assim seja! Assim seja* (cf. Sl 71,19)!"

Termina o segundo livro.

TERCEIRO LIVRO

Começa o terceiro livro, sobre a canonização de nosso bem-aventurado pai Francisco e seus milagres.

119 ¹Portanto, o mui glorioso pai Francisco, no vigésimo ano de sua conversão, unindo a um feliz princípio um fim ainda mais feliz, *entregou* da maneira mais feliz seu *espírito* (cf. Lc 23,45) ao céu, onde, *coroado de glória e honra* (cf. Sl 8,6) e obtendo em partilha o lugar *no meio das brasas ardentes* (cf. Ez 28,14), estando diante do trono da Divindade, esforça-se eficazmente por cuidar dos interesses daqueles que ele deixou na terra. ²Na verdade, o que poderia ser negado àquele em cuja impressão dos sagrados estigmas sobressai a imagem de quem, sendo coigual ao Pai, *se assenta nas alturas à direita da majestade, esplendor da glória e figura da substância* de Deus, *a realizar a purificação dos pecados* (cf. Hb 1,3)? ³Como não é atendido aquele que, configurado à morte de Cristo Jesus *em participação dos sofrimentos dele* (cf. Fl 3,10), apresenta as sagradas chagas das mãos, dos pés e do lado?

⁴Certamente, ele já alegra o mundo todo com nova alegria de libertação e oferece a todos as coisas mais convenientes da verdadeira salvação. ⁵Ilumina o mundo com a claríssima luz dos milagres e ilumina todo o orbe com o fulgor de verdadeiro astro. ⁶O mundo chorava há pouco tempo por estar privado da presença dele e, *à morte* (cf. Sl 49,1) dele, via-se ocupado por um abismo de trevas. ⁷Mas agora, no surgir de nova luz, iluminado com raios mais fulgurantes como *no meio-dia* (cf. Is 16,3), [o mundo] sente que se dissipou toda escuridão. ⁸Já cessou – *Deus seja bendito* (cf. Sl 65,20)! – toda sua lamentação, visto que, a cada dia e em toda parte, o mundo se enche copiosamente de novas alegrias nas santas virtudes provenientes dele. ⁹*Do oriente e do ocidente* (cf. Mt 8,11), *do sul e do norte vêm* (cf. Gn 13,3; Ez 48,31) os que, aliviados pela proteção dele, comprovam com o *testemunho da verdade* (cf. Jo 5,33) que estas coisas assim aconteceram. ¹⁰Mormente por isso, enquanto *viveu na carne* (cf. Fl 1,22; 1Pd 4,2), o especial amante das realidades do alto nada recebeu de propriedade no mundo, para possuir o mais pleno

e deleitável bem universal. [11]Por conseguinte, realizou-se no todo quem não quis estar na parte e trocou o tempo pela eternidade. [12]Verdadeiro amante da unidade, ele não conhece detrimentos de parcialidade e por toda parte ajuda a todos, faz-se presente a todos.

120 [1]*Vivendo* ainda *entre os pecadores* (cf. Sb 4,10), percorre o universo e prega ao mundo: já reinando com os anjos *nas alturas* (cf. Sl 148,1), voa mais rapidamente do que o pensamento como mensageiro do sumo Rei e presta gloriosos benefícios a todos os povos. [2]Por conseguinte, a universalidade dos povos honra-o, venera-o, glorifica-o e louva-o. [3]Na verdade, todos participam do bem comum. [4]Quem seria capaz de enumerar, quem conseguiria dizer quantos e quais milagres o Senhor se dignou operar em toda parte por meio dele? – [5]Quantas maravilhas Francisco realiza somente na França, aonde acorrem o rei e a rainha dos franceses e todos os grandes para beijar e venerar o travesseiro que São Francisco usara na enfermidade? [6]Lá, também os sábios da terra e os homens mais cultos, que Paris ordinariamente produz na maior quantidade, *mais do que toda a terra* (cf. Jr 1,18), veneram humilde e devotamente, admiram e prestam culto a Francisco, homem iletrado e amigo da verdadeira simplicidade e de toda a sinceridade. – [7]E verdadeiramente Francisco foi quem, mais do que todos, teve coração franco e nobre. [8]Conheceram realmente a magnanimidade dele aqueles que experimentaram quão livre, quão liberal, quão seguro e impávido ele foi em tudo e com quanta virtude, com quanto fervor de espírito ele calcou aos pés todos os bens do mundo. – [9]Mas o que direi das outras partes do mundo nas quais por meio de seu cordão as doenças se afastam, as fraquezas fogem e unicamente à invocação do nome dele a grande multidão de homens e mulheres é libertada de suas doenças?

121 [1]Também junto ao túmulo dele acontecem continuamente novos milagres e, multiplicadas as intercessões, naquele lugar se impetram novos benefícios das almas e dos corpos. [2]Aos cegos é restituída a visão, aos surdos restaura-se a audição, aos coxos é dado o andar, o mudo fala, o que sofre de gota nos pés salta, *o leproso é purificado* (cf. Mt 11,5), o hidrópico torna-se esbelto, e os que sofrem os diversos e variados males das enfermidades obtêm a desejada saúde, de modo que o corpo morto cura os corpos vivos, assim como, enquanto vivia, ressuscitava as almas mortas.

[3]Ouve e compreende estas coisas o Romano Pontífice, o maior de todos os bispos, guia dos cristãos, senhor da terra, pastor da Igreja, *ungido do Senhor* (cf. 1Sm 24,11), vigário de Cristo. [4]Rejubila-se e exulta, dança e alegra-se, quando vê que a Igreja de Deus se renova em seu tempo com novos mistérios, mas com as antigas maravilhas; e isto em um filho seu que ela trouxe em seu sagrado útero, aqueceu no colo, aleitou com a palavra e nutriu com o alimento da salvação. [5]Ouvem também os demais guardiães da Igreja, [a saber,] os veneráveis cardeais, pastores do rebanho, defensores da fé, *amigos do esposo* (cf. Jo 3,29), colaboradores dele, pilares do mundo. [6]Congratulam-se as igrejas, coalegram-se os bispos, glorificam o Salvador que, com suma e inefável sabedoria, com suma e incompreensível graça, com suma e inestimável bondade, *escolheu o que é estulto e desprezível do mundo* (cf. 1Cor 1,27.28) *para* desta maneira *arrastar a si* (cf. Jo 12,32) o que é mais poderoso. [7]O mundo inteiro ouve e aplaude, e a monarquia toda, obedecendo à fé católica, se enche de *alegria* e transborda em santa *consolação* (cf. 2Cor 7,4).

122 [1]Mas acontece um súbito transtorno das coisas, e neste meio-tempo emerge no mundo um novo litígio. [2]Imediatamente se perturba a prosperidade da paz, e inflama-se a face da inveja, a Igreja é dilacerada por uma guerra interna e doméstica. [3]Os romanos, povo sedicioso e feroz, como de costume, maltratam os vizinhos e, de maneira temerária, *estendem as mãos às coisas sagradas* (cf. 1Mc 14,31). [4]O egrégio Papa Gregório esforça-se por conter o mal surgido, por reprimir a crueldade, por refrear a violência e, como torre bem fortificada, protege a Igreja. [5]Muitos perigos são iminentes, muitos flagelos crescem, e *a cerviz dos pecadores* (cf. Sl 128,4) se ergue no restante do mundo contra Deus. [6]O que fazer, então? Medindo com muita experiência as coisas que haveriam de acontecer, ponderando as presentes, [o papa] deixa Roma aos revoltosos para libertar e defender o mundo das perturbações. [7]Vai, por conseguinte, à cidade de Rieti, onde é recebido com honra, como convém; passando daí para Espoleto, é honrado por todos com grande reverência. [8]Permanecendo aí poucos dias, tendo sido delineada a situação da Igreja – acompanhando-o os veneráveis cardeais –, vai visitar com benignidade as servas de Cristo, mortas e sepultadas para o mundo. [9]O santo modo de vida delas, *a altíssima pobreza* (cf. 2Cor 8,2) e a gloriosa instituição movem-no, juntamente com os demais, às lágrimas, incentivam ao desprezo do mundo, inflamam a uma vida celibatária. [10]Ó amável humildade, mãe nutriz de todas as graças! [11]O príncipe de toda a terra, sucessor do príncipe dos apóstolos, visita as senhoras pobrezinhas, dirige-se às desprezadas e humildes encarceradas; e esta humildade, embora digna de *alto conceito* (cf. Dt 16,18) e não habitual em exemplos, não foi experimentada nos muitos séculos passados.

123 [1]Apressa-se agora, apressa-se para Assis, onde se conserva o depósito para ele glorioso, para que nele todo sofrimento e iminente tribulação sejam expulsos. [2]À chegada dele, toda a região se alegra, a cidade *se enche de exultação* (cf. Sl 125,2), grande multidão de pessoas celebra grandes alegrias, e o dia luminoso brilha com a presença dos novos luminares. [3]Todos vão *ao encontro dele* (cf. 2Rs 4,26), e são realizadas solenes vigílias por todos. [4]O piedoso grupo dos irmãos pobres sai ao encontro dele, e cada um entoa suaves cânticos *ao ungido do Senhor* (cf. 1Sm 24,11). [5]O vigário de Cristo dirige-se ao lugar e, assim que desceu, saúda reverente e alegremente o sepulcro de São Francisco. [6]Dobra os suspiros, bate no peito, derrama lágrimas e inclina a reverenda cabeça com a maior devoção.

[7]Realiza-se, neste meio-tempo, a solene discussão sobre a canonização do santo, e convoca-se mais vezes a egrégia assembleia dos cardeais sobre este assunto. [8]De toda parte, acorrem muitos que haviam sido libertados de seus males pelo santo de Deus, e daqui e dali brilha a maior multidão de milagres: são recebidos, ouvidos, verificados, aprovados. – [9]Nesse ínterim, uma necessidade do ofício o obriga, uma nova questão é iminente, o bem-aventurado papa vai a Perúgia para, com especial e *superabundante graça* (cf. Rm 5,20), retornar novamente a Assis para o mais importante assunto. [10]Finalmente, vai-se de novo a Perúgia, e na sala do senhor papa celebra-se uma sagrada reunião dos veneráveis cardeais sobre esta

causa. [11]Todos concordam em unanimidade, todos dizem a mesma coisa; [12]leem os milagres, veneram e exaltam com os mais elevados elogios a vida e comportamentos do bem-aventurado pai.

124 [1]Dizem: "A vida santíssima do homem santo não precisa de testemunho de milagres; nós a *vimos com nossos olhos*, a *tocamos com nossas mãos* (cf. 1Jo 1,1), a comprovamos tendo a verdade como mestra". [2]Todos dançam, se alegram, choram, e naquelas *lágrimas* há muita *bênção* (cf. Hb 12,17). [3]Estabelecem logo o dia bendito em que encheriam todo o mundo de alegria salutar. [4]E chega o dia solene, digno de ser venerado em todo tempo, enchendo não só a terra, mas também as mansões celestes com a mais sublime dança. [5]Convocam-se os bispos, chegam os abades, fazem-se presentes prelados da Igreja [vindos] de remotíssimas regiões; constata-se a presença de um rei[20], chega a nobre multidão de condes e pessoas eminentes. [6]Todos acompanham o senhor de todo o mundo e entram com ele em solene cortejo na cidade de Assis. [7]Chega-se ao lugar preparado para tão solene ocorrência, e ao bem-aventurado papa junta-se toda a multidão dos gloriosos cardeais, bispos e abades. [8]Aí [há] a distinta afluência de sacerdotes e clérigos, aí [se dá] a feliz e sagrada reunião dos religiosos, aí [se faz presente] o hábito mais recatado do sagrado véu [das religiosas], aí [se ajunta] a maior conglomeração de todas as pessoas e a quase *inumerável multidão* (cf. 2Cr 4,18) *de homens e mulheres* (cf. Jz 16,27). [9]Acorre-se de toda parte, e pessoas de todas as idades se fazem ardorosamente presentes a tão grande assembleia. [10]*Aí estão o pequeno e o grande, o servo e o livre de seu senhor* (cf. Jó 3,19).

125 [1]*Está de pé* o sumo pontífice, esposo da Igreja de Cristo, *circundado pela variedade* (cf. Sl 44,10) de tantos filhos, e *a coroa da glória em sua cabeça* (cf. Is 62,3; Ap 14,14) *marcada com o sinal de santidade* (cf. Sir 45,14). [2]Está de pé, decorado com os ornatos pontificais, revestido com *as vestes da santidade* (cf. Ex 40,13), *em faixa de ouro e trabalhada por um lapidador* (cf. Sir 45,13). [3]Está de

---

20. O rei a que o texto se refere é João de Brienne, coroado rei de Jerusalém no dia 3 de outubro de 1210; no fim de sua vida, tornou-se frade menor; morreu aos 23 de março de 1237 e está sepultado na Basílica de São Francisco, em Assis.

pé *o ungido do Senhor* (cf. 1Sm 24,11), refulgente *de ouro na magnificência da glória* (cf. Is 4,2; Sl 44,10) e, coberto de *pedras preciosas trabalhadas* (cf. Sir 45,13) e brilhantes, convida todos a olharem. [4]Circundam-no cardeais e bispos *ornados com* mais esplêndidos *adereços* (cf. Is 61,10) e, vestidos de branco com fulgores da neve, revelam a imagem das belezas supercelestes e representam a alegria dos glorificados. [5]*Todo o povo* (cf. 1Sm 12,19) aguarda *a voz do júbilo, a voz da alegria* (cf. Jr 25,10), a voz nova, voz cheia de toda doçura, *voz de louvor* (cf. Sl 25,7), voz de bênção perpétua. [6]O Papa Gregório prega primeiro *ao povo todo* (cf. Hb 9,19) e, com afeto melífluo, com voz sonora, anuncia os louvores de Deus. [7]Louva também com nobilíssimo sermão o pai São Francisco e, recordando o modo de vida e anunciando a pureza dele, cobre-se todo de lágrimas. [8]O sermão dele toma como exórdio: *"Como estrela da manhã no meio da nuvem e como a lua cheia em seus dias e como o sol refulgente, assim este homem brilhou no templo de Deus"* (Sir 50,6-7). [9]Conclui-se *o sermão digno de confiança e de toda acolhida* (cf. 1Tm 1,15), e um dos subdiáconos do senhor papa, de nome Otaviano, lê em alta voz, diante de todos, os milagres do santo. [10]O senhor Rainério, cardeal diácono, sobressaindo por perspicaz inteligência, famoso pela piedade e pelos costumes, banhado em lágrimas, comenta-os com sacra eloquência. [11]Dança o pastor da Igreja e, tirando das íntimas entranhas longos suspiros e intensificando salutares soluços, derramou copiosas lágrimas. [12]Também os demais prelados da Igreja espalham grande quantidade de lágrimas, e fica banhada a exuberância do sagrado ornato deles. [13]Enfim, *chora o povo* (cf. 1Sm 11,5) todo e fica bastante cansado, suspenso por desejável expectativa.

126 [1]O bem-aventurado papa, então, clama em voz alta e, *estendidas* as mãos *ao céu* (cf. 2Mc 3,20), disse: "Para louvor e glória de Deus onipotente, Pai e Filho e Espírito Santo, e da gloriosa Virgem Maria e dos bem-aventurados Apóstolos Pedro e Paulo, e para honra da gloriosa Igreja Romana, venerando na terra o beatíssimo pai Francisco, a quem o Senhor glorificou nos céus, tendo ouvido o conselho dos nossos irmãos e de outros prelados, decretamos que ele seja inscrito no catálogo dos santos e que a sua festa seja celebrada no dia de sua morte".

²Ao ouvirem isto, os reverendos cardeais começaram a cantar em alta voz com o senhor papa o *Te Deum laudamus*. ³Eleva-se o clamor *de todo o povo* (cf. Is 17,12) *que louva a Deus* (cf. Lc 2,13), a terra ressoa imensas vozes, o ar enche-se de júbilos, e a terra molha-se de lágrimas. ⁴*Entoam-se cânticos novos* (cf. Sl 32,3), e na melodia do espírito *alegram-se* os servos de *Deus* (cf. Jó 38,7). ⁵Aí se ouvem maviosos instrumentos musicais, e se cantam cantos espirituais com vozes melodiosas. ⁶Aí, exala *suavíssimo perfume* (cf. Ex 29,18), e repercute mais agradável a melodia, comovendo o afeto de todos; aquele dia brilha e se colore com raios mais esplêndidos. ⁷Aí, verdejantes *ramos* de oliveira e folhagem renovada de outras *árvores* (cf. Mt 21,8); aí, a ornamentação festiva, mais luminosamente incandescente, embeleza a todos, e a bênção de paz alegra os corações dos que se reúnem. ⁸Finalmente, o feliz Papa Gregório desce do *alto trono* (cf. Is 6,1) e *entra no santuário* (cf. Sl 72,17) pela escada inferior *para oferecer votos e sacrifícios* (cf. Nm 29,39); e beija com venturosos lábios a tumba que contém o corpo sagrado e dedicado a Deus. ⁹*Oferece repetidas preces* (cf. Jó 40,22; Is 1,15) e celebra os mistérios sagrados. ¹⁰Ao redor dele está de pé *a coroa dos irmãos* (cf. Sir 50,13) *que louvam, adoram e bendizem a Deus onipotente* (cf. Lc 24,52.53; 2Mc 3,22) *que realizou grandes coisas em toda a terra* (cf. Sir 50,24). ¹¹*Todo o povo intensifica os louvores de Deus* (cf. Mt 27,25; Lc 18,43) e em honra da Trindade excelsa rende a São Francisco os dons de sagradas graças. Amém. ¹²E estas coisas aconteceram na cidade de Assis, no segundo ano do pontificado do senhor Papa Gregório IX, no dia 16 de julho[21].

Milagres de São Francisco

Em nome de Cristo, começam os milagres de nosso santíssimo pai Francisco.

127 ¹Invocando humildemente *a graça de Nosso Senhor Jesus Cristo* (cf. 2Cor 8,9; 13,13), para animar a devoção a ser abraçada

---

21. Corria o ano de 1228.

pelos presentes e corroborar a fé dos pósteros, *tendo Cristo como guia* (cf. Dn 9,25), descrevemos de maneira breve e fidedigna os milagres que, como foi dito, foram lidos diante do senhor Papa Gregório e anunciados ao povo.

I – Os aleijados [que foram] curados

[2]No mesmo dia em que o sacrossanto corpo do beatíssimo pai Francisco, embalsamado mais com os aromas supercelestes do que com as especiarias terrenas, foi sepultado como preciosíssimo tesouro, foi levada uma menina que já durante um ano tinha o pescoço monstruosamente dobrado e a cabeça anexa ao ombro e não podia olhar para cima, a não ser de esguelha. [3]Tendo ela colocado por algum tempo a cabeça sob a arca em que jazia sepultado o precioso corpo do santo, imediatamente, pelos méritos do santíssimo homem, ergueu o pescoço, e a cabeça ficou recolocada na devida posição, de modo que a menina, extremamente estupefata pela súbita transformação de si mesma, começou a fugir e a chorar. [4]Aparecia uma cavidade no ombro ao qual a cabeça estivera dobrada por causa da deterioração que a enfermidade causara.

128 [1]No condado de Narni havia um menino que tinha uma perna retorcida por tão grande paralisia que de modo algum ele podia andar, a não ser com a ajuda de duas muletas. [2]Era mendigo e, atormentado durante muitos anos por tão grande enfermidade, não conhecia nem o próprio pai e nem sequer a mãe. [3]Ele foi de tal modo libertado do referido mal pelos méritos de nosso beatíssimo pai Francisco que andava por toda parte livre, sem o apoio das muletas, louvando e bendizendo a Deus e a seu santo.

129 [1]Um certo Nicolau, cidadão de Foligno, como tivesse a perna esquerda contraída, atormentado por excessiva dor, gastou tanto com médicos para recuperar a primitiva saúde que se amarrou com dívidas mais do que queria e podia. [2]Finalmente, como o auxílio deles não lhe adiantasse em absolutamente nada, dilacerado por tão grande dor que, duplicados os gritos de noite, não permitia que os vizinhos dormissem, fazendo voto a Deus e a São Francisco, mandou que fosse transportado ao túmulo dele. [3]E, ao permanecer durante a noite rezando diante do túmulo do santo, tendo estendido a perna, dirigiu-se à própria casa sem a muleta, repleto de grande júbilo.

130 [1]Também um menino, que tinha a perna contraída de modo que o joelho aderia ao peito e o calcanhar às nádegas, dirigin-do-se ao sepulcro do bem-aventurado Francisco – macerando o pai dele a própria carne com cilício e afligindo-se a mãe gravemente por ele –, de tal modo recobrou subitamente a saúde que, são e alegre, *dando graças a Deus* (cf. At 28,25) e a São Francisco, podia correr pelas praças.

131 [1]Na cidade de Fano, havia um aleijado cujas pernas, cheias de feridas, aderiam às nádegas e exalavam tão grande mau cheiro que os enfermeiros não queriam de modo algum recebê-lo nem mantê-lo no hospital. [2]Pelos méritos do beatíssimo pai Francisco, cuja miseri-córdia invocou, pouco depois ele se alegrou, libertado.

132 [1]Uma menina de Gubbio, tendo as mãos contraídas, como tivesse perdido completamente a função de todos os mem-bros durante um ano, para obter a graça da saúde, sua ama de leite levou-a com uma imagem de cera ao túmulo do beatíssimo pai Fran-cisco. [2]E depois de permanecer aí pelo período de oito dias, certo dia o movimento foi restituído a todos os membros dela, de modo que ela recuperou as primitivas funções mais do que de costume.

133 [1]Também um outro menino, de Montenegro, estando deitado por muitos dias diante da porta da igreja onde repousa o corpo de São Francisco, não podia nem andar nem sentar-se, por-que estava privado das forças e da função dos membros da cintura para baixo. [2]Num dia, entrando na igreja, ao tocar o sepulcro do beatíssimo pai Francisco, saiu são e salvo. [3]E o próprio menino dizia que, enquanto estava deitado diante do túmulo do glorioso santo, apresentou-se-lhe um jovem vestido com o hábito dos irmãos, de pé sobre o sepulcro, o qual, trazendo peras nas mãos, o chamou e o incentivou a levantar-se, oferecendo-lhe uma pera. [4]Ele, recebendo a pera das mãos dele, respondia: "Eis que sou aleijado e não posso levantar-me de maneira alguma". [5]E comeu a pera apresentada e co-meçou a estender a mão a outra pera que lhe era oferecida pelo mesmo jovem. [6]Enquanto este o exortava de novo a que se levantasse, ele, sentindo-se vergado pelo peso da enfermidade, não se levantava. [7]Mas, oferecida a ele a pera, quando estendeu a mão a ela, o dito jovem tomou-lhe a mão e, conduzindo-o para fora, desapareceu-lhe dos olhos. [8]Vendo que tinha ficado são e salvo, começou a gritar em voz alta, manifestando a todos o que acontecera nele.

134 [1]Uma mulher da aldeia que se chama Coccorano foi levada em uma cesta ao sepulcro do glorioso pai; pois, em nenhum dos membros, exceto unicamente na língua, restara o exercício de qualquer atividade. [2]*Permanecendo* (cf. Mt 25,5), portanto, um pouco diante da tumba do santíssimo homem, levantou-se completamente curada. – [3]Um outro cidadão de Gubbio, ao levar seu filho aleijado em uma cesta ao túmulo do santo pai, recebeu-o são e salvo. [4]Fora, pois, aleijado com tanta gravidade que as pernas, aderindo-se às nádegas, tinham-se secado completamente.

135 [1]Bartolomeu, da cidade de Narni, homem paupérrimo e na miséria, numa ocasião, depois de ter adormecido sob a sombra de uma nogueira, ao despertar, descobriu-se tão aleijado que não podia andar para nenhuma parte. [2]Aumentando gradualmente a enfermidade, a perna – juntamente com o pé – tornou-se fina, curva e seca, não sentindo ele o corte do ferro nem temendo de modo algum a queimadura do fogo. [3]Mas o santíssimo Francisco, que ama verdadeiramente os pobres e que é pai de todos os indigentes, numa noite se lhe manifesta *por meio de um sonho* (cf. Dn 2,19), ordenando-lhe que se dirigisse a uma determinada sala de banho em que, movido pela compaixão de tão grande miséria, quer libertá-lo desta doença. [4]Mas, despertando, *não sabendo o que fazer* (cf. Lc 9,3; At 5,7), narrou por ordem a visão ao bispo da cidade. [5]E o bispo, exortando-o a que fosse depressa ao banho ordenado, assinalou-o e abençoou-o. [6]Sustentado no bastão, começou a arrastar-se ao lugar do melhor modo que podia. [7]E como caminhasse triste, extenuado por excessiva fadiga, *ouviu uma voz que lhe dizia* (cf. At 9,4): "Vai com a paz do Senhor; eu sou aquele a quem te consagraste". [8]Aproximando-se, em seguida, da sala de banho, porque era noite, desviou-se do caminho e *ouviu* de novo *a voz que lhe dizia* (At 9,4) que ele não andava no caminho certo. [9]Esta voz o dirigiu também em direção à sala de banho. [10]E depois que chegou ao lugar e entrou no banho, sentiu que uma mão lhe era colocada sobre o pé e outra sobre a perna, estendendo-a suavemente. [11]E assim, libertado imediatamente, saltou do banho, louvando e bendizendo a onipotência do Criador e o bem-aventurado Francisco, servo dele, que lhe conferiu tão grande graça e força. [12]Aquele homem fora aleijado e mendigo pelo período de seis anos e era bastante avançado em idade.

II – Cegos que recebem a visão

136 [1]Uma mulher de nome Sibília, sofrendo de cegueira durante muitos anos, é levada como uma cega triste ao sepulcro do homem de Deus. [2]E, tendo recuperado a primitiva visão, volta para casa, alegrando-se e exultando. – [3]Um cego de Spello, diante do túmulo do sagrado corpo, reencontrou a visão por longo tempo perdida. – [4]E uma outra mulher de Camerino fora totalmente privada da luz do olho direito; seus pais colocaram sobre o olho perdido um pano que o bem-aventurado Francisco tocara e assim, tendo sido feito o voto, renderam graças ao Senhor Deus e a São Francisco pela visão recuperada. – [5]Algo semelhante aconteceu a uma mulher de Gubbio que, tendo feito voto, se alegra por reaver a primitiva visão. – [6]Um cidadão de Assis, tendo perdido a luz dos olhos por cinco anos, ao rezar sempre ao bem-aventurado homem, relembrando a antiga amizade – porque quando ainda vivia fora amigo dele –, foi libertado ao tocar o sepulcro dele. – [7]Um certo Albertino de Narni perdera totalmente por quase um ano a luz dos olhos, de modo que as pálpebras pendiam até às faces. [8]Ele fez voto ao bem-aventurado Francisco e, tendo recuperado imediatamente a visão, se dispôs e foi visitar o glorioso sepulcro dele.

III – Os possessos do demônio

137 [1]*Havia um homem* (cf. Jó 1,1) na cidade de Foligno, de nome Pedro, que, numa ocasião, ao ir visitar o santuário de São Miguel Arcanjo, seja por voto seja por penitência que lhe fora imposta pelos pecados, chegou a uma fonte. ²Como pelo cansaço da viagem sentisse sede, ao degustar a água daquela fonte pareceu-lhe que tivesse engolido demônios. ³E assim, possuído por eles durante três anos, fazia coisas horríveis de se ver e péssimas de se dizer. ⁴Vindo também à tumba do santíssimo pai, estando os demônios furiosos e dilacerando-o cruelmente, foi libertado de maneira admirável por claro e manifesto milagre ao tocar o sepulcro dele.

138 ¹A uma mulher da cidade de Narni, que, acometida por grande fúria e tendo perdido a razão, fazia coisas horríveis e falava coisas inconvenientes, *apareceu*-lhe finalmente o bem-aventurado Francisco *em visão* (cf. Nm 12,6), dizendo: "Faze em ti o sinal da cruz!" ²E respondendo ela: "Não o posso", o próprio santo imprimiu-lhe o sinal da cruz e afastou dela todo o sofrimento da insânia e a fantasia demoníaca. – ³Também muitos homens e mulheres, atormentados por vários suplícios e enganados pelos embustes dos demônios, foram arrancados do poder deles pelos preclaros méritos do santo e glorioso pai. – ⁴E porque o engano da falsidade muitas vezes costuma embaraçar esse tipo de pessoas, desimpedindo-nos brevemente destas coisas, passemos às mais importantes.

IV – Os enfermos chamados de volta da morte; um inchado; um hidrópico; os paralíticos e outras enfermidades diversas

139 ¹Um menino de nome Mateus, da cidade de Todi, *estando num leito* (cf. Mt 9,2) por oito dias como morto, tendo a boca completamente fechada e apagada a luz dos olhos, estando enegrecida totalmente a pele do rosto, das mãos e dos pés como uma panela e julgado por todos sem esperança com relação à salvação de sua vida, ao voto de sua mãe recuperou a saúde com admirável rapidez. ²Soltava, pois, pela boca sangue estragado, pelo que se acreditava que ele colocasse para fora os intestinos. ³E assim que a mãe dele, de joelhos, invocou com súplicas o nome de São Francisco, levantando-se ela da oração, o menino começou a abrir os olhos, a ver a luz e a mamar e, pouco depois, caindo-lhe a pele negra, a primitiva carne voltou, e ele retomou a saúde e as forças. ⁴Assim que começou a melhorar, a mãe dele interrogou-o, dizendo: "Filho, quem te curou?" E ele, balbuciando, respondia: "Ciccu, Ciccu". [5]E interrogavam-no de novo: "De quem és servo?" E ele respondia novamente: "Ciccu, Ciccu". [6]Pois, por causa da tenra idade, não conseguia falar corretamente e, por isso, dividia pela metade o nome do bem-aventurado Francisco, falando desta forma.

140 [1]Um jovem, ao permanecer num lugar muito alto, caindo do mesmo lugar, perdeu a fala e todos os movimentos dos membros. [2]E, durante *três dias, não comendo nem bebendo nem* (cf. At 9,9; Mt 11,18) sentindo nada, era tido como morto. [3]Mas sua mãe, sem buscar a ajuda de médicos, pedia ao bem-aventurado Francisco a saúde dele. [4]E assim, tendo feito um voto, recebendo-o vivo e são, começou a louvar a onipotência do Salvador. – [5]Um outro, de nome Mancino, enfermo já à morte e julgado completamente sem esperança por todos quanto à sua cura, tendo invocado o nome do bem-aventurado Francisco, recuperou repentinamente a saúde. – [6]Um menino de Arezzo, de nome Guálter, sofrendo com contínuas febres e atormentado por duplo abscesso, considerado sem esperança por todos os médicos, depois de ter sido apresentado o voto dos pais ao bem-aventurado Francisco, foi restituído à desejada saúde. – [7]E um outro, próximo da morte, tendo feito uma imagem de cera, antes que ela estivesse concluída, foi libertado imediatamente de todo sofrimento.

141 [1]Uma mulher, estando deitada durante muitos anos no leito de sua enfermidade e não conseguindo virar-se ou mover-se de modo algum, consagrou-se a Deus e ao bem-aventurado Francisco e, libertada de toda doença, executava os afazeres necessários à sua vida. – [2]Na cidade de Narni, havia uma mulher que por oito anos tinha a mão tão seca que com ela nada podia fazer. [3]Finalmente, o beatíssimo pai Francisco apareceu-lhe *por meio de uma visão* (cf. At 18,9) e, estendendo a mão dela, igualou-a à outra no serviço. – [4]Um jovem na mesma cidade, detido por dez anos por gravíssima enfermidade, tornara-se todo inchado, de modo que nenhum remédio podia ser-lhe útil. [5]Emitido um voto pela sua mãe, ele, pelos méritos do bem-aventurado Francisco, recebeu imediatamente a recuperação da saúde. – [6]Havia na cidade de Fano alguém tomado pela doença da hidropisia, cujos membros eram horrivelmente intumescidos. [7]Ele mereceu ser plenamente libertado desta doença por meio do bem-aventurado Francisco. – [8]Um cidadão de Todi era tão atormentado pela gota artrítica que não podia sentar-se nem descansar de modo algum. [9]A veemência da referida enfermidade causava-lhe frio tão contínuo que ele parecia reduzir-se a nada. [10]Chamou médicos, multiplicou banhos, usou muitos remédios e não pôde ser aliviado por qualquer remédio destes. [11]Num dia, porém, estando presente um sacerdote, emitiu um voto para que São Francisco lhe restituísse a antiga saúde. [12]E assim, tendo derramado preces ao mesmo santo, logo se viu devolvido à primitiva saúde.

142 [1]Na cidade de Gubbio, uma mulher, estando paralítica, depois de ter invocado três vezes o nome do bem-aventurado Francisco, foi libertada e curada de sua enfermidade. – [2]Um homem de nome Bontadoso, estando a suportar gravíssimo sofrimento nos pés e nos dedos, de modo a não poder mover-se nem virar-se para lado algum, tendo já perdido o apetite e o sono, num certo dia uma mulher veio ter com ele, admoestando-o e sugerindo-lhe que, se ele quisesse libertar-se rapidamente desta enfermidade, fizesse um voto com muita devoção ao bem-aventurado Francisco. [3]Aquele homem, porém, respondia, tomado por excessiva dor: "Não creio que ele seja santo". [4]E, sugerindo-lhe a mulher mais persistentemente sobre o voto, aquele homem finalmente fez um voto deste modo: "Consagro-me a São Francisco e creio que ele seja santo, se, dentro do prazo de três dias, me libertar deste sofrimento". [5]Ele, libertado pelos méritos do santo de Deus, logo andou, comeu e dormiu, *dando glória a Deus* (cf. Jo 9,24; Rm 4,20) onipotente.

143 [1]Um homem, depois de ter sido ferido gravemente na cabeça por uma flecha de ferro – e como aquela flecha, entrando pela órbita do olho, tivesse ficado na cabeça –, não podia de modo algum ser ajudado pelo auxílio dos médicos. [2]Fez, em seguida, um voto com suplicante devoção a Francisco, o santo de Deus, esperando poder ser libertado pela intercessão dele. [3]Enquanto ele descansava e dormia um pouco, *foi-lhe dito* por São Francisco *em sonho* (cf. Gn 31,24) que a fizesse tirar pela parte posterior da cabeça. [4]E, no dia seguinte, agindo sem grande dificuldade *como vira no sonho* (cf. Gn 31,10), ficou libertado.

144 [1]Na aldeia de Spello, um homem de nome Imperador durante dois anos padecia tão gravemente de uma hérnia que todos os intestinos vinham para fora pelas partes inferiores. [2]Não conseguia reconduzi-los nem recolocá-los dentro por grande espaço de tempo, de modo que precisava ter uma almofada com a qual pudesse reter os intestinos dentro. [3]Recorreu aos médicos, buscando o alívio junto a eles; embora estes lhe pedissem um preço insuficiente, ele, carecendo dos meios necessários e do alimento de um só dia, ficou totalmente desesperançoso do auxílio deles. [4]Voltou-se, finalmente, para o auxílio divino e começou a invocar com súplicas os méritos do bem-aventurado Francisco no caminho, em casa e onde estivesse. [5]E assim aconteceu que em breve espaço de tempo, pela graça de Deus e pelos méritos do bem-aventurado Francisco, foi-lhe restituída a plena saúde.

145 [1]Na Marca de Ancona, um irmão que militava sob a obediência da nossa Religião sofria gravíssima doença de fístula nas ilhargas ou nas costelas, de modo que, por causa da imensidade da doença, já estava sem esperança em qualquer tratamento médico. [2]Pediu então a seu ministro, sob cuja obediência morava, a licença de ir visitar o lugar em que repousava o corpo do beatíssimo pai, acreditando que, pelos méritos do mesmo santo, conseguiria a graça de sua cura. [3]O ministro dele, porém, proibiu-lhe de ir, temendo que, por causa das neves e das chuvas que havia naquele tempo, pudesse incorrer em piora maior pelo cansaço da viagem. [4]E como aquele irmão se perturbasse um pouco pela licença não obtida, numa noite, apresentou-se-lhe o santo pai Francisco, dizendo: "Filho, doravante não fiques ansioso por tal coisa, mas despe-te das peles com que estás vestido e atira fora o emplastro com a atadura colocada por cima; observa a tua regra e serás libertado". [5]Ao levantar-se pela manhã, fez tudo de acordo com a ordem dele e *deu graças a Deus* (cf. At 27,35) pela súbita libertação.

V – Leprosos purificados

146 ¹Em San Severino, na Marca de Ancona, havia um jovem chamado Acto que, estando todo infectado por chagas, com o parecer dos médicos era tido por todos como leproso. ²Pois todos os seus membros estavam intumescidos e grossos, e pela dilatação e inflamação das veias percebia tudo de maneira disforme. ³Não podia andar, mas jazendo mísera e continuamente no leito da doença causava dor e tristeza a seus pais. ⁴O pai dele, porém, dilacerado a cada dia por excessiva dor, não sabia o que fazer dele. ⁵Finalmente, veio-lhe ao coração que o consagraria de todos modos ao bem-aventurado Francisco e disse a seu filho: "Queres, filho, consagrar-te a São Francisco que por toda parte brilha com muitos milagres, para que lhe apraza libertar-te desta doença?" Ele, respondendo, disse: "Quero, pai". ⁶O pai mandou imediatamente que se trouxesse um papiro e, tendo medido a estatura do filho em comprimento e largura, disse: "Ergue-te, filho, e consagra-te ao bem-aventurado Francisco e, dada a ti a libertação, levarás a ele a cada ano, enquanto viveres, uma vela de teu tamanho". ⁷Ele, erguendo-se à ordem do pai, tendo juntado as mãos, começou a invocar de modo suplicante a misericórdia do bem-aventurado Francisco. ⁸E assim, tomada a medida do papiro e terminada a oração, ficou imediatamente curado da lepra; e, levantando-se e *dando glória a Deus* (cf. Jo 9,24; Rm 4,20) e ao bem-aventurado Francisco, começou a *andar com alegria* (cf. Cl 1,10.11). – ⁹Na cidade de Fano, um jovem de nome Bonomo, que era tido por todos os médicos como paralítico e leproso, oferecido devotamente por seus pais ao bem-aventurado Francisco, obteve a plena saúde, sendo ele purificado da lepra e sendo afugentada a doença da paralisia.

VI – Mudos que falam e surdos que ouvem

147 ¹Em Città della Pieve, havia um menino paupérrimo e mendigo que era totalmente mudo e surdo *desde o seu nascimento* (cf. Jo 9,1). ²Pois tinha a língua tão curta e fina que, examinada várias vezes por muitos, parecia completamente cortada. ³E numa tarde ele se aproximou da casa de um homem da mesma aldeia, que se chamava Marcos, pedindo-lhe hospedagem através de sinal, como costumam os mudos. [4]Inclinou a cabeça para o lado, colocando a mão sob o queixo, para que por este sinal fosse compreendido que, naquela noite, desejava hospedar-se com ele. [5]E aquele homem *recebeu-o em sua casa* (cf. Jt 6,19) com alegria e de boa vontade o manteve consigo, porque aquele jovem sabia servi-lo com competência. [6]Aquele menino era *de boa índole* (cf. 1Rs 11,28) e, embora fosse surdo e mudo desde o berço, no entanto, sabia por meio de sinal tudo o que era mandado. [7]Numa noite, ceando o predito homem com sua esposa e estando o menino presente diante deles, disse à esposa: "Eu consideraria o maior milagre se o bem-aventurado Francisco lhe restituísse a audição e a fala".

148 [1]E acrescentou: "*Faço voto ao Senhor* (cf. 2Sm 15,7) Deus que, se o bem-aventurado Francisco se dignar fazer isto, por seu amor quererei muito bem a este menino e lhe pagarei as despesas durante todo o tempo de sua vida". [2]Coisa certamente admirável! Terminado o voto, imediatamente o menino *falou, dizendo* (cf. Gn 8,15): "São Francisco vive!" [3]E olhando logo a seguir para o alto, disse: "Vejo São Francisco que está de pé aqui mais acima, o qual vem para conceder-me a fala". E o menino acrescentou: "O que direi agora ao povo?" [4]Respondeu-lhe aquele homem: "*Louvarás a Deus* (cf. Sl 68,31) e *salvarás* muitos *homens* (cf. Sl 35,7)". [5]Levantou-se, em seguida, aquele homem, *alegrando-se e exultando* (cf. Is 14,7) muito, e publicou diante de todos o que acontecera. [6]Acorrem todos os que antes haviam visto aquele que não falava e, *repletos* de admiração e *de estupefação* (cf. At 3,10), renderam humildemente louvores a Deus e ao bem-aventurado Francisco. [7]A língua dele cresceu e tornou-se apta para falar, e o menino começou a falar palavras formadas, como se tivesse falado sempre.

149 [1]Também um outro menino de nome Villa não podia falar nem andar. [2]A mãe, fazendo por ele uma imagem votiva de cera, levou-a com grande reverência ao lugar em que repousa o pai Francisco. [3]Voltando ela para casa, encontrou o filho a andar e a falar. – [4]Um homem na diocese de Perúgia, completamente privado da fala e da palavra, trazendo a boca sempre aberta, bocejava horrivelmente e ficava ansioso. [5]Pois tinha a garganta muito inchada e dilatada. [6]E depois de ter chegado ao lugar em que repousa o santíssimo corpo e ao querer alcançar pelos degraus o sepulcro dele, vomitou muito sangue e, perfeitamente curado, começou a falar e a fechar e abrir a boca, segundo lhe convinha.

150 [1]Uma mulher sofria tão grande dor na garganta que a língua, aderindo ao palato pelo muito ardor, se tornou seca. [2]Não podia, portanto, falar nem comer nem beber e, tendo sido colocados emplastros e usados remédios, não sentia nenhum alívio em tudo isto. [3]Finalmente, fez um voto a São Francisco em seu coração, porque não podia falar; e subitamente a carne se rompeu, e da garganta saiu uma pedrinha redonda; tomando-a na mão e mostrando-a a todos, ela ficou logo libertada. – [4]Na aldeia de Greccio havia um jovem que perdera a audição, a memória e a fala e não entendia ou sentia coisa alguma. [5]E os pais dele, porque tinham grande fé em São Francisco, consagraram-lhe o referido jovem com suplicante devoção; terminada a consagração, ele foi profusamente enriquecido com a graça do santíssimo e gloriosíssimo Francisco em todos os sentidos dos quais estava privado.

[6]Para o louvor, glória e honra de Nosso Senhor Jesus Cristo, cujo reino e império continua sólido e inabalável por todos os séculos dos séculos. Amém.

Aqui termina.

[Epílogo]

151 [1]Relatamos poucos dos milagres de nosso beatíssimo pai Francisco e omitimos muitos, deixando aos que querem *seguir as suas pegadas* (cf. 1Pd 2,21) o empenho de buscar a graça de nova bênção, para que aquele que pela palavra e exemplo, pela vida e ensinamento renovou gloriosamente todo o mundo se digne irrigar sempre com novas chuvas dos carismas supercelestes os corações *dos que amam o nome do Senhor* (cf. Sl 118,132). – [2]Por amor do pobre Crucificado e pelos seus sagrados *estigmas*, que o bem-aventurado pai Francisco *trouxe em* seu *corpo* (cf. Gl 6,17), suplico a todos os que lerem, virem e ouvirem estas coisas que se lembrem *de mim, pecador, diante de Deus* (cf. Gl 1,20; Lc 18,13). Amém.

[3]*Bênção, honra* (cf. Ap 5,13) e todo louvor sejam dados *ao Deus unicamente sábio* (cf. Rm 16,27) *que,* para sua glória, sempre *realiza* sapientissimamente *tudo em todos* (cf. 1Cor 12,6). Amém. Amém. Amém.

Segunda vida de São Francisco

Frei Tomás de Celano

Prólogo

Em nome de Nosso Senhor Jesus Cristo. Amém.

Ao ministro geral da Ordem dos Frades Menores.

Começa o prólogo.

1 [1]Reverendíssimo pai, algum tempo atrás, aprouve à santa totalidade do Capítulo geral e a vós, não sem a disposição do desígnio divino, ordenar à nossa pequenez que escrevêssemos – nós, que o conhecemos mais do que os outros pela assídua convivência com ele e mútua familiaridade em prolongadas experiências – os feitos e até mesmo os ditos de nosso glorioso pai Francisco para consolação dos presentes e memória dos pósteros. [2]Dispusemo-nos, por esta razão, com humilde devoção, a obedecer às santas ordens que de modo algum é lícito preterir; [3]mas, na meditação mais voltada para a fraqueza de nossa capacidade, somos atingidos por justo temor de que matéria tão digna, não bem tratada como convém, contraia de nós o que possa desagradar aos outros. [4]Tememos, pois, que estas coisas que são dignas de ser *saboreadas* com toda *suavidade* (cf. Sb 16,20) se tornem insípidas pela indignidade dos que as ministram, e assim o fato de tê-lo tentado seja imputado mais à presunção do que à obediência. [5]Pois, se o resultado deste trabalho tão grande, ó bem-aventurado pai, esperasse somente o julgamento de vossa benevolência – e não fosse apropriado para apresentar-se aos ouvidos públicos –, assumiríamos com gratidão tanto o ensinamento pela correção quanto a alegria pela aprovação. [6]Pois quem em tão grande diversidade de palavras e de atos consegue pesar tudo em balança de precisão, de modo que *haja uma única sentença* de todos (cf. 2Mc 14,20) os ouvintes a respeito de cada coisa? [7]Mas, porque buscamos com simplicidade o proveito de todos e de cada um, exortamos os que leem a interpretarem benignamente e assim a suportarem e até a orientarem a simplicidade dos que narram, para que se conserve ilesa a reverência daquele sobre o qual se faz a narração. [8]Nossa memória, como memória de homens rudes, enfraquecida pelo grande espaço do tempo [já decorrido], não consegue atingir as palavras sutis dele que nos fogem e as estupendas proclamações dos seus feitos, as quais a esperteza de uma mente exercitada, mesmo posta diante delas, mal consegue abarcar. [9]Portanto, o incentivo muitas vezes repetido de quem nos ordena perdoe diante de todos as culpas de nossa imperícia.

2 [1]Este opúsculo contém primeiramente alguns fatos admiráveis da vida de São Francisco, os quais não foram inseridos nas legendas feitas sobre ele há algum tempo, porque não chegaram absolutamente ao conhecimento do autor. – [2]Em seguida, pretendemos exprimir e declarar com cuidadoso empenho qual fora a *vontade boa, agradável e perfeita* (cf. Rm 12,2) do santíssimo pai para consigo e para com os seus em toda prática do ensinamento celeste e no empenho da mais alta perfeição, empenho que ele sempre manteve nos afetos sagrados para com Deus e nos exemplos para com os homens. – [3]São inseridos alguns milagres, conforme se oferece a oportunidade de colocá-los. – [4]Por conseguinte, com maneira simples e modesta de escrever, descreveremos as coisas que nos ocorrem, desejando, se pudermos, satisfazer aos menos instruídos e agradar também aos estudiosos.

[5]Pedimos, portanto, benigníssimo pai, que queirais consagrar com a vossa bênção as pequenas dádivas deste trabalho – que não merecem ser desprezados e que obtivemos com não pouco trabalho –, corrigindo as coisas erradas e suprimindo as supérfluas, para que aquelas coisas que são aprovadas pelo vosso douto parecer como bem expressas, com o vosso nome Crescêncio, *cresçam* verdadeiramente por toda parte *e se multipliquem em Cristo* (cf. Gn 1,28; Ef 2,20-21). Amém.

Termina o Prólogo.

PRIMEIRO LIVRO

Começa o memorial *no anseio da alma* (cf. Is 26,8) dos feitos e palavras de nosso santíssimo pai Francisco.

A sua conversão

Capítulo I – Como primeiramente se chamou João e depois Francisco; o que a mãe profetizou sobre ele e o que também ele predisse de si mesmo; e a paciência na prisão

3 [1]Francisco, servo e amigo do Altíssimo, a quem a divina Providência impôs este nome, para que a partir de especial e não habitual nome a fama do magistério dele se difundisse mais rapidamente por todo mundo, foi chamado de João pela própria mãe, quando de *filho da ira* (cf. Ef 2,3), *renascendo pela água e pelo Espírito Santo* (cf. Jo 3,5), se tornou filho da graça.

[2]Esta mulher, amiga de toda honestidade, trazia nos costumes insigne virtude, alegrando-se por algum privilégio pela semelhança com Santa *Isabel*, tanto pela imposição do *nome* ao *filho* (cf. Lc 1,57-63) quanto pelo espírito profético. [3]Pois, aos vizinhos que admiravam a magnanimidade e a integridade dos costumes de Francisco, como que instruída por oráculo divino, dizia: "*Que pensais que este*

meu filho *será* (cf. Lc 1,66)? Sabereis que, pela graça de seus méritos, ele há de ser *filho de Deus*" (cf. Mt 5,9).

[4]Na verdade, esta era a opinião de muitos, aos quais Francisco, tornando-se grandinho, agradava com muito bons esforços. [5]Afastava sempre para longe de si tudo que pudesse soar como injúria para alguém e, tornando-se adolescente em costumes corteses, a todos parecia não nascido da linhagem daqueles que se diziam seus pais. [6]Por isso, o nome de João convinha à obra do ministério que recebeu, e o nome de Francisco convinha à dilatação de sua fama que, [quando] já plenamente convertido a Deus, chegou rapidamente em toda parte. [7]Por isso, ele considerava a festa de João Batista mais célebre do que as festas de todos os santos; e a dignidade deste nome imprimiu nele um vestígio de força mística. [8]*Entre os nascidos de mulher, não surgiu maior* (cf. Mt 11,11) do que aquele, entre os fundadores de religiões não surgiu mais perfeito do que este. [9]Observação certamente digna de ser proclamada.

4 [1]João profetizou, fechado dentro do esconderijo do útero materno; Francisco, colocado no cárcere do mundo, ainda ignorando a disposição divina, predisse as coisas futuras. [2]De fato, numa ocasião, como houvesse não pequena desgraça por motivo do conflito de guerra entre os cidadãos perusinos e assisenses, Francisco é capturado com muitos outros e sofre as misérias do cárcere. [3]Os companheiros de prisão são absorvidos pela tristeza, lamentando miseravelmente o evento de seu aprisionamento; Francisco *exulta no Senhor* (cf. Sl 34,9), ri das cadeias e despreza-as. [4]Os que lamentam repreendem a alegria nas cadeias, consideram-no como insano e demente. [5]Responde Francisco profeticamente: "Em que credes que me alegro? Por trás de tudo está um outro pensamento: pelo mundo inteiro ainda serei venerado como santo". [6]Na verdade, assim é; cumpriu-se tudo o que ele disse.

[7]Havia então entre os outros companheiros de prisão um cavaleiro soberbo e muito insuportável; enquanto todos propõem desprezá-lo, a paciência de Francisco não se quebra. [8]Suporta o intolerável e traz todos de volta à paz com ele. [9]Apto para receber *toda graça, o vaso eleito de virtudes* (cf. Sir 24,25; At 9,15) já transborda carismas por toda parte.

Capítulo II – O cavaleiro pobre que ele vestiu; e a visão de sua vocação que teve no mundo

5 [1]Libertado da prisão, depois de pouco tempo, torna-se mais benigno com os necessitados. [2]Decide que daí por diante não *desviará seu rosto de pobre algum* (cf. Tb 4,7) que, ao pedir-lhe, lhe propuser o amor de Deus. – [3]Num certo dia, encontrou um cavaleiro pobre e quase nu, a quem deu com generosidade, movido por compaixão e por amor de Cristo, as próprias vestes cuidadosamente confeccionadas com que estava vestido. – [4]O que ele fez menos do que o santíssimo Martinho, a não ser que, embora tivessem um só propósito e ação, foram diferentes no modo? [5]Este deu as vestes antes das outras coisas; aquele, tendo dado tudo primeiro, no fim deu as vestes; ambos viveram *pobres e pequenos* (cf. Is 16,14) no mundo, ambos entraram ricos no céu. [6]Aquele, cavaleiro, mas pobre, cobriu o pobre com a veste cortada; este, não cavaleiro, mas rico, vestiu com veste inteira o cavaleiro. [7]Ambos, cumprindo o mandamento de Cristo, mereceram ser visitados por Cristo por meio de uma visão, um louvado pela perfeição, outro convidado com muita dignidade àquilo que ainda faltava.

6 [1]Logo, lhe é mostrado em visão um belo palácio em que vê vários aparatos bélicos e uma noiva belíssima. [2]No sonho, Francisco é *chamado pelo nome* (cf. Gn 4,17) e seduzido pela promessa de todas estas coisas. [3]E assim, ele tenta ir à Apúlia para conquistar a cavalaria e, tendo preparado ricamente as coisas necessárias, apressa-se em conseguir os graus de honra da cavalaria. [4]O espírito carnal sugeria-lhe uma interpretação carnal da visão passada, quando uma muito mais preclara se escondia nos *tesouros da sabedoria de Deus* (cf. Cl 2,2-3).

[5]De fato, enquanto dormia numa noite, alguém lhe fala pela segunda vez por meio de uma visão e pergunta solicitamente para onde pretendia dirigir-se. [6]Ao narrar-lhe seu propósito e dizer-lhe que partia para a Apúlia para tornar-se cavaleiro, foi *interrogado solicitamente* (cf. Lc 7,4) por ele: "Quem poderia ser-te mais útil, o servo ou o senhor?" Francisco disse: "O Senhor". [7]E ele disse: "Então, por

que buscas o servo em lugar do senhor?" E Francisco perguntou: *"Senhor, que quereis que eu faça?"* (cf. At 9,6). [8]E o Senhor disse-lhe: *"Volta para a terra de teu nascimento* (cf. Gn 32,9), porque o cumprimento espiritual de tua visão acontecerá por meio de mim". [9]Ele volta sem demora, *tornando-se* já *modelo* (cf. 1Pd 5,3) de obediência e, renunciando à própria vontade, de Saulo se torna Paulo. [10]Este é derrubado, e os duros açoites geram palavras suaves; e Francisco troca as armas carnais pelas espirituais e recebe a investidura divina em lugar das glórias da cavalaria. – [11]E assim, aos muitos que ficavam estupefatos pela sua insólita alegria, ele dizia que haveria de ser um grande príncipe.

Capítulo III – Como o grupo de jovens o constituiu seu senhor para ele os alimentar; e a sua transformação

7 [1]Começa a transformar-se *em homem perfeito* (cf. Ef 4,13) e de uma pessoa passa a tornar-se outra. [2]Voltando, então, para casa, seguem-no *os filhos da Babilônia* (cf. Ez 23,17) e arrastam a outras coisas, mesmo contra a vontade, aquele que está voltado a uma única. [3]Pois o grupo de jovens da cidade de Assis, que o tinha antigamente como líder de sua vaidade, continua ainda a convidá-lo a almoços sociais nos quais sempre se serve à lascívia e ao gracejo. [4]É escolhido por eles como chefe, tendo eles experimentado mais vezes a generosidade dele, porque sabiam sem qualquer dúvida que ele pagaria as despesas por todos. [5]Fazem-se obedientes para *encher o ventre* (cf. Lc 15,16) e suportam submeter-se para poder saciar-se. [6]Ele não despreza a honra oferecida para não parecer avarento e entre as meditações sagradas lembra-se da cortesia. [7]Prepara um banquete suntuoso, duplica os alimentos saborosos com os quais *os que se saturam até ao vômito* (cf. Is 28,8; Pr 26,11) mancham com canções de ébrios *as praças da cidade* (cf. Gn 10,11). [8]Francisco segue como senhor, levando o *bastão nas mãos* (cf. Ex 12,11); mas, pouco a pouco, se distancia deles com o corpo aquele que já se tornara totalmente surdo àquelas coisas com *toda a mente* (cf. Mt 22,37), *cantando* com o coração *ao Senhor* (cf. 1Cr 23,30).

[9]Como ele mesmo relatou, fora então transbordado por tão grande doçura divina que, não conseguindo falar, também não podia absolutamente mover-se do lugar. [10]Perpassou-o então uma afeição espiritual que o arrebatava às realidades invisíveis, por cuja força julgou que todas as coisas terrenas não tinham absolutamente qualquer valor, mas eram completamente frívolas. – [11]Na verdade, estupenda bondade de Cristo, que *dá as maiores coisas* (cf. 2Pd 1,4) aos que fazem as menores e *no dilúvio de grandes águas* (cf. Sl 31,6) *conserva* e promove *as coisas que são* (cf. Jo 17,10.12) suas. [12]Pois o Cristo alimentou as multidões *com pães e peixes* (cf. Mt 15,15-21) e não repeliu de seu banquete os pecadores. [13]Procurado por eles para ser *rei, fugiu e subiu ao monte para rezar* (cf. Mt 14,23; Jo 6,15). [14]Os *mistérios* que Francisco procura compreender são *de Deus* (cf. Cl 2,3), e ele é conduzido, mesmo ignorando, ao *conhecimento perfeito* (cf. Jó 22,2).

Capítulo IV – Como, vestido com as vestimentas de um pobre, comeu diante da igreja de São Pedro com os pobres; e a oferta que aí ofereceu

8 [1]Mas já ama os pobres de maneira especial, os sagrados inícios já davam indicações daquilo que ele haveria de ser de maneira perfeita. [2]Despindo-se frequentemente a si mesmo, vestia os pobres, aos quais procurava assemelhar-se, conquanto ainda não pela prática, mas já *de todo o coração* (cf. Mt 22,37; Lc 10,27).

[3]Numa ocasião, ao fazer uma peregrinação a Roma, depôs as vestes delicadas por amor da pobreza e, coberto com as vestes de um pobre, no átrio diante da igreja de São Pedro, que é um lugar cheio de pobres, sentou-se alegremente entre os pobres e, considerando-se como um deles, come avidamente com eles. [4]Muitas vezes, ele teria feito semelhante coisa se não tivesse sido impedido pela vergonha dos conhecidos. – [5]Quando se aproximou do altar do príncipe dos apóstolos, admirando-se de que aí os visitantes faziam tão módicas ofertas, lança dinheiro com a mão cheia no lugar, indicando que deve ser mais especialmente honrado por todos aquele que Deus honrou mais do que os outros.

⁶Fornecia também, muitas vezes, aos sacerdotes pobrezinhos os ornamentos eclesiásticos, prestando *a todos*, até ao grau inferior, *a devida honra* (cf. Rm 13,7). ⁷Pois haveria de assumir uma missão apostólica e, totalmente íntegro na fé católica, foi desde o início cheio de reverência para com os ministros e os ministérios de Deus.

Capítulo V – Como, enquanto rezava, o demônio lhe mostrou uma mulher; e a resposta que Deus lhe deu; e o que fez com relação aos leprosos

9 ¹E assim, no hábito secular, tem espírito religioso e, buscando preferentemente lugares solitários aos públicos, é instruído muito frequentemente pela visitação do Espírito Santo. ²É, pois, arrastado e atraído por aquela especial doçura que desde o princípio o inundou tão plenamente que, enquanto viveu, em parte alguma se afastara dele.

³E enquanto frequenta tais lugares escondidos como adequados às orações, o demônio tenta perturbá-lo em tais [orações] com falsidade maligna. ⁴Lembra-o de uma mulher monstruosamente corcunda, moradora de sua cidade, a qual apresentava a todos um aspecto horrendo. ⁵Ameaça-o de que o faria semelhante a ela, se não desistisse das coisas começadas. ⁶Mas, *confortado pelo Senhor* (cf. Ef 6,10), alegrou-se que lhe foi dada a resposta da salvação e da graça. Disse-lhe Deus em espírito: ⁷"Francisco, se queres conhecer-me, troca já as coisas carnais e amadas com vaidade pelas espirituais e, *tomando as amargas como doces* (cf. Pr 27,7), despreza-te a ti mesmo; pois as coisas que te digo terão sabor na ordem inversa". ⁸Imediatamente, ele se propõe a obedecer às ordens divinas e é levado a fazer a experiência disto.

⁹Pois Francisco, que tinha entre todas as infelizes desgraças do mundo uma aversão natural pelos leprosos, num certo dia encontrou um leproso, quando cavalgava perto de Assis. ¹⁰Embora este lhe causasse não pouco incômodo e horror, no entanto, para não quebrar como transgressor o juramento feito, saltando do cavalo, correu para beijá-lo. ¹¹Quando o leproso lhe *estendeu* a mão como que *para re-*

ceber alguma coisa (cf. Est 8,4; At 3,5), ele *colocou o dinheiro* (cf. Gn 43,21) com um beijo. [12]E, *montando* imediatamente *no cavalo* (cf. Sl 75,7) e voltando-se para cá e para lá, não viu mais aquele leproso, ainda que o campo fosse aberto em todas as direções, sem interposição de qualquer obstáculo.

[13]*Repleto*, a partir daí, de admiração e *de alegria* (cf. 2Cor 7,4), depois de poucos dias, trata de fazer obra semelhante. – [14]Dirige-se às habitações dos leprosos e, depois de ter dado o dinheiro a cada leproso, *beija a mão* (cf. Sir 29,5) e o rosto deles. [15]Assim, *toma as coisas amargas como doces* (cf. Pr 27,7) e prepara-se valentemente para observar as demais coisas.

Capítulo VI – A imagem do Crucificado que lhe falara e a honra que lhe presta

10 [1]Já transformado perfeitamente no coração, devendo em breve transformar-se totalmente também no corpo, num certo dia, anda perto da igreja de São Damião que estava quase em ruínas e abandonada por todos. [2]*Conduzindo-o o espírito* (cf. Mt 4,1), ao entrar nela para rezar, prosternando-se suplicante e devoto diante do Crucificado e tocado por visitações insólitas, sente-se diferente do que entrara. [3]Imediatamente, a imagem do Cristo crucificado, movendo os lábios da pintura, o que é *inaudito desde séculos* (cf. Jo 9,32), fala-lhe, enquanto ele estava assim comovido. [4]*Chamando*-o, pois, *pelo nome* (cf. Is 40,26), diz: "Francisco, vai e restaura minha casa que, como vês, está toda destruída". [5]Francisco, a tremer, fica não pouco estupefato e torna-se como que fora de si com esta palavra. [6]Prepara-se para obedecer, entrega-se totalmente ao mandato. [7]E, porque ele próprio não pôde exprimir a inefável mudança que sentiu em si mesmo, convém que nos calemos. [8]Desde então, grava-se na sua santa alma a compaixão do Crucificado e, como se pode julgar piedosamente, no coração dele são impressos mais profundamente os estigmas da venerável paixão, embora ainda não na carne.

11 [1]Coisa admirável e *inaudita em* nossos *tempos* (cf. Jo 9,32)! [2]Quem não fica estupefato diante destas coisas? Quem alguma vez concebeu semelhantes coisas? [3]Quem duvida que Francisco, a quem o Cristo fala com novo e inaudito milagre do madeiro da cruz – quando não havia ainda desprezado completamente o mundo exterior –, apareceu crucificado ao voltar à pátria? [4]Então, a partir daquela hora, *a alma* dele *se derreteu, assim que o amado* lhe *falou* (cf. Ct 5,6). [5]Pouco depois, o amor do coração se manifestou por meio das chagas do corpo. – [6]Desde então, não consegue, por esta razão, conter o pranto, chora também em alta voz a paixão de Cristo, como que sempre colocada diante de seus olhos. [7]Enche de gemidos os caminhos, não admite qualquer consolação, ao recordar-se das chagas de Cristo. [8]Encontrou-se com um amigo íntimo e, tendo-lhe exposto a causa da sua dor, o amigo imediatamente é provocado a amargas lágrimas.

[9]Mas não se esquece de ter cuidado daquela imagem santa nem deixa por alguma negligência a ordem dela. [10]Imediatamente, *dá dinheiro* (cf. Lc 19,15) a um sacerdote para comprar lâmpada e óleo para que a sagrada imagem nem por um momento seja privada da devida honra da luz. [11]Em seguida, sem preguiça, corre para realizar as demais coisas, trabalhando sem cessar para restaurar aquela igreja. [12]Embora lhe tenha sido *dirigida a palavra* divina sobre aquela *Igreja que* Cristo *adquiriu* com seu próprio *sangue* (cf. At 20,28; Gn 15,1), não quis de repente atingir o máximo para passar paulatinamente *da carne* ao *espírito* (cf. Rm 8,9).

Capítulo VII – A perseguição do pai e do irmão de sangue

12 [1]Mas, enquanto ele se entrega *às obras de piedade* (cf. 1Tm 2,10), o pai carnal persegue-o e, julgando o servir a Cristo como insânia, o dilacera por toda parte com maldições. [2]E assim, o servo de Deus chama um homem plebeu e muito simples e tomando-o em lugar de pai, roga-lhe que, quando o seu pai lhe proferir as maldições, ele, pelo contrário, o abençoe. [3]Na verdade, converte em obra a palavra do profeta e mostra com fatos o que ele indica com a palavra: *Eles te amaldiçoarão, e tu abençoarás* (Sl 108,28).

[4]Entrega ao pai o dinheiro que *o homem de Deus* (1Rs 13,1.5) quisera ter gastado na obra da dita igreja, aconselhando-lhe isto o

bispo da cidade, homem realmente muito piedoso, pelo fato que não era lícito gastar coisas mal-adquiridas para usos sagrados. [5]E aos *muitos* ouvintes *que compareceram* (cf. At 10,27) disse: "*Agora direi* (cf. Jo 13,19) livremente: *Pai nosso que estais nos céus* (Mt 6,9), não pai Pedro Bernardone, a quem devolvo – eis aqui – não somente o dinheiro, mas entrego também todas as vestes. Portanto, dirigir--me-ei nu para o Senhor". – [6]Ó espírito nobre deste homem a quem somente o Cristo basta! [7]Então se descobriu que *o homem de Deus* (cf. 1Sm 2,27) trazia um cilício sob as vestes, alegrando-se mais pela existência do que pela aparência das virtudes.

[8]Seu irmão de sangue, à maneira do pai, persegue-o com palavras envenenadas. [9]Numa manhã em tempo de inverno, quando vê Francisco coberto com panos baratos a dedicar-se à oração e a tremer de frio, diz aquele perverso a um concidadão seu: "Dize a Francisco que te venda agora um centavo de suor". [10]Tendo ouvido isto, *o homem de Deus* (cf. 1Sm 2,27), muito alegre, respondeu, sorrindo: "Na verdade, eu o venderei muito caro ao meu Senhor". – [11]Nada mais verdadeiro, pois não só *recebeu* o *cêntuplo*, mas milhares de vezes mais nesta vida; e no futuro *conquistou a vida* (cf. Mt 19,29) eterna não só para si, mas para muitos.

Capítulo VIII – *A vergonha que ele venceu; e a profecia das virgens pobres*

13 [1]Esforça-se, por conseguinte, por mudar os antigos costumes delicados pela ordem inversa e a levar de volta o corpo já desregrado à bondade natural. [2]Um dia, o homem de Deus andava por Assis para mendigar óleo para alimentar as lâmpadas da igreja de São Damião que naquele tempo ele restaurava. [3]E, vendo uma multidão de pessoas a divertir-se diante da casa em que queria entrar, retirou-se, cheio de vergonha. [4]Mas, tendo dirigido seu nobre espírito ao céu, censura a própria covardia e *assume o julgamento* (cf. Tg 3,1) de si mesmo. [5]Volta imediatamente a casa e, expondo com sinceridade diante de todos a causa da vergonha, *como que ébrio* (cf. Jr 23,9) de espírito, pede óleo em língua francesa e adquire-o. [6]Com muito fervor anima todos à obra [de restauração] daquela igreja e, *enquanto todos o ouviam* (cf. Gn 23,10), ele profetiza, falando claramente em francês, que naquele mesmo lugar haveria um mosteiro de virgens santas. [7]Pois sempre que ele se enchia do *ardor do Espírito* (cf. Is 4,4) Santo, *proferindo palavras* (cf. Sl 44,1) ardentes, falava em francês, pressentindo que devia ser honrado de modo particular e cultuado com reverência especial junto àquele povo.

Capítulo IX – A comida pedida de porta em porta

14 [1]Desde que começou a servir ao Senhor comum de todas as coisas, amou sempre fazer as coisas comuns, fugindo em tudo da singularidade que se suja com a mancha de todos os vícios. – [2]Pois, ao fatigar-se muito na obra daquela igreja com relação à qual recebera de Cristo o mandato, transformando-se de muito delicado em rude e resistente ao trabalho, o sacerdote a quem pertencia a igreja, vendo-o extenuado por contínuo cansaço, movido de compaixão, começou a ministrar-lhe a cada dia algum alimento especial, embora não saboroso, porque pobre. [3]Ele, elogiando a discrição do sacerdote e abraçando a compaixão dele, disse a si mesmo: "Não encontrarás em toda parte este sacerdote que sempre te ministre tais coisas. [4]Esta não é a vida de um homem que professa a pobreza; não convém que te acostumes com tais coisas; pouco a pouco voltarás às coisas desprezadas, de novo correrás às coisas delicadas. [5]Levanta-te já, sem preguiça, e mendiga comida misturada de porta em porta!" [6]Por esta razão, pede por Assis, de porta em porta, alimentos cozidos e, vendo o prato cheio com diversas misturas, primeiramente *fica horrorizado* (cf. Jó 7,14), mas, *lembrando-se de Deus* (cf. Sl 76,4) e vencendo-se a si mesmo, come-o com o prazer do espírito. [7]O amor suaviza tudo e torna doce todo amargo.

Capítulo X – A desapropriação de Frei Bernardo

15 [1]Um certo Bernardo, da cidade de Assis, que depois foi filho da perfeição, ao decidir desprezar perfeitamente o mundo a exemplo *do homem de Deus* (cf. 1Sm 2,27), pediu suplicante o conselho dele. ²Consultando-o, então, assim disse: "Ó pai, se alguém tivesse possuído os bens de algum senhor por longo tempo e já não quisesse mais retê-los, qual a coisa mais perfeita que deveria fazer deles?" ³O *homem de Deus* (cf. 1Sm 2,27) responde que tudo deve ser devolvido ao seu senhor, de quem o recebera. ⁴E disse-lhe Bernardo: "Reconheço que todos os bens que tenho *me* foram *dados por Deus* (cf. Rm 15,15), os quais, a teu conselho, já estou disposto a restituir-lhe". ⁵Disse-lhe o santo: "Se quiseres provar as palavras com fatos, entremos amanhã bem cedo na igreja e, tomando o códice do Evangelho, peçamos o conselho a Cristo". ⁶E assim, *quando amanheceu* (cf. Mt 27,1), entram na igreja e, tendo feito antes a oração com devoção, abrem o livro do Evangelho, dispondo-se a fazer o conselho que ocorrer primeiro. ⁷Abrem o livro, e Cristo manifesta nele o seu conselho: *Se queres ser perfeito, vai e vende* tudo *que tens e dá aos pobres* (cf. Mt 19,21). ⁸Repetem pela segunda vez, e ocorre: *Nada leveis pelo caminho* (Lc 9,3). ⁹Acrescentam uma terceira vez e encontram: *Quem quer vir após mim, renegue-se a si mesmo* (Mt 16,24; Lc 9,23). ¹⁰Sem demora, Bernardo cumpre tudo isto e não transgride um jota sequer deste conselho.

¹¹Em breve tempo, muitos se convertem dos espinhosos cuidados do mundo e, tendo Francisco como guia, *voltam* ao bem infinito, *à pátria* (cf. Gn 30,25). ¹²Seria longo relatar como cada um conquistou o *prêmio da vocação do alto* (cf. Fl 3,14).

Capítulo XI – A parábola que propôs diante do senhor papa

16 ¹No tempo em que se apresentou com os seus diante do Papa Inocêncio para pedir a regra de sua vida, como o papa visse que o propósito de vida dele era além das forças, sendo homem dotado do maior discernimento, disse-lhe: "Filho, reza a Cristo para que por meio de ti nos mostre sua vontade e, sendo esta conhecida, anuamos mais seguramente aos teus piedosos desejos". ²O santo aquiesce ao mandato do sumo pastor, corre com confiança a Cristo; reza com persistência e exorta os companheiros a que supliquem devotamente a Deus. ³O que mais? Na oração, obtém a resposta e relata aos seus as notícias de salvação. ⁴Uma conversa familiar de Cristo torna-se conhecida *em parábolas* (cf. Mt 13,3). Disse-lhe [Cristo]: "Francisco, assim dirás ao papa: Uma mulher pobrezinha, mas formosa, morava num deserto. [5]Um rei a amou por causa da máxima beleza dela; casou-se feliz com ela e gerou dela filhos belíssimos. [6]Estando estes já adultos e educados com nobreza, a mãe diz-lhes palavras de conforto: 'Não vos envergonheis, queridos, pelo fato que sois pobres, pois sois todos filhos daquele grande rei. [7]Ide alegres à corte dele e pedi-lhe as coisas de que necessitais'. [8]Eles, ouvindo isto, se admiram e se alegram e, animados pela promessa da estirpe régia, reconhecendo-se como futuros herdeiros, *consideram* toda penúria *como riquezas* (cf. Tb 5,25). [9]Apresentam-se com coragem ao rei e não lhe temem o rosto, cuja semelhança eles trazem. [10]O rei, tendo reconhecido neles sua semelhança, admirando-se, perguntou de quem eram filhos. [11]Como eles afirmassem que eram filhos daquela mulher pobrezinha que morava no deserto, o rei, abraçando-os, disse: 'Sois meus *filhos e herdeiros* (cf. Rm 8,17), *não temais* (cf. Mt 14,27; 17,7)! [12]Pois, se estranhos se nutrem da minha mesa, é mais justo que eu faça que sejam nutridos aqueles aos quais se destina de direito toda a herança'. [13]Por conseguinte, o rei ordena à mulher que envie à sua corte todos os filhos gerados dela para serem alimentados". [14]O santo alegra-se e regozija-se por causa da parábola e imediatamente leva o sagrado oráculo ao papa.

17 [1]Esta mulher era Francisco pela fecundidade de muitos filhos não forjados pela moleza; o deserto era o mundo, naquele tempo inculto e estéril do ensinamento das virtudes; a beleza e larga progênie eram o múltiplo número dos irmãos e o *ornato* de todas *as virtudes* (cf. 2Mc 3,26); [2]o rei era o Filho de Deus, com quem eles, semelhantes pela santa pobreza, se parecem pelos mesmos traços fisionômicos; estes recebem o alimento *da mesa do rei* (cf. Dn 1,8), desprezando toda vergonha da vileza, visto que, contentes com a imitação de Cristo e vivendo de esmolas, reconhecem que serão bem-aventurados através dos opróbrios do mundo.

[3]O papa admira-se da *parábola* que lhe foi *proposta* (cf. Mt 13,24) e reconhece, sem qualquer dúvida, que Cristo *falou no homem* (cf. At 23,9). [4]Recorda-se de uma visão que tivera poucos *dias antes* (cf. At 25,13) e afirma, *por instrução do Espírito Santo*

(cf. Lc 12,12), que esta também se cumpriria neste homem. [5]*Vira em sonhos* (Gn 28,12) que a basílica lateranense estava já próxima da ruína; um religioso, homem *pequeno e desprezível* (cf. Is 16,14; 53,3), tendo colocado debaixo o próprio dorso, sustentava-a para que não desabasse. [6]Disse: "Verdadeiramente este é aquele que por obra e doutrina sustentará a Igreja de Cristo". [7]Por isso, aquele senhor se inclina tão facilmente ao pedido dele; a partir de então, cheio da devoção de Deus, sempre amou *o servo de Cristo* (cf. Rm 1,1; Js 8,31) com especial amor. [8]Por conseguinte, concedeu imediàtamente as coisas pedidas e prometeu, devoto, conceder ainda mais coisas do que estas. [9]A partir de então, com a autoridade que lhe fora concedida, [Francisco] começou a espalhar as sementes das virtudes e a pregar mais fervorosamente, *percorrendo as cidades e aldeias* (cf. Mt 9,35).

Santa Maria da Porciúncula

Capítulo XII – O amor do santo para com este lugar; o modo de vida dos irmãos; e o amor da bem-aventurada Virgem para com ele

18 [1]Francisco, *o servo de Deus* (cf. 2Cr 24,9), pequeno de estatura, *humilde* de espírito, *menor* (cf. Is 16,14; Mt 11,29; Lc 9,48) por profissão, enquanto vivia no mundo, *escolheu do mundo* (cf. Jo 15,19) para si e para os seus uma pequena porção, desde que de outra maneira não podia servir a Cristo, se não tivesse algo do mundo. [2]Pois, não sem a presciência do oráculo divino, desde tempos antigos se chamava Porciúncula o lugar que devia *caber por sorte* (cf. Js 17,8) àqueles que absolutamente nada desejavam ter do mundo. [3]Nele também havia sido construída uma igreja da Virgem Mãe que, por sua singular humildade, mereceu depois de seu Filho ser a cabeça de todos os Santos. [4]Nela teve início a Ordem dos Menores; aí, como *sobre fundamento* (cf. Ef 2,20.21) estável, se levantou a nobre estrutura deles, em grande multidão. [5]O santo amou este lugar mais do que a todos, ordenou que os irmãos o venerassem com especial reverência, quis que ele fosse sempre guardado como espelho da Religião na humildade e na *altíssima pobreza* (cf. 2Cor 8,2), reservando a outros a propriedade dele, retendo tão somente o uso para si e para os seus.

19 [1]Aí se observava rigidíssima disciplina em tudo, tanto no silêncio e no trabalho como nas outras instituições religiosas. [2]A ninguém estava aberta a entrada, a não ser aos irmãos especialmente delegados que o santo queria que fossem verdadeiramente devotos a Deus, reunidos de todas as partes, perfeitos em todos os aspectos. [3]Assim também, toda entrada era absolutamente proibida a qualquer secular. [4]Ele não queria que os irmãos que aí moravam – os quais se limitavam a um número certo – *prurissem os ouvidos* (cf. 2Tm 4,3) no contato com os seculares para que, interrompida a contemplação das realidades celestes, não fossem arrastados por meio de divulgadores de boatos às relações com as coisas inferiores. [5]Aí a ninguém era lícito proferir *palavras ociosas* (cf. Mt 12,36) nem relatar as que foram proferidas pelos outros. [6]Se isto alguma vez acontecia por meio de alguém, para que *não acrescentasse mais nada* (cf. 1Sm 27,4), por ensinamento de um castigo, precavia-se *para o futuro* (cf. Ecl 4,13). [7]Os moradores do lugar, *sem interrupção* (cf. At 12,5), *dia e noite* (cf. Js 1,8), estavam ocupados com os louvores divinos e, exalando a fragrância de admirável odor, levavam vida angelical.

[8]Na verdade, com razão. Pois, pelo relato dos antigos habitantes, [o lugar] era habitualmente chamado com *outro nome* (cf. Gn 48,7): Santa Maria dos Anjos. [9]O feliz pai dizia que lhe fora revelado por Deus que a bem-aventurada Virgem, entre outras igrejas no mundo construídas em sua honra, *amava* aquela igreja com *amor* (cf. 1Pd 1,22) especial; e, por isso, o santo a *amava mais do que as outras* (cf. 2Cor 12,13; Gn 37,4).

Capítulo XIII – Uma visão

20 [1]Um irmão devoto a Deus, antes de sua conversão, tivera uma visão com relação à mesma igreja, visão digna de ser relatada. [2]Viu que inúmeros homens *atingidos* na vista *por* deplorável *cegueira* (cf. Gn 19,11), com o rosto voltado para o céu, *estavam ajoelhados* (cf. 2Cr 6,13) ao redor desta igreja. [3]Todos eles com voz lacrimosa, *com as mãos estendidas ao* (cf. 2Mc 14,34) alto, *clamavam a Deus* (cf. Sl 54,17), pedindo misericórdia e a luz. [4]E eis que veio do céu enorme esplendor que se difundia sobre todos e deu luz a cada um e concedeu a saúde desejada.

O modo de vida de São Francisco e dos irmãos

Capítulo XIV – O rigor da disciplina

21 [1]O valoroso *cavaleiro de Cristo* (cf. 2Tm 2,3) nunca poupava o corpo, expondo-o, *como se fosse alheio* (cf. Hb 11,9) a si, a todas as injúrias de atos e de palavras. [2]Se alguém quisesse relatar e enumerar as angústias que ele suportou, ultrapassaria o escrito do Apóstolo, no qual se narram as dos santos. [3]Assim também toda aquela sua primeira escola se submetia a todos os incômodos, de modo que, se alguém vivesse em alguma outra coisa que não fosse na *consolação do espírito* (cf. At 9,31), era considerado como mau. [4]Pois, como se cingissem com argolas de ferro e se vestissem com cilícios, macerados por *muitas vigílias e* contínuos *jejuns* (cf. 2Cor 11,27), muitas vezes teriam desfalecido se, pela admoestação assídua do piedoso pastor, não tivessem abrandado o rigor de tanta abstinência.

Capítulo XV – A discrição de São Francisco

22 [1]Numa noite, estando todos a dormir, uma das ovelhas grita: "Estou morrendo, irmãos, eis que estou morrendo de fome!" [2]O egrégio pastor levanta-se imediatamente e apressa-se em auxiliar com o devido remédio a ovelha doente. [3]Manda que se prepare a mesa, embora abastecida com iguarias rústicas, onde a água supria a falta do vinho, como [acontecia] frequentemente. [4]Ele próprio começa a comer primeiro e convida os demais irmãos ao ofício da caridade, para que aquele irmão não se envergonhe. [5]*Tendo tomado o alimento no temor do Senhor* (cf. At 2,46; 9,31), para que nada faltasse ao ofício da caridade, o pai teceu uma longa parábola aos filhos sobre a virtude da discrição. [6]Manda oferecer *o sacrifício a Deus* sempre *temperado com sal* (cf. Lv 2,13) e admoesta atentamente a que cada um considere as próprias forças *no serviço de Deus* (cf. Jo

16,2). [7]Afirma que subtrair sem discernimento o que é devido ao corpo é pecado semelhante a fornecer-lhe o supérfluo, imperando a gula. [8]E acrescenta: "Sabei que o que fiz ao comer, caríssimos, foi feito por solidariedade e não por vontade, porque a caridade fraterna o mandou. [9]Sirva-vos a caridade como exemplo, não o alimento, porque este serve à gula, aquela ao espírito".

Capítulo XVI – A previsão de coisas futuras; como confiou a Religião à Igreja Romana; e uma visão

23 [1]O santo pai, progredindo continuamente em méritos de vida e na virtude, ao dilatar a linhagem dos filhos por toda parte em grande número e graça *e ao estender* até *aos confins do mundo ramos* (cf. Ez 17,6; Sl 18,5) maravilhosos pela grande quantidade dos frutos, começou mais vezes a meditar solícito como aquela *nova plantação* (cf. Sl 143,12) deles poderia ser conservada e crescer ligada *pelo vínculo da unidade* (cf. Ef 4,3). – [2]Via então que muitos, à maneira de lobos, se enfureciam contra o *pequeno rebanho* (cf. Lc 12,32) e que os *inveterados de dias maus* (cf. Dn 13,52) aproveitavam a ocasião de prejudicá-lo unicamente por causa da sua novidade. [3]Previa que entre os próprios filhos podiam acontecer certas coisas contrárias à santa paz e à unidade e, como muitas vezes acontece entre os eleitos, ponderava que poderia haver alguns rebeldes *inflados pelo sentido carnal* (cf. Cl 2,18), dispostos em espírito a contendas e inclinados a escândalos.

24 [1]E como *o homem de Deus* (cf. 1Rs 13,1) revolvesse frequentemente estas e semelhantes coisas no espírito, numa noite, entregue ao sono, *tem* esta *visão* (cf. Dn 10,7). [2]Vê uma *galinha* pequena e negra, semelhante a uma pomba doméstica, que tinha as pernas e os pés cheios de penas. [3]Ela tinha inúmeros *pintinhos* que, rodeando a *galinha* com insistência, não conseguiam *reunir-se* todos *sob as asas* (cf. Mt 23,37) dela. [4]O *homem de Deus* (cf. Jz 13,6) *desperta do sono* (cf. Mt 1,24), recorda as coisas meditadas, torna-se ele próprio *intérprete de* sua *visão* (cf. Dn 8,27). [5]Disse: "Esta galinha sou eu, pequeno de estatura e escuro por natureza, a quem deve caber, pela inocência de vida, a columbina simplicidade que, tão rara no mundo, voa tão desembaraçadamente ao céu. [6]Os pintinhos são os irmãos, multiplicados em número e graça; a força de Francisco não basta para defendê-los *da intriga dos homens* e *da oposição das línguas*" (cf. Sl 30,21).

[7]"Irei, portanto, e recomendá-los-ei à Santa Igreja Romana, por cuja vara poderosa sejam derrotados os malvados, e *os filhos de Deus* (cf. Mt 5,9) gozem em toda parte de plena *liberdade para aumento* (cf. Cl 3,14; Ef 4,31; 2,4) da salvação eterna. [8]A partir disto, os filhos reconhecerão os suaves benefícios da mãe e com especial devoção seguirão sempre os veneráveis vestígios dela. [9]Estando ela a proteger, *não haverá de ocorrer o mal* (cf. 1Rs 5,4) na Ordem, e *o filho de Belial* (cf. Dt 13,13) não passará impune pela *vinha do Senhor* (cf. Is 5,1-7). [10]Ela própria, que é santa, competirá com a glória da nossa pobreza e não permitirá que os elogios da humildade sejam ofuscados pela nuvem da soberba. [11]*Conservará* ilesos entre nós *os vínculos da caridade* e *da paz* (cf. Cl 3,14; Ef 4,3), golpeando os dissidentes com rigorosíssima censura. [12]A sagrada observância da pureza evangélica *florescerá* continuamente na presença dela, e não permitirá que se perca por uma hora sequer o *perfume da vida*" (cf. Sl 91,13; 2Cor 2,15). – [13]Toda a intenção do santo de Deus foi a de abraçar esta recomendação [à Igreja]; foram estes os santíssimos ensinamentos da previsão que o homem de Deus teve da necessidade de confiar-se [à Igreja], em vista do tempo futuro.

Capítulo XVII – Como ele pediu o senhor de Óstia como papa

25 [1]Chegando, portanto, a Roma, *o homem de Deus* (cf. Jz 13,6) é recebido com grande devoção pelo senhor Papa Honório e por todos os cardeais. [2]Na verdade, o que ele exalava pela fama brilhava na vida, ressoava na língua, e diante disto não resta lugar para a falta de devoção. [3]Prega diante do papa e dos cardeais com o espírito pronto e fervoroso, *proferindo plenamente* (cf. Sl 44,2; 143,13) *tudo que* o espírito lhe *sugere* (cf. Jó 13,13). [4]Pela sua palavra, *comovem-se os montes* (cf. Sl 17,8) e, tirando altos suspiros *do íntimo* (cf. Sl 129,1) das entranhas, eles lavam com lágrimas *o homem interior* (cf. Rm 7,22; Ef 3,16).

[5]Terminada a pregação e colocadas poucas coisas em conversa familiar com o senhor papa, finalmente ele fala, pedindo: "Como sabeis, senhor, não é dado facilmente a homens pobres e desprezíveis o acesso a tão alta majestade. [6]Na verdade, vós tendes o mundo nas mãos, e negócios de coisas muito importantes não permitem dedicar--vos às coisas mínimas. [7]Por causa disto, senhor, peço que das entranhas de vossa santidade nos seja concedido este senhor de Óstia como papa, para que, salva sempre a dignidade de vossa preeminência, possam os irmãos recorrer a ele *em tempo de necessidade* (cf. Sir 8,12) e dele obter os benefícios da defesa e do governo". – [8]Tão santo pedido *agradou aos olhos* (cf. 2Rs 10,30) do papa, e ele imediatamente constituiu o senhor Hugolino, então bispo de Óstia, sobre a Religião, como pedira *o homem de Deus* (cf. Jz 13,6). [9]Aquele santo cardeal abraça o rebanho a ele confiado e, tornando-se zeloso pai dele, foi pastor e discípulo até à sua bem-aventurada morte. – [10]A prerrogativa do amor e cuidado que a Santa Igreja Romana nunca deixa de manifestar à Ordem dos Menores é devida a esta especial submissão.

Termina a primeira parte.

SEGUNDO LIVRO

Introdução ao segundo livro

26 [1]Conservar os insignes feitos dos pais que nos precederam para a memória dos filhos é sinal de honra para com aqueles e de amor para com estes. [2]De fato, os que não alcançaram a presença corporal deles pelo menos são estimulados ao bem e promovidos ao que é melhor pelos feitos deles, à medida que os memoráveis testemunhos tornam novamente presentes aos filhos os pais separados pela sucessão dos tempos. [3]E daí nós conseguimos o primeiro e não pequeno fruto: o conhecimento da nossa própria pequenez, ao vermos quão grande quantidade de méritos eles tinham e quão grande indigência de méritos nós temos. [4]Eu considero o bem-aventurado Francisco um *espelho* santíssimo da santidade do Senhor e *imagem* da perfeição *dele* (cf. Sb 7,26). [5]Eu diria: todas as suas palavras e ações exalam um certo odor divino; se elas tornam diligente o que as observa e humilde o discípulo, em breve tempo admitem aquele que está imbuído de salutares ensinamentos à mais alta filosofia. [6]Então, depois que foram adiantadas algumas coisas sobre ele em rápida descrição, ainda que com estilo simples, julgo que não seja supérfluo acrescentar umas poucas coisas das muitas pelas quais o santo seja exaltado e pelas quais o nosso sonolento afeto seja estimulado.

O espírito de profecia que o bem-aventurado Francisco teve

Capítulo I

27 [1]O bem-aventurado pai, elevado acima das coisas do mundo, dominara com admirável poder tudo o que havia na terra, visto que, pondo sempre o olho do intelecto diante da luz suprema, sabia por revelação divina não somente as coisas a serem feitas, mas também predizia muitas coisas com *espírito de profecia* (cf. Ap 19,10), perscrutava *os segredos dos corações* (cf. 1Cor 14,25), conhecia as coisas ausentes, previa e anunciava as futuras. [2]Os exemplos provam o que dizemos.

Capítulo II – Conheceu que era falso alguém que se julgava santo

28 [1]Havia um irmão – o quanto parecia exteriormente – insigne por um modo de vida de exímia santidade, mas muito singular. [2]*Dedicando-se à oração* (cf. 1Cor 7,5) durante todo tempo, observava o silêncio com tanto rigor que costumava confessar-se não com palavras, mas com acenos. [3]Das palavras da Escritura ele colhia grande entusiasmo e, tendo-as ouvido, era transportado por admirável doçura. [4]O que mais? Era tido por todos como três vezes santo. [5]Aconteceu que o bem-aventurado pai chegou ao lugar, viu o irmão, ouviu o santo. [6]E *a todos* que o exaltavam e *engrandeciam* (cf. Lc 4,15) o pai responde: "Deixai, irmãos, e não me venhais louvar nele as representações diabólicas. [7]*Sabei, na verdade* (cf. Mt 22,16), que isto é uma tentação diabólica e um engano fraudulento. [8]Tenho certeza e comprovação disto, principalmente porque não quer confessar-se". [9]Os irmãos *receberam isto com dificuldade* (cf. Gn

21,11), principalmente o vigário do santo. [10]Dizem: "E como seria verdade que em tantos sinais de perfeição estivessem em jogo enganos fraudulentos?" [11]Diz-lhes o pai: "Seja admoestado a confessar-se duas ou uma vez por semana; se ele não fizer isto, *sabereis que são verdadeiras* (cf. Jo 5,32) as coisas que eu disse". [12]O vigário *toma-o à parte* (cf. Lc 9,10) e primeiramente se alegra com ele familiarmente e finalmente impõe-lhe a confissão. [13]Ele recusou, colocando o *dedo em sua boca* (cf. Jó 21,5; 29,9) e, tendo sacudido a cabeça, deu a entender que não se confessaria de maneira alguma. [14]Os irmãos calaram-se, temendo o escândalo do falso santo. [15]*Depois de não muitos dias* (cf. Lc 15,13), ele sai espontaneamente da Religião, converte-se ao mundo, *volta ao vômito* (cf. Pr 26,11). [16]Finalmente, dobrando os pecados, ficou privado da penitência e da vida. – [17]Deve-se sempre precaver da singularidade que nada mais é do que um belo precipício. [18]Muitas pessoas singulares conheceram-na por experiência, porque *sobem até aos céus e descem até aos abismos* (cf. Sl 106,26). [19]Presta não menos atenção à virtude de uma confissão devota que não apenas torna alguém santo, mas também o mostra.

Capítulo III – Algo semelhante de um outro. Contra a singularidade

29 [1]Algo semelhante aconteceu com outro irmão de nome Tomás de Espoleto. [2]Todos tinham a respeito dele sã opinião e firme sentença de santidade. [3]Finalmente, a apostasia comprovou o juízo do santo pai a respeito dele, juízo de que ele era perverso. [4]Não perseverou por muito tempo, porque não permanece por muito tempo a virtude buscada com fraude. [5]Ele saiu da Religião e morreu fora dela; sabe agora o que fez.

Capítulo IV – Como em Damieta predisse a futura derrota dos cristãos

30 [1]No tempo em que o exército dos cristãos sitiava Damieta, *o santo de Deus* (cf. 2Rs 4,9; Mc 1,24) estava presente com seus companheiros: na verdade, haviam atravessado o mar pelo fervor do martírio. [2]Então, *ao prepararem-se* os nossos *para o dia da batalha* (cf. Pr 21,31), tendo ouvido isto, o santo queixou-se profundamente da guerra. [3]E disse a seu companheiro: "Se em tal dia acontecer o embate, *o Senhor me mostrou* (cf. 2Rs 8,10), os cristãos *não se sairão bem* (cf. Nm 14,41). [4]Mas se eu disser isto, serei julgado como louco; se eu me calar, não escapo da consciência. Portanto, o que te parece?" [5]O companheiro *respondeu-*lhe, *dizendo* (cf. Lc 3,16): "Pai, *não te importe que sejas julgado pelos* (cf. 1Cor 4,3) homens, porque não é agora que começas a ser julgado como louco. [6]Descarrega tua consciência e teme *mais a Deus do que aos homens*" (cf. Lc 12,4-5; At 5,29). [7]Então, o santo sai e dirige-se aos cristãos com admoestações salutares, desaconselha a guerra, anuncia a derrota. [8]A verdade torna-se *fábula* (cf. Tb 3,4), *eles endureceram o coração* (cf. Jo 12,40) e não quiseram ser advertidos. [9]Vai-se, combate-se, guerreia-se e os nossos são acuados pelos inimigos. [10]E, durante a batalha, com espírito preocupado, o santo manda o companheiro *levantar-se* para *olhar* (cf. Nm 22,20.41); e manda olhar pela terceira vez quem nada viu na primeira e na segunda. [11]E eis! Toda a cavalaria dos cristãos *voltada para a fuga* (cf. Jr 49,24), trazendo o fim da guerra a vergonha, não o triunfo. [12]E por esta grande derrota o número dos nossos diminuiu tanto que houve seis mil entre mortos e prisioneiros. [13]A compaixão para com eles consumia o santo, e não menos os consumia o arrependimento pelo acontecido. [14]E lamentava principalmente os espanhóis, pois via que a coragem mais pronta deles nas armas deixara muito poucos. – [15]*Conheçam* estas coisas *os príncipes da terra* (cf. 1Cr 28,21; Sl 18,5), e saibam que *não é fácil lutar contra Deus* (cf. Sir 46,8), isto é, contra *a vontade do Senhor* (cf. 2Cor 8,5). [16]Costuma terminar em desgraça o atrevimento que, enquanto se apoia em suas próprias forças, não merece o auxílio celeste. [17]Se, pois, a vitória deve ser esperada do alto, as batalhas devem ser combatidas com espírito divino.

Capítulo V – O irmão cujos segredos ele conheceu

31 [1]Naquele tempo, ao voltar o santo de ultramar, tendo como companheiro Frei Leonardo de Assis, aconteceu que, *fatigado* e exausto *pela viagem* (cf. Jo 4,6), andava um pouco montado num burro. [2]E seguindo-o o companheiro, também ele não pouco cansado, *começou a dizer consigo mesmo* (cf. Lc 11,38), sentindo algo humano: "Os pais dele e os meus não jogavam de igual para igual[22]. E eis que ele anda montado, e eu, a pé, conduzo o burro". [3]*Estando ele a pensar isto* (cf. Mt 1,20), imediatamente o santo desceu do burro e disse: "Irmão, não convém que eu vá montado e tu andes a pé, porque no mundo foste mais nobre e mais poderoso do que eu". [4]*Na mesma hora*, o irmão *ficou estupefato* (cf. Est 7,6) e, *coberto de vergonha* (cf. Nm 12,14), reconheceu-se surpreendido pelo santo. [5]*Lançou-se-lhe aos pés* (cf. Est 8,3; At 10,25) e, *banhado em lágrimas* (cf. Lc 7,38.44), revelou seu pensamento e pediu perdão.

Capítulo VI – O irmão sobre quem ele viu o demônio; contra os que se afastam da unidade

32 [1]Havia um outro irmão, célebre pela reputação diante dos homens, mais célebre pela graça diante de Deus. [2]Invejando-lhe as virtudes, o pai de toda inveja pensa em *cortar a árvore* (cf. Dn 4,11) que já *tocava os céus* (cf. Gn 28,12) e arrancar-lhe a coroa das mãos; rodeia, gira, sacode e expõe ao vento as coisas que lhe são próprias, para de algum modo colocar um obstáculo adequado ao irmão. [3]Portanto, sob pretexto de maior perfeição, sugere-lhe o desejo de isolamento para, finalmente, caindo sobre ele só, fazê-lo cair mais facilmente e, *quando ele tiver caído só, não tenha quem o levante* (cf. Ecl 4,10). [4]O que mais? Ele se afasta da Religião dos irmãos, andando como *peregrino e hóspede* (cf. Hb 11,13) pelo mundo. [5]Da túnica do hábito fez uma pequena túnica, trazendo o capuz não costurado à túnica, e assim ia pelas regiões, desprezando-se em tudo. [6]*E enquanto andava* desta maneira, *aconteceu* (cf. Lc 2,1; 8,42) que, sendo retirada bem depressa a consolação divina, era sacudido por procelosas tentações. [7]*Entraram as águas até à alma* (cf. Sl 68,2) e,

---

22. A expressão *non de pari ludere* quer indicar disparidade de condição social existente entre os pais de Frei Leonardo (nobres, *maiores*) e os de Francisco (burgueses, *minores*).

desolado interior e exteriormente, caminha *como ave* que *corre para a armadilha* (cf. Pr 7,23). [8]Era arrastado rapidamente, como que pelo sorvedouro, ao precipício, quando o *olho* da providência paterna, compadecendo-se, *olhou* para o mísero *com bondade* (cf. Sir 11,13). [9]Na verdade, recebendo o *aprendizado pelo sofrimento* (cf. Is 28,19), *voltando* finalmente *a si* (cf. At 12,11), ele diz assim: "Volta, ó mísero, à Religião, porque lá está a tua salvação". [10]Não deixa para mais tarde, levanta-se imediatamente, corre ao regaço da mãe.

33 [1]E ao chegar a Sena, ao eremitério dos irmãos, aí estava São Francisco. [2]Coisa realmente admirável! *Logo que* o santo *o viu* (cf. Fl 2,23), *fugiu dele* (cf. Mc 14,52) e fechou-se na cela num rápido impulso. [3]Abalados, os irmãos perguntam a causa da fuga. Disse-lhes o santo: "Por que vos admirais da fuga, quando não percebeis a causa? Refugiei-me no presídio da oração para libertar o que tinha errado. [4]Vi no filho justamente o que me desagradou; mas eis que, pela graça de meu Cristo, todo engano já se afastou". [5]O irmão *pôs-se de joelhos* (cf. 2Cr 6,13) e, com vergonha, confessou-se culpado. [6]Disse-lhe o santo: "O Senhor te perdoe, irmão! Mas doravante cuida para que, sob pretexto de santidade, não te separes da tua Religião e dos teus irmãos". [7]Assim, o referido *irmão* passou a *gostar de* estar em união e *companhia* (cf. Pr 18,24) [dos outros], especialmente devotado àqueles grupos em que mais vigora a observância regular. – [8]*Ó obras do Senhor, grandes no conselho e na assembleia dos justos* (cf. Sl 110,1.2)! [9]Nela, na verdade, os *tentados* são apoiados, *os caídos são levantados* (cf. Sb 3,5; Sl 144,14), os tíbios são estimulados; nela, *o ferro é afiado com ferro* (cf. Pr 27,17), e *o irmão, ajudado pelo irmão, estabelece-se como cidade inabalável* (cf. Pr 18,19); [10]e, embora *por causa da multidão* deste mundo *não possas ver Jesus* (cf. Lc 19,3), no entanto, não o impede absolutamente a multidão dos anjos dos céus. [11]Apenas, não fujas e, *fiel até à morte, aceita a coroa da vida* (cf. Ap 2,10).

Algo semelhante com relação a outro irmão

34 [1]Pouco depois, aconteceu com outro algo não muito diferente. [2]Um dos irmãos não se submetia ao vigário do santo, mas seguia a um outro como próprio preceptor. [3]E, admoestado pelo santo, que estava presente, por meio de um mensageiro, ele imediatamente *se lançou aos pés* (cf. Mt 15,30) do vigário e, tendo deixado o antigo preceptor, obedecia àquele que o santo constituiu como prelado. [4]E o santo suspirou profundamente e disse a seu companheiro, que ele enviara como mensageiro: "Irmão, vi o demônio sobre o dorso do irmão desobediente, mantendo apertado o pescoço dele. [5]Ele, submetido a tal cavaleiro, tendo desprezado o freio da obediência, seguia as rédeas da instigação dele. [6]E quando eu *rezei ao Senhor* (cf. 2Cor 12,8) pelo irmão, imediatamente o demônio se retirou confuso". – [7]Este homem era dotado desta perspicácia que tinha olhos fracos para as coisas corporais e penetrantes para as espirituais. [8]E que admiração há, se aquele que não quer levar *o Senhor da majestade* (cf. Is 3,8) estava sobrecarregado com carga torpe? [9]Eu diria: Nada de meio-termo: ou carregarás *o fardo leve* (cf. Mt 11,30), pelo qual mais serás carregado, ou a iniquidade, com *uma pedra de moinho suspensa ao pescoço* (cf. Mt 18,6), se sentará sobre um *talento de chumbo* (cf. Zc 5,7)[23].

Capítulo VII – Como libertou os habitantes de Greccio das mordidas dos lobos e do granizo

35 [1]O santo gostava de morar no eremitério dos irmãos em Greccio, seja porque via que era rico da pobreza, seja porque na pequena cela mais distante, construída numa rocha proeminente, se dedicava mais livremente às disciplinas celestes. [2]Este é aquele lugar em que outrora ele recordou o Natal do *Menino de Belém* (cf. 1Sm 16,18), tornando-se menino com o Menino. [3]E aconteceu que os habitantes [daquele lugar] eram atormentados por múltiplos males; pois uma multidão de lobos vorazes não somente devorava os animais, mas também os homens, e o granizo em tempestade anual devastava a colheita e as vinhas. [4]E num dia, enquanto o bem-aventurado Francisco lhes pregava, disse-lhes: "Para honra e louvor

---

23. Para melhor entender esta figura de linguagem, lembre-se o leitor que o chumbo é um metal muito maleável e que uma pedra de moinho esmagaria com facilidade uma moeda de chumbo.

de Deus onipotente (cf. Sb 7,25), ouvi *a verdade* que vos *anuncio* (cf. Sl 29,10). [5]*Se* cada um de vós *confessar os pecados* (cf. 1Jo 1,9) e *produzir dignos frutos de penitência* (cf. Lc 3,8), eu vos garanto que esta peste desaparecerá, e, *olhando* para vós *o Senhor* (cf. Ex 14,24), multiplicará os [vossos] bens temporais. [6]Entretanto, *ouvi também isto* (cf. Jr 28,7): Novamente *vos anuncio* (cf. At 17,3) que, se ingratos aos benefícios *voltardes ao vômito* (cf. Pr 26,11), renovar-se-á a praga, duplicar-se-á o castigo, e mais *cruel será a ira* (cf. Js 22,18) no meio de vós".

36 [1]E assim aconteceu que, pelos méritos e orações do santo pai, a partir *daquela hora* (cf. Jo 4,53), os flagelos cessaram, os perigos desapareceram, e os lobos e granizos *não causaram qualquer dano* (cf. Dn 3,50). [2]Pelo contrário, o que é ainda mais admirável, se por acaso o granizo atravessasse os campos dos vizinhos, aproximando-se dos limites deles, ou terminava aí ou se desviava para outra direção. [3]*Dado o descanso* (cf. Sb 11,4), eles *progrediram muito* (cf. Sl 106,38) e ficaram muito *cheios de bens* (cf. Tb 12,3) temporais. [4]Mas a prosperidade fez o que costuma [fazer]: *na verdade, as faces cobrem-se de espessura* (cf. Jó 15,27), e eles *se tornam cegos* pela gordura dos bens temporais, ou antes, *pelo esterco* (cf. Tb 2,11). [5]Finalmente, tendo recaído em coisas piores, *esqueceram-se de Deus que os salvou* (cf. Sl 105,21). [6]Não impunemente, porque a censura da justiça divina castiga menos quem cai do que aquele que recai. [7]*Excita-se o furor* (cf. Sir 36,8) de Deus contra eles e, tendo retornado os males que haviam desaparecido, acrescentou-se, além disso, a espada humana, e uma mortalidade mandada do céu acabou com muitos; [8]finalmente, toda a aldeia *foi incendiada* (cf. Ap 8,7) pelas chamas vingadoras. – [9]Realmente, é justo que sofram o flagelo os que voltam as costas aos benefícios.

Capítulo VIII – Como, ao pregar aos perusinos, predisse a futura sedição entre eles; e a recomendação da unidade

37 [1]Depois de alguns dias, como o bem-aventurado pai uma vez descesse da predita cela, disse com voz queixosa aos irmãos que estavam presentes: "Os perusinos fizeram muitos males aos seus vizinhos, e *o coração deles se elevou para* sua *ignomínia* (cf. Ez 28,2; Jr 8,11). [2]Entretanto, está próxima *a vingança de Deus*, e a mão dele está *na espada* (cf. Jr 46,10; 15,2)". – [3]Decorridos então poucos dias, ele se levanta no fervor do espírito e dirige-se à cidade de Perúgia. [4]Os irmãos puderam avaliar claramente que ele tinha tido uma visão na cela. [5]Chegando, portanto, a Perúgia, começou a pregar *ao povo reunido* (cf. Dt 31,12); [6]e como os cavaleiros, como é costume, corressem a cavalo e, empunhando armas nos jogos militares, impedissem *a palavra de Deus* (cf. Lc 11,28), *voltando-se* o santo a eles, *gemeu* (cf. Lc 9,55; Mc 7,34), dizendo: [7]"Ó miseranda perversidade de homens míseros que não considerais nem temeis *o juízo de Deus* (cf. Rm 2,3)! [8]Mas ouvi as coisas que *o Senhor vos anuncia* por meio de mim, *pobrezinho* (cf. Is 66,2; Jo 16,13): [9]*O Senhor exaltou-vos* (cf. Sl 36,34) acima de todos os *que estão ao vosso redor* (cf. Ez 5,7; 11,12); por causa disto, deveríeis ser mais benignos para com os vizinhos, mais gratos para com Deus. [10]Mas, ingratos à graça, atacais os vizinhos *à mão armada* (cf. 2Rs 11,11), matais e devastais. [11]Digo-vos, [isto] *não se deixará impune* (cf. Mt 23,38; Jó 24,12), mas Deus, para uma punição mais grave, vos abaterá por meio de uma guerra interna, de modo que um se levante em mútua desavença contra o outro. [12]A indignação ensinará os que a bondade não instruiu". [13]*Depois de não muitos dias* (cf. Lc 15,13), nasce um escândalo entre eles, pegam-se as armas contra o próximo, os populares enfurecem-se contra os cavaleiros, e os nobres, com a espada em punho, contra os plebeus; [14]por fim, combate-se com tanta crueldade e mortandade que até os vizinhos, que eles haviam ofendido, se compadeciam. – [15]Julgamento digno de louvor! De fato, porque se afastaram do Uno e Sumo, foi necessário também que a unidade não permanecesse entre eles. [16]Em uma nação não pode haver vínculo mais forte do que o piedoso amor a Deus, *fé* sincera e *não fingida* (cf. 1Tm 1,5).

Capítulo IX – A mulher a quem predisse que o marido de mau se tornaria bom

38 ¹Naqueles dias, ao dirigir-se *o homem de Deus* (cf. 1Sm 2,27) a Celle di Cortona, uma mulher nobre da aldeia que se chama Volusiano, tendo ouvido isto, corre até ele e, fatigada pela longa corrida, porque de fato *era muito delicada e tenra* (cf. Dt 28,56), finalmente chegou ao santo. ²Vendo o cansaço e a respiração ofegante dela, compadecido, o pai santíssimo disse-lhe: "Que desejas, senhora?" E ela disse: *"Pai, que me abençoes* (cf. Gn 27,38)". ³E o santo: "És casada ou solteira?" Respondeu ela, dizendo: "Pai, *tenho um marido* (cf. Jo 4,17) muito cruel que suporto como um adversário no serviço de Jesus Cristo, e esta é minha principal dor, porque, estando o marido a impedir-me, não realizo *o bom desejo* (cf. Lc 2,14; 2Cor 5,8) que o Senhor me inspirou: donde, peço-te, ó santo, reza por ele para que a misericórdia divina lhe *humilhe o coração"* (cf. Dn 5,22). ⁴O pai admira na mulher o espírito viril, na jovem o espírito senil e, movido pela compaixão, diz: "Vai, *filha bendita* (cf. Jt 12,23), e saibas que em breve terás consolação com relação a teu marido". ⁵E acrescentou: "Dir-lhe-ás da parte de Deus e minha que agora é *o tempo da salvação* (cf. Sir 4,28; 40,7), depois o tempo da justiça". ⁶*Tendo recebido a bênção* (cf. Sl 23,5), a mulher retorna, encontra o marido, anuncia a palavra. ⁷De repente, *pousou sobre ele o Espírito Santo* (cf. At 10,44) e, transformando-o de velho em novo homem, assim o faz responder *com toda a mansidão* (cf. Ef 4,2): "Senhora, *sirvamos ao Senhor* (cf. Js 22,27) e *salvemos nossas almas* (cf. Gn 19,19) em nossa casa". ⁸Respondeu a esposa: "A continência parece-me como que um *fundamento* a ser colocado na alma, e, finalmente, *sobre* ela devem ser *edificadas* (cf. Ef 2,20) as demais virtudes". ⁹Disse ele: "E isto apraz a mim e a ti". ¹⁰A partir de então, levando vida celibatária por muitos anos, migraram de maneira feliz no mesmo dia, um como *holocausto matutino*, outro como *sacrifício vespertino* (cf. 2Rs 16,15). – ¹¹Ó mulher feliz que assim abrandou o esposo para a vida! Realiza-se nela a palavra do Apóstolo: *Salvou-se o marido infiel pela mulher fiel* (cf. 1Cor 7,14).

[12]Mas tais [mulheres], para usar o provérbio comum, hoje se podem contar nos dedos.

Capítulo X – Como pelo espírito reconheceu o irmão que escandalizara o irmão e predisse que ele sairia da Religião

39 [1]Um dia, chegaram da Terra di Lavoro dois irmãos; o mais velho deles causou muitos escândalos ao mais jovem. Eu diria: ele era não companheiro, mas um tirano. [2]E o mais jovem suportava tudo por amor de Deus em admirável silêncio. [3]E depois que chegaram a Assis e aquele mais jovem foi ter com São Francisco (na verdade era-lhe familiar), entre outras coisas, disse o santo: "Como se comportou para contigo o teu companheiro nesta viagem?" [4]Ele respondeu: "De certo modo, bastante bem, pai caríssimo". [5]Disse-lhe o santo: "Irmão, cuida para não mentir sob pretexto de humildade, pois sei como ele se comportou para contigo, mas espera um pouco e verás". [6]Admirou-se muito o irmão de como ele tivesse conhecido *pelo espírito* (cf. At 21,4) coisas tão ausentes. [7]Então, *depois de não muitos dias* (cf. Lc 15,13), tendo desprezado a Religião, é tirado para fora o que causara *escândalo ao seu irmão* (cf. Rm 14,13; Mt 5,22). – [8]Sem dúvida, é sinal de maldade e evidente prova de *falta de sensibilidade* (cf. Sir 19,21) não ter a mesma boa vontade no mesmo caminho com um bom companheiro.

Capítulo XI – O jovem que veio à Religião, a quem ele reconheceu que não era conduzido pelo espírito de Deus

40 [1]Naqueles dias, chegou a Assis um jovem nobre de Lucca, querendo entrar na Religião. [2]Apresentado a São Francisco, *de joelhos* (cf. 2Cr 6,13), *oferecia preces com lágrimas* (cf. Hb 5,7) para que o recebesse. [3]E *o homem de Deus* (cf. 1Sm 2,27), *olhando para ele* (cf. At 3,4), reconheceu imediatamente *pelo espírito que* ele não *era conduzido pelo espírito* (cf. At 21,4; Rm 4,8). [4]Disse-lhe: "Mísero e carnal, *por que* estás seguro de poder *mentir ao Espírito Santo* (cf. At 5,3) e a mim? Choras de maneira carnal, e *teu coração não está* com

Deus (cf. At 8,21). [5]Vai, *porque nada sabes espiritualmente* (cf. Mc 8,33; Gl 5,10)". [6]Depois de ter dito estas coisas, anuncia-se que os parentes dele *estão à porta* (cf. Jo 18,16), *procurando pegar* (cf. Lc 11,54) o filho e reconduzi-lo; e, *saindo ao encontro deles* (cf. Jo 18,29), finalmente voltou de maneira espontânea. [7]Então, os irmãos ficaram admirados, *louvando o Senhor em* seu *santo* (cf. Sl 150,1).

Capítulo XII – Um clérigo curado por ele, a quem predisse que por seu pecado sofreria coisas piores

41 [1]No tempo em que o santo pai jazia enfermo no palácio do bispo de Rieti, um cônego de nome Gedeão, lascivo e mundano, tomado por uma doença e cercado de dores por todos os lados, estava também acamado. [2]Mandando que fosse levado à presença de São Francisco, roga com lágrimas que seja marcado por ele com o sinal da cruz. [3]Diz-lhe o santo: "Como te assinalarei com a cruz, se vivias outrora *segundo os desejos da carne* (cf. Gl 5,16), não respeitando *os juízos de Deus?*" (cf. Sir 17,24). [4]E acrescentou: "*Em nome de Cristo* (cf. At 4,10), eu te assinalo; saibas, porém, que sofrerás coisas mais graves, se, [depois que fores] libertado, volta-res *ao vômito*" (cf. Pr 26,11). [5]E insistiu: "Por causa do pecado da ingratidão sempre são infligidas *coisas piores do que as precedentes*" (cf. Mt 12,45). [6]E assim, tendo feito sobre ele o sinal da cruz, imediatamente se levantou são o que estava acamado e contraído e, prorrompendo em louvores, disse: "Eu estou libertado". [7]E os ossos das costas dele estalaram, estando muitos a ouvir, como quando se quebra lenha seca com a mão. [8]E, decorrido pouco tempo depois, *esquecido de Deus* (cf. Jz 3,7), devolveu o corpo à impudicícia. [9]Ao cear numa tarde na casa de outro cônego seu amigo e ao dormir lá naquela noite, de repente o teto da casa desabou sobre todos. [10]E, escapando os outros da morte, somente o mísero foi apanhado de surpresa e morto. – [11]E não é de se admirar que, como disse o santo, *coisas piores do que as precedentes* (cf. Mt 12,45) o tivessem seguido, pois é necessário ser grato pelo perdão recebido, e o pecado repetido desagrada em dobro.

Capítulo XIII – Um irmão tentado

42 [1]*Permanecendo* o santo *no mesmo lugar* (cf. Jo 11,6), um irmão espiritual da custódia de Mársica, o qual era atormentado por graves tentações, *disse em seu coração* (cf. Sl 13,1): [2]"Se eu tivesse comigo algo de São Francisco, ainda que pelo menos um pouco das unhas, creio que toda esta tempestade das tentações fugiria, e, com o favor de Deus, voltaria a tranquilidade". [3]Então, tendo obtido a licença, ele se dirige ao lugar, expõe a questão a um dos companheiros do santo pai. [4]Respondeu-lhe o irmão: "Não creio que me seja possível dar-te algo das unhas, porque, embora alguma vez nós lhas cortemos, ele manda que sejam jogadas fora, proibindo que as conservemos". [5]Imediatamente, o irmão é chamado, e é-lhe ordenado que vá ter com o santo que o procurava. Disse: "Procura-me a tesoura, filho, com a qual me *cortes as unhas* (cf. Dt 21,12) imediatamente". [6]Ele traz a tesoura que, por causa disto mesmo, já havia tomado nas mãos e, colocando à parte as pontas cortadas que sobressaíam, entrega-as ao irmão que as pedira; [7]ele, recebendo-as com devoção, conserva-as com mais devoção ainda e imediatamente se torna livre de toda tentação.

Capítulo XIV – O homem que ofereceu um pano de acordo com o que o santo pedira antes

43 [1]No mesmo lugar, coberto com uma túnica velha, *o pai dos pobres* (cf. Jó 29,16) disse uma vez a um dos companheiros que ele constituíra seu guardião: "Irmão, eu gostaria, se pudesses, que me encontrasses um pano para uma túnica". [2]O irmão, ao ouvir isto, revolveu na mente como adquirir o pano tão necessário e tão humildemente pedido. [3]*Na manhã seguinte* (cf. Tg 4,13.14), muito cedo, dirige-se à porta, para ir à vila procurar o pano: e *eis um homem* (cf. Lc 22,10) sentado à porta, querendo falar-lhe; [4]ele disse ao irmão: "Por amor de Deus, aceita de mim o pano para seis túnicas e, sendo retida uma para ti, como te aprouver, distribui as outras pela minha alma". [5]O irmão volta alegre a Frei Francisco e anuncia a oferta feita do céu. [6]Disse-lhe o pai: "Recebe as túnicas, porque para isto ele foi enviado, para deste modo socorrer a minha necessidade. [7]Graças àquele que parece ser o único *que cuida de nós*" (cf. 1Sm 9,5; Sl 39,18).

Capítulo XV – Como convidou seu médico para o almoço, quando os irmãos nada tinham, e quanta coisa o Senhor deu de repente; e a providência de Deus para com os seus

44 [1]Um médico visitava todo dia o bem-aventurado homem, que morava num eremitério perto de Rieti, para cuidar dos olhos dele. [2]Num certo dia, disse o santo aos seus [companheiros]: "Convidai o médico e dai-lhe as melhores coisas para comer". [3]Respondeu-lhe o guardião, dizendo: "Pai, dizemos *com rubor* (cf. Lc 14,9), envergonhamo-nos de convidá-lo, tão pobres somos agora". *Respondeu* o santo, *dizendo* (cf. Jo 1,26): "*Que quereis que eu vos diga de novo?*" (cf. Mt 20,32; Jo 9,27). [4]O médico, *que estava presente* (cf. Mc 14,70), disse: "E eu, caríssimos irmãos, considerarei delícias a vossa penúria". [5]Os irmãos apressam-se e põem à mesa toda a provisão da despensa, a saber, *um pedaço de pão* (cf. 2Cr 18,26), não muito vinho e, para comerem mais lautamente, a cozinha manda um pouco de legumes. [6]Nesse ínterim, a *mesa do Senhor* (cf. Ml 1,7) se compadece da mesa dos servos; *bate-se à porta* (cf. Lc 13,25), acorre-se imediatamente. [7]E eis que uma mulher oferece um cesto bem abastecido de belo pão, de peixes e pastéis de camarões, completado com mel e uvas. [8]À vista destas coisas, exulta a mesa dos pobres e, tendo reservado as coisas baratas para o dia seguinte, hoje são consumidas como alimento as preciosas. [9]E o médico, suspirando, *falou, dizendo* (cf. Mt 14,27): "Nem vós, irmãos, como deveis, nem nós seculares conhecemos a santidade deste homem". [10]Teriam ficado saciados, se não os saciasse mais o milagre do que o alimento. – [11]Assim, aquele *olho* paterno [de Deus] de modo algum *despreza* (cf. Pr 30,17) os seus, mas, pelo contrário, na maior necessidade nutre os mendigos com maior providência. [12]Quanto mais transbordante em generosidade é Deus do que o homem, com tanto mais generosa mesa se alimenta o pobre do que o tirano.

Como libertou Frei Ricério de uma tentação

44a [1]Um irmão de nome Ricério, nobre pela estirpe e pelos costumes, tinha tanta confiança nos méritos do bem-aventurado Francisco que acreditava merecer a graça divina quem possuísse o dom da amizade do mesmo santo ou merecer a ira de Deus quem dela carecesse. [2]E como desejasse ardentemente obter o benefício da amizade dele, *temeu muito* (cf. Gn 32,7; Jt 8,8) que o santo descobrisse nele algum defeito oculto e que por este motivo acontecesse que mais se distanciasse da amizade dele. [3]Então, afligindo tal temor a cada dia e gravemente o referido irmão, e não revelando ele o seu pensamento a ninguém, aconteceu que, num certo dia, perturbado como de costume, chegou à cela em que rezava o bem-aventurado Francisco. [4]Conhecendo *o homem de Deus* (cf. 1Sm 2,27) a chegada e ao mesmo tempo o espírito dele, diz-lhe benignamente, depois de tê-lo chamado a si: "Filho, doravante nenhum temor, nenhuma tentação te perturbe, porque me és muito caro, e entre os especialmente caros eu te amo com caridade especial. [5]Venhas com segurança a mim, quando te aprouver, e te retirarás de mim livremente por tua vontade". [6]Aquele irmão ficou não pouco estupefato e se alegrou nas palavras do santo pai e em seguida, seguro quanto à afeição dele, cresceu também na *graça do Salvador* (cf. Tt 2,11), como acreditara.

Capítulo XVI – Os dois irmãos que ele abençoou ao sair da cela e cujo desejo ele conheceu pelo Espírito

45 [1]São Francisco tinha o costume de passar o dia inteiro numa cela solitária e não voltar para junto dos irmãos, a não ser que a necessidade de tomar alimento o exigisse. [2]E não saía nas horas marcadas para comer, porque frequentemente a fome mais devoradora da contemplação reivindicava-o todo para si. [3]E aconteceu que uma vez dois irmãos, *que tinham um modo de vida* (cf. 1Pd 2,12) digno de Deus, chegaram de longe ao eremitério de Greccio. [4]E toda a razão da vinda era ver o santo e receber dele a bênção longamente desejada. [5]Então, chegando e *não o encontrando* (cf. Lc 2,45), porque ele já se havia retirado do público para a cela, ficaram admiravelmente tristes; [6]e porque a dúvida quanto à saída [do santo] indicava longa demora, atribuindo isto aos seus méritos, eles se retiraram desolados. [7]E acompanhando-os os companheiros do bem-aventurado Francisco e consolando os desolados, quando já se tinham afastado do eremitério quase *por um tiro de pedra* (cf. Lc 22,41), de repente o santo clama atrás deles e disse a um dos companheiros: [8]"Dize a meus irmãos que aqui vieram que olhem para mim". [9]E quando os ditos irmãos voltaram o rosto para ele, ele os marcou com o sinal da cruz e abençoou com muito afeto. [10]E eles, tornando-se tanto mais alegres por terem conseguido com mais proveito o propósito e o milagre, retornaram *louvando e bendizendo ao Senhor* (cf. Lc 24,53).

Capítulo XVII – Como, rezando, tirou água da pedra e deu ao camponês sedento

46 [1]Querendo, um dia, o bem-aventurado Francisco dirigir-se a um eremitério para lá se dedicar mais livremente à contemplação, porque estava não pouco fraco, obteve de um homem pobre um burro para cavalgar. [2]E o camponês, seguindo *o homem de Deus* (cf. 1Rs 13,14.21) em dias de verão, *ao subir a montanha* (cf. Js 2,16), *fatigado pelo caminho* (cf. Jo 4,6) mais áspero e longo, antes de chegar ao eremitério desfalece e se cansa pela sede abrasadora. [3]Clama insistentemente atrás do santo e pede que *tenha compaixão* (cf. Dt 13,17) dele; afirma que vai morrer, se não for revigorado pelo benefício de algum copo [de água]. [4]*O santo de Deus* (cf. Lc 4,34), que sempre se compadecia dos aflitos, saltou sem demora do burro e, tendo fixado os joelhos na terra, levantou as mãos ao céu, *não cessando de rezar* (cf. Cl 1,9) até que se sentiu ouvido. [5]Disse ao camponês: "Apressa-te e ali encontrarás água corrente para beber que Cristo misericordiosamente nesta hora *produziu da pedra* para ti". [6]Estupenda condescendência de Deus que se inclina tão facilmente a seus servos! [7]O camponês bebeu *água da pedra* (cf. Is 48,21; Sl 77,16) por virtude do orante e hauriu a bebida *da pedra duríssima* (cf. Dt 32,13). [8]Antes, não havia ali *curso de água* (cf. Sl 1,3) nem depois pôde ser encontrado, como foi cuidadosamente investigado. – [9]O que admirar, se ele, *cheio do Espírito Santo* (cf. Lc 4,1), atualiza em si os feitos admiráveis de todos os justos? [10]Pois, nada há de grandioso, se aquele que se une a Cristo pelo dom de graça especial opera semelhantes coisas com os outros santos.

Capítulo XVIII – Os passarinhos nutridos por ele; um deles incorreu em morte por causa da avareza

47 [1]Num certo dia, o bem-aventurado Francisco estava sentado à mesa com os irmãos; alguns passarinhos, o macho e a fêmea, chegam e, cuidadosos pela alimentação de novos filhotes, cada dia recolhem à vontade *migalhas da mesa* (cf. Mt 15,27) do santo. [2]O santo exulta com eles, acaricia-os, como de costume, e deliberadamente oferece-lhes alimento. [3]Num certo dia, o pai e a mãe apresentam aos irmãos os filhos, como que nutridos às expensas deles, e, entregando os filhotes aos irmãos, não aparecem mais no eremitério. [4]Os filhotes habituam-se aos irmãos e, pousando nas mãos deles, comportam-se não como hóspedes, mas como moradores da casa. [5]Evitam a presença dos seculares e professam ser discípulos só dos irmãos. [6]O santo observa isto, admira-se e convida os irmãos à alegria. Disse: "Vede o que fizeram nossos irmãos pintarroxos, como se fossem dotados de razão. [7]Disseram, pois: 'Eis, irmãos, que vos apresentamos nossos filhinhos que foram nutridos com vossas migalhas. [8]Disponde deles como vos aprouver; nós passaremos a outros lares'". [9]E, assim, eles se familiarizam totalmente com os irmãos e tomam a refeição ao mesmo tempo. [10]Mas a avareza rompe a concórdia, quando a altivez do maior persegue os menores. [11]Pois, saturado à vontade, o maior repele os outros do alimento. [12]Disse o pai: "Vede o que faz este avarento; ele, cheio e saturado, inveja os irmãos famintos. [13]Ainda será morto por morte má". [14]O castigo segue imediatamente a palavra do santo. [15]O perturbador sobe sobre a vasilha de água dos irmãos para beber e de repente morre afogado na água, e não se encontra gato nem animal que ousasse comer o passarinho anatematizado pelo santo. – [16]Mal horrendo é a avareza dos homens, quando desta maneira é punida nos pássaros. [17]Deve-se temer também a sentença dos santos, à qual o castigo segue com tanta facilidade.

Capítulo XIX – Tudo aquilo que predisse sobre Frei Bernardo se cumpriu

48 [1]Noutra ocasião, assim falou profeticamente a respeito de Frei Bernardo, que fora o segundo irmão na Ordem: "Digo-vos que a Frei Bernardo foram dados, para o exercitarem, os demônios mais sutis e *piores* dentre *outros espíritos* (cf. Mt 12,45); embora o esforço deles sempre esteja voltado a fazer desabar *uma estrela do céu* (cf. Ap 6,13; 9,1), no entanto, o *fim da coisa* (cf. Rt 3,18) será outro. [2]Na verdade, ele será atribulado, tentado, afligido, mas finalmente triunfará de tudo". [3]E acrescentou: "Na proximidade da sua morte, afastada toda tempestade e já vencida toda tentação, ele gozará de admirável tranquilidade e paz e, tendo *consumado o curso* (cf. 2Tm 4,7) [desta vida], migrará de maneira feliz a Cristo". [4]Na verdade, assim aconteceu: a morte dele brilhou pelos milagres e, ponto por ponto, como *o homem de Deus predissera* (cf. 1Rs 13,31), assim aconteceu; [5]por isso, também os irmãos na morte dele disseram: "*Verdadeiramente* este irmão, enquanto vivia, *não foi conhecido*" (cf. Gn 42,8). – [6]Mas deixamos os louvores de Frei Bernardo para serem narrados por outros.

Capítulo XX – O irmão tentado que queria ter algum escrito da mão do santo

49 [1]Enquanto o santo permanecia recolhido na cela no Monte Alverne, um dos companheiros desejava ardentemente ter um escrito das palavras do Senhor – escrito que o revigorasse –, anotado brevemente pela mão de São Francisco. [2]Acreditava que a partir daí escaparia de uma grave tentação – não da carne, mas do espírito – pela qual era atormentado, ou certamente a suportaria mais facilmente. [3]Atormentando-se por tal desejo, temia manifestar a coisa ao santíssimo pai; mas a quem o homem não disse *o Espíri-*

to revelou (cf. 1Cor 2,10). [4]Num certo dia, pois, o bem-aventurado Francisco chama-o, dizendo: "Traze-me *pergaminho e tinta* (cf. 2Jo 12), porque quero escrever as palavras do Senhor e os louvores *que meditei no meu coração*" (cf. Sl 78,7). [5]Trazidas imediatamente as coisas que pedira, ele escreve de próprio punho os louvores de Deus e as palavras que quis e, por fim, a bênção para o irmão, dizendo: "*Recebe* este pergaminho *para ti* (cf. Gn 28,2) e guarda-o diligentemente até ao dia de tua morte". [6]Imediatamente é expulsa toda tentação; a carta é conservada e posteriormente fez coisas admiráveis.

Capítulo XXI – O mesmo irmão a quem ele deu a túnica, de acordo com seu desejo

50 [1]Outro fato maravilhoso do santo pai se manifestou no mesmo irmão. [2]No tempo em que ele estava enfermo no palácio em Assis, o mencionado irmão *pensou consigo mesmo, dizendo* (cf. Sb 2,1; Mt 16,7): [3]"Eis que o pai se aproxima da morte, e *minha alma se consolaria* (cf. Sl 76,3) sobremaneira, se depois da morte dele eu tivesse a túnica do meu pai". [4]Como se *o desejo do coração* (cf. Sl 20,3) fosse um pedido da boca, depois de pouco tempo, o bem-aventurado Francisco chama-o, dizendo: "Dou-te esta túnica; [5]recebe-a para que doravante seja tua; embora eu a vista enquanto vivo, no entanto, ela te pertencerá na [minha] morte". [6]Admirado de tão profunda intuição do pai, o irmão, finalmente consolado, aceitou a túnica, e depois a santa devoção a levou para a França.

Capítulo XXII – O aipo encontrado de noite entre as ervas agrestes a mando dele

51 [1]Nos últimos períodos de sua enfermidade, querendo comer aipo já bem tarde da noite, pediu-o com humildade. [2]O cozinheiro, que fora chamado para que o trouxesse, *respondeu* que naquele momento não se podia colher nada na horta, *dizendo* (cf. Jo 8,14): "Colhi aipos todos os dias e cortei tanto que, mesmo com luz clara, mal posso colher alguma coisa de lá. Quanto mais, estando agora densas as trevas, não conseguirei distingui-los entre outras ervas". [3]Disse-lhe o santo: "Vai, irmão, e não te seja pesado; e traze as primeiras ervas que tocares com a mão". [4]O irmão foi à horta e, arrancando as ervas agrestes que primeiro lhe acorreram – ele não via nada –, levou-as para casa. [5]Os irmãos olham as ervas silvestres e, tendo-as revolvido cuidadosamente, encontraram entre elas um aipo cheio de folhas e tenro. [6]Comendo um pouco dele, o santo ficou muito confortado. [7]E disse o pai aos irmãos: *"Irmãos caríssimos* (cf. Fl 4,1), cumpri o preceito à primeira palavra e não espereis que se diga de novo. [8]Nada, pois, alegueis como pretexto de impossibilidade, porque ainda que eu mandasse acima das forças, não faltariam forças à obediência". – [9]E até este ponto o espírito fez valer a prerrogativa do *espírito de profecia* (cf. Ap 19,10).

Capítulo XXIII – A fome que predisse que aconteceria depois de sua morte

52 [1]De vez em quando, os santos homens são forçados pela inspiração do Espírito Santo a falar algumas coisas admiráveis sobre si mesmos, a saber, quando a glória de Deus exige *revelar a palavra* (cf. 1Sm 3,7) ou quando a ordem da caridade o postula para a edificação do próximo. [2]É por esta razão que o bem-aventurado pai, num dia, *proferiu esta palavra* (cf. 1Mc 15,32) a um irmão *a quem* muito *amava* (cf. Jo 19,20), palavra que então trouxera do lugar mais secreto da Majestade, que lhe era familiar. [3]Disse: "Hoje, há um servo de Deus sobre a terra, por causa de quem – enquanto este viver – Deus não permite que *a fome exerça sua crueldade* (cf. Gn 26,1) entre os homens". [4]Não teve nada de vaidade, mas era santa a narração que a santa *caridade* – aquela que *não busca as coisas que são suas* (cf. 1Cor 13,5) – pronunciou para nossa edificação com palavras santas e modestas; nem devia ser calada com silêncio inútil a prerrogativa de tão admirável afeição de Cristo para com seu servo. [5]Pois, todos nós que *vimos sabemos* (cf. Jo 3,11) quão tranquilos e pacíficos correram os tempos, com quanta fertilidade de todos os bens transbordaram, enquanto o servo de Cristo viveu. [6]Não havia *fome da palavra de Deus* (cf. Am 8,11), pois que as palavras dos que pregavam eram então especialmente cheias de virtude, pois que os corações de todos os ouvintes eram *dignos da aprovação de Deus* (cf. 2Tm 2,15). [7]Os exemplos de santidade refulgiam na figura dos religiosos, e a hipocrisia dos [sepulcros] caiados ainda não havia infetado tantos santos, e também a doutrina *dos que se disfarçam* (cf. 2Cor 11,13) não havia introduzido tanta curiosidade. [8]Por conseguinte, com razão havia profusão de bens temporais, visto que todos amavam tão verdadeiramente os bens eternos.

53 [1]Na verdade, depois que ele foi tirado [deste mundo], virada completamente a ordem, tudo *se transformou* (cf. Sb 2,15); pois *guerras e revoluções* (cf. Lc 21,9) desencadearam-se em toda parte, e a calamidade de diversas mortes percorreu de repente muitos reinos. [2]Também a atrocidade da fome difundiu-se em todas as direções, e a crueldade dela, que supera a desgraça de todas as coisas, dizimou a muitos. [3]Pois a necessidade transformou tudo em alimento e levava para ser mastigado pelos dentes humanos o que os animais não tinham costume de comer. [4]Na verdade, com cascas de nozes e de árvores se faziam pães, e a piedade paterna, impelida pela fome, não lamentava a morte do filho – para dizermos mais brandamente –, como ficou claro pela confissão de alguém. [5]Mas para manifestar claramente quem fora aquele *servo fiel* (cf. Mt 24,45) por cujo amor a repreensão divina suspendeu a mão do castigo, o bem-aventurado pai Francisco, decorridos poucos dias depois de sua morte, revelou manifestamente ao irmão a quem em vida predissera a futura calamidade que era ele aquele servo do Senhor. [6]Numa noite, pois, quando aquele irmão dormia, *chamou*-o com voz clara, *dizendo* (cf. Jo 11,28): "Irmão, já vem a *fome* que, enquanto eu vivia, o Senhor não permitia que viesse *sobre a terra* (cf. Sl 104,16)". [7]Despertando o irmão a [esta] voz, relatou *tudo* depois *por ordem* (cf. Est 15,9). [8]E na terceira noite depois disto, o santo apareceu-lhe de novo e repetiu palavras semelhantes.

Capítulo XXIV – Clareza do santo e ignorância nossa

54 [1]A ninguém deve parecer estranho, se o profeta de nosso tempo brilhava com tais privilégios; na verdade, desprendido das trevas das coisas terrenas, não submisso aos prazeres da carne, o intelecto voava livre às realidades do alto e entrava puro na luz. [2]Assim, iluminado pelos fulgores *da luz eterna* (cf. Sb 7,26), trazia do Verbo o que ressoava em [suas] palavras. [3]Ai! Como hoje somos diferentes nós que, *envolvidos pelas trevas* (cf. Jó 37,19), ignoramos até mesmo as coisas necessárias! [4]Por que causa crês, a não ser porque, amigos que somos da carne, também nós próprios nos inserimos no pó das coisas mundanas? [5]Certamente, se nós *levantarmos nossos corações juntamente com as mãos ao céu* (cf. Lm 3,41), se escolhermos estar suspensos para as coisas eternas, talvez conheceríamos o que desconhecemos: a Deus e a nós mesmos. É inevitável que quem se revolve na lama veja a lama; é impossível que o olho fixo no céu não veja as coisas celestes.

A pobreza

Capítulo XXV – O louvor à pobreza

55 [1]*Colocado no vale de lágrimas* (cf. Sl 83,7), este bem-aventurado pai desdenha as míseras riquezas comuns *dos filhos dos homens* (cf. Sl 30,20) e, ambicionando o mais alto vértice, cobiça a pobreza *de todo o seu coração* (cf. Sir 47,10). [2]Percebendo que ela era amiga íntima do *Filho de Deus* (cf. Hb 7,3), e agora expulsa *em todo o mundo* (cf. Est 9,28), esforça-se por desposá-la *com amor eterno* (cf. Jr 31,3). [3]Portanto, *tornando-se amante da beleza dela* (cf. Sb 8,2), para *ligar-se* mais fortemente *à esposa* e *serem os dois um só espírito* (cf. Gn 2,24; Mt 19,5), não só *deixou pai e mãe* (cf. Gn 2,24; Mc 10,7), mas também se desfez de todas as coisas. [4]Por isso, apertou-a com castos abraços e não suporta deixar de ser esposo dela *sequer por uma hora* (cf. Gl 2,5). [5]Dizia a seus filhos que ela é a via da perfeição, o penhor e a garantia das riquezas eternas. [6]Ninguém tão ávido do ouro quanto ele da pobreza, ninguém mais solícito em guardar o tesouro do que este [em guardar] *a pérola* (cf. Mt 13,45-46) do Evangelho. [7]Principalmente nisto sua vista era ofendida: quando em casa ou fora via nos irmãos algo contrário à pobreza. [8]Na verdade, ele próprio, desde o princípio da Religião até à morte, rico tão somente com uma túnica, o cordão e os calções, não teve nada mais. [9]O seu hábito pobre indicava onde ele ajuntava suas riquezas. [10]Daí, alegre, seguro, desembaraçado para correr, alegrava-se por ter trocado os tesouros que hão de perecer pelo cêntuplo.

A pobreza das casas

Capítulo XXVI

56 [1]Ensinava os seus a construírem pequenas habitações pobrezinhas, de madeira e não de pedra, e a erigirem as cabanas com aparência desprezível. [2]E, muitas vezes, fazendo um sermão sobre a pobreza, recordava aos irmãos aquela palavra do Evangelho: *As raposas têm suas tocas, e os pássaros do céu seus ninhos; o Filho de Deus, porém, não teve onde reclinar a cabeça* (cf. Mt 8,20; Lc 9,58).

Capítulo XXVII – A casa que começou a destruir na Porciúncula

57 [1]Numa ocasião, quando se devia realizar um Capítulo em Santa Maria da Porciúncula e como *o tempo já estivesse próximo* (cf. 2Tm 4,6), considerando o povo que ali não havia casa, ignorando e, ao mesmo tempo, estando ausente o *homem de Deus* (cf. 2Rs 4,42), eles constroem muito rapidamente uma casa para o Capítulo. [2]Finalmente, voltando o pai para lá, viu a casa e, indignando-se, ficou intensamente amargurado. [3]Imediatamente se levanta para eliminar por primeiro a construção, *sobe ao teto* e coloca abaixo as placas com as *telhas* (cf. Lc 5,19) *com mão forte* (cf. Ez 20,34). [4]Manda também que os irmãos subam e retirem para longe o monstro contrário à pobreza. [5]Pois dizia que muito depressa se espalharia pela Ordem e seria aceito por todos como exemplo o que naquele lugar parecesse mais arrogante. [6]Portanto, teria derrubado esta casa até aos fundamentos, se os cavaleiros que estavam presentes, dizendo que ela era da comuna e não dos irmãos, não tivessem feito oposição ao seu fervor de espírito.

Capítulo XXVIII – A casa de Bolonha da qual expulsou os doentes

58 [1]Numa ocasião, voltando de Verona e querendo passar por Bolonha, ouviu dizer que ali havia sido construída recentemente uma casa dos irmãos. [2]Ele, pelo fato que a expressão "casa dos irmãos" lhe causou ruído [aos ouvidos], desviou o passo e, não se dirigindo a Bolonha, passou por outra parte. [3]Manda finalmente aos irmãos que saiam depressa da casa. [4]Por causa disto, tendo eles deixado a casa, nem os irmãos enfermos ficam, mas são expulsos com os outros. [5]E não se dá a licença de voltar, enquanto o senhor Hugolino, então bispo de Óstia e legado na Lombardia, não proclamasse, pregando publicamente, que a predita casa era sua. [6]*Dá testemunho e escreve estas coisas* (cf. Jo 21,24) aquele que então estava doente e foi posto para fora da casa.

Capítulo XXIX – A cela feita em seu nome na qual não quis entrar

59 [1]Não queria que os irmãos habitassem qualquer eremiteriozinho, se não constasse certo o dono a quem pertencia a propriedade. [2]Pois sempre procurava nos filhos *as leis dos peregrinos* (cf. Ex 12,49), a saber, hospedar-se sob teto alheio, perambular pacificamente, ansiar pela pátria. [3]No eremitério de Sarteano, como um irmão interrogado por outro de onde vinha tivesse respondido: "Da cela de Frei Francisco", o santo, tendo ouvido isto, respondeu: [4]"Desde que impuseste o nome de Francisco à cela, apropriando-te dela para mim, que procures um outro habitante para ela; pois, doravante não morarei nela". [5]E disse: "O Senhor, quando esteve na solidão, onde rezou e *jejuou durante quarenta dias* (cf. Mt 4,2), não mandou que aí fosse feita cela ou qualquer casa, mas permaneceu sob uma rocha da montanha. [6]Podemos segui-lo na forma prescrita, nada tendo de propriedade, embora não possamos viver sem o uso de casas".

A pobreza dos utensílios

Capítulo XXX

60 [1]Este homem não somente odiava a ostentação das casas, mas também os muitos utensílios delas e detestava muito os requintados. [2]Não gostava de nada nas mesas, de nada nas vasilhas com que se recordasse do mundo, para que tudo cantasse a peregrinação, tudo cantasse o exílio.

Capítulo XXXI – Exemplo da mesa preparada em Greccio no dia da Páscoa; e como, a exemplo de Cristo, se apresentou como peregrino

61 [1]Num *dia de Páscoa* (cf. Lc 2,41), aconteceu que os irmãos no eremitério de Greccio prepararam a mesa mais acuradamente do que de costume com toalhas brancas e copos de vidro. [2]E, ao descer da cela, o pai chega à mesa, vê-a colocada no alto e futilmente ornada; mas de modo algum sorri para a mesa que lhe sorri. [3]Furtivamente e pé ante pé, ele recua o passo, coloca em sua cabeça o chapéu de um pobre que então estava presente e, tomando um bastão na mão, *vai para fora* (cf. Sl 40,7). [4]Espera *fora à porta* (cf. Jo 18,16) até que os irmãos começam a comer; na verdade, eles não costumavam esperá-lo quando não vinha ao sinal. [5]Tendo eles começado a comer, o verdadeiro *pobre clama* (cf. Sl 33,7) à porta e diz: "Por amor do Senhor Deus, *dai uma esmola* (cf. Mt 6,2) a este peregrino pobre e enfermo". [6]Respondem os irmãos: "Entra para cá, homem, por amor daquele que invocaste". [7]Então, ele entra de repente e apresenta-se aos comensais. [8]Mas, quanta estupefação crês que o peregrino causou aos cidadãos? [9]Dá-se um prato ao que pede, e ele, sentando-se sozinho no chão, coloca o prato na cinza. [10]Disse: "Agora estou sentado como um frade menor"; e diz aos irmãos: "Os exemplos da pobreza *do Filho de Deus* (cf. Jo 5,25) devem obrigar mais a nós do que aos outros religiosos. [11]Vi a mesa preparada e ornada e não reconheci que era de pobres que andam de porta em porta". – [12]O encadeamento do fato prova que este *peregrino* foi semelhante àquele que no mesmo dia *estava sozinho em Jerusalém* (cf.

Lc 24,18). [13]No entanto, à medida que *falava, abrasava o coração* (cf. Lc 24,32) dos discípulos.

Capítulo XXXII – Contra a curiosidade dos livros

62 [1]Ensinava a buscar nos livros *o testemunho do Senhor* (cf. Sl 18,8) e não o valor material, a edificação e não a beleza. [2]E queria que se possuíssem poucos e que os mesmos estivessem disponíveis para a necessidade dos irmãos que precisavam. [3]Por isso, quando um ministro pediu licença para ter livros preciosos e muito valiosos, ouviu dele: "Não quero pelos teus livros perder o livro do Evangelho que prometi [observar]. [4]Tu *farás o que quiseres* (cf. 2Sm 24,12); não se fará da minha licença um laço".

A pobreza das camas

Capítulo XXXIII – Exemplo do senhor de Óstia; e o louvor a ele

63 [1]Nos leitos e roupas de cama, de tal modo transbordava a copiosa pobreza que quem tivesse paninhos já usados sobre palhas considerava-os um tálamo. [2]Por isso, numa ocasião em que se realizava um Capítulo em Santa Maria da Porciúncula, aconteceu que o senhor de Óstia se dirigiu para lá com grande número de cavaleiros e de clérigos para visitar os irmãos. [3]Ao ver como os irmãos *se deitavam por terra* (cf. Jt 14,16) e ao considerar os leitos que crerias fossem tocas de feras, derramando amargas lágrimas, ele disse diante de todos: "Eis que aqui dormem os irmãos". [4]E acrescentou: "E *o que será de nós* (cf. Mt 19,27), míseros, que usamos tanta superfluidade?" [5]Todos os que estavam presentes, compungidos até às lágrimas, retiraram-se muito edificados. – [6]Este foi aquele senhor de Óstia que, tornando-se finalmente *porta principal* (cf. 1Cor 16,9) da Igreja, sempre resistiu aos inimigos, até que entregou ao céu a hóstia sagrada, aquela alma feliz. [7]Ó coração cheio de piedade, ó entranhas da caridade! [8]Colocado no alto, lamentava não ter altos méritos, quando na verdade era mais sublime pela virtude do que pela dignidade.

Capítulo XXXIV – O que lhe aconteceu numa noite, devido a um travesseiro de penas

64 [1]Porque fizemos menção das camas, ocorre uma outra coisa talvez útil de se contar. [2]Desde o tempo em que este santo *convertido a Cristo* (cf. At 11,21) *relegou ao esquecimento* (cf. Lm 2,6) *as coisas que são do mundo* (cf. 1Cor 7,33), não quis deitar-se em colchão nem ter travesseiro de penas à cabeça. [3]Nem a enfermidade nem a hospitalidade fora de casa quebravam a barreira deste rigor. [4]E aconteceu que, no eremitério de Greccio, estando ele mais atormentado do que de costume pela enfermidade dos olhos, foi obrigado contra a vontade ao uso de um pequeno travesseiro. [5]Então, na vigília matutina da primeira noite, o santo chama o companheiro e diz-lhe: "Irmão, não pude dormir nesta noite nem ficar de pé para a oração. [6]A cabeça treme, os joelhos vacilam e toda a máquina do corpo se sacode, como se eu tivesse comido pão de joio. [7]Creio que o demônio esteja neste travesseiro que tenho à cabeça. [8]Tira-o, porque não quero mais o demônio à cabeça". [9]O irmão compadece--se do pai com queixoso lamento e recebe o travesseiro que lhe fora jogado para levar para fora. [10]E assim, ao sair, perde a fala de repente e é apertado e amarrado por tão grande horror que não consegue nem mover os pés do lugar nem mexer os braços para lado algum. [11]Pouco depois, chamado pelo santo que se apercebeu disto, ele fica livre, volta e narra *o que sofreu* (cf. Hb 5,8). [12]Disse-lhe o santo: "De tarde, quando eu rezava as Completas, percebi com clareza que o demônio ia à cela". [13]E de novo disse: "Nosso inimigo é muito astuto e cheio de ardis; quando ele não pode causar danos dentro da alma, pelo menos empresta ao corpo matéria para murmurar". – [14]Ouçam os que colocam *almofadas por todos os lados* (cf. Ez 13,18) para que, onde caírem, sejam acolhidos em coisas moles. [15]O demônio segue de boa vontade a opulência das coisas, alegra-se por estar ao lado dos leitos preciosos, principalmente onde a necessidade não obriga e a profissão o contradiz. [16]A *antiga serpente* (cf. Ap 12,9) foge não menos do homem nu, seja por desprezar a companhia do pobre seja por ter pavor da sublimidade da pobreza. [17]Se o irmão considerar que o demônio está debaixo das penas [do travesseiro], sua cabeça estará contente com a palha.

Exemplos contra o dinheiro

Capítulo XXXV – Dura correção do irmão que o tocou com as mãos

65 [1]E o amigo de Deus, desprezando com o maior empenho tudo *que é do mundo* (cf. 1Cor 7,33), execrava acima de tudo o dinheiro. [2]Desde o início de sua conversão, ele o vilipendiou de maneira especial e recomendou aos que o seguiam que se deve fugir dele como do demônio. [3]Esta era a sagacidade dada por ele aos seus: que avaliassem o esterco e o dinheiro com a mesma estima. – [4]*Num dia, aconteceu* (cf. Gn 39,11) que um secular entrou na igreja de Santa Maria da Porciúncula para rezar; como oferta ele depositou um dinheiro junto da cruz. [5]Tendo-se ele retirado, um irmão, tomando-o com simplicidade com a mão, atirou-o numa janela. [6]Chega ao santo o que o irmão fizera; vendo-se ele apanhado em flagrante, corre ao perdão e, prostrado, apresenta-se ao castigo. [7]O santo censura-o e repreende-o asperamente com relação ao dinheiro tocado. [8]Ordena-lhe tomar o dinheiro da janela com a própria boca e depositá-lo com a boca sobre o esterco de burro fora da cerca do eremitério. [9]E enquanto aquele irmão cumpre a ordem, o temor enche os corações de todos os que ouviam. [10]Daí em diante, todos desprezam mais aquilo que deste modo é comparado ao esterco e se animam a cada dia com novos exemplos ao desprezo dele.

Capítulo XXXVI – Castigo do irmão que uma vez recolheu dinheiro [do chão]

66 [1]Uma vez, dois irmãos, andando juntos, se aproximam de um hospital de leprosos. [2]No caminho, eles acham uma moeda, param, discutem sobre o que se deve fazer do esterco. [3]Um dos dois, zombando da consciência do irmão, tenta apanhar a moeda para oferecer aos leprosos servos do dinheiro. [4]O companheiro proíbe-

-lhe como a quem está enganado por falsa piedade, inculcando no temerário a palavra da regra, pela qual fica muito claro que dinheiro achado deve ser calcado aos pés como pó. [5]Ele endurece o coração às advertências, pois por costume sempre foi de *cabeça-dura* (cf. Ex 32,9). [6]Despreza a regra, inclina-se e apanha a moeda; mas não escapa do julgamento divino. [7]Perde imediatamente a fala, *range os dentes* (cf. Sl 34,16), não consegue falar. [8]Assim, o castigo dá a conhecer o insano, assim a vingança ensina o soberbo a obedecer às leis do pai. [9]Finalmente, tendo atirado fora o fedor, *os lábios impuros* (cf. Is 6,5), lavados com as águas do arrependimento, se soltam em louvor. [10]É velho o provérbio: Corrige o estulto, e ele será [teu] amigo.

Capítulo XXXVII – Repreensão do irmão que queria reservar dinheiro sob pretexto de necessidade

67 [1]Certa vez, vendo o vigário do santo, Frei Pedro Cattani, que Santa Maria da Porciúncula era frequentada por multidões de irmãos de fora e que as esmolas não eram suficientes para prover as coisas necessárias, disse a São Francisco: "Irmão, *não sei o que fazer* (cf. Jo 15,15) e não tenho com que prover suficientemente aos irmãos que afluem aos bandos de toda parte. [2]Peço-te que permitas que se reservem algumas coisas dos noviços que entram, às quais se possa recorrer para gastar *em tempo oportuno*" (cf. Sl 144,15). [3]Respondeu o santo: "Irmão caríssimo, Deus nos livre desta piedade: que por qualquer homem se aja de maneira ímpia contra a regra". [4]E ele disse: "Então, *o que farei?*" (cf. Jo 15,15). Disse [o santo]: "Despoja o altar da Virgem e retira o ornato variegado, quando de outra maneira não puderes socorrer aos necessitados. [5]Crê em mim, agradar-lhe-á mais que seja observado o Evangelho de seu Filho e que seu altar seja despojado do que ter o altar ornado e o Filho desprezado. [6]O Senhor enviará quem restitua à Mãe o que ela nos emprestou".

Capítulo XXXVIII – O dinheiro transformado em cobra

68 [1]Passando uma vez *o homem de Deus* (cf. Jz 13,6.8) com um companheiro pela Apúlia perto de Bari, encontrou no caminho uma grande bolsa, que na linguagem dos comerciantes se chama *funda*, inchada de moedas. [2]É advertido pelo irmão e tentado com insistência a que se apanhe a bolsa do chão e se distribua o dinheiro aos pobres. [3]Exalta-se a compaixão para com os necessitados, e elogia-se a misericórdia na distribuição do dinheiro. [4]O santo recusa-se terminantemente a fazê-lo e afirma que é astúcia do demônio. [5]Diz: "Não é permitido, filho, tomar coisas alheias; dar coisas alheias não merece glória, mas é pecado que merece castigo". [6]Afastam-se do lugar, apressam-se em terminar *a viagem começada* (cf. Jz 19,14). Mas o irmão ainda não ficou quieto, iludido por falsa piedade; *continua ainda* (cf. 2Sm 5,22) a sugerir a transgressão. [7]O santo consente em voltar ao lugar, não *para cumprir o desejo* (cf. Nm 15,8) do irmão, mas *para mostrar* ao tolo o *mistério* (cf. Dn 2,29) divino. [8]Chama um jovem que *se achava sentado sobre um poço* (cf. Jo 4,6) à beira do caminho *para que, pela boca de duas ou três testemunhas* (cf. Mt 18,16), se manifeste o segredo da Trindade. [9]Tendo os três retornado à *funda*, veem-na recheada de moedas. [10]O santo proíbe a qualquer um deles de aproximar-se, para que, por força da oração, seja denunciada a falácia do demônio. [11]Retirando-se dali *o quanto é um tiro de pedra* (cf. Lc 22,41), dedica-se à sagrada oração. [12]Voltando da oração, manda o irmão levantar a bolsa que, enquanto ele rezava, continha uma cobra em vez de dinheiro. [13]O irmão treme e fica estupefato e, já pressentindo não sei o quê, revolve no ânimo outras coisas do que as de costume. [14]Finalmente, lançando fora a hesitação do coração pelo temor da santa obediência, toma a bolsa nas mãos. [15]E eis que uma serpente não pequena, ao sair da bolsa, mostrou ao irmão o engano diabólico. [16]E disse-lhe o santo: "Irmão, o dinheiro para nós, *servos de Deus* (cf. Gn 50,17), nada mais é do que o demônio e uma cobra venenosa".

A pobreza das vestes

Capítulo XXXIX – Como o santo repreende, por palavra e exemplo, os que se vestem com roupas macias

69 [1]*Revestido da virtude do alto* (cf. Lc 24,49), este homem se aquecia mais interiormente com o fogo divino do que exteriormente com uma coberta do corpo. [2]Execrava os que na Ordem *se vestiam com roupas* triplicadas e usavam, além da necessidade, [vestes] *macias* (cf. Mt 11,8). [3]Afirmava que é sinal *de espírito extinto* (cf. 1Ts 5,19) a necessidade manifestada não pela razão, mas pelo prazer dos sentidos. [4]Disse: "Estando o espírito tépido e resfriando-se pouco a pouco a graça, a carne e o sangue sentem necessidade de *buscar as coisas que são suas* (cf. Fl 2,21). [5]Quando a alma não encontra seus prazeres, o que resta, pois, a não ser que a carne se volte para os seus? [6]E, então, o apetite animal disfarça a circunstância da necessidade, e *o entendimento carnal* (cf. Cl 2,18) forma a consciência". [7]E acrescentava: "Se meu irmão tiver verdadeira necessidade, qualquer uma que o atinja com a miséria: se se apressa em satisfazê-la e em expulsá-la para longe de si, *que recompensa receberá?* (cf. Gn 29,15). [8]Na verdade, apresentou-se a ocasião de merecimento, mas esforçou-se por provar que lhe desagradara". [9]Espetava com estas e semelhantes palavras os que não sabiam lidar com as necessidades, pois que não suportá-las pacientemente nada mais é do que voltar para o Egito.

[10]Afinal não quer que em nenhuma ocasião os irmãos tenham mais do que duas túnicas, no entanto, permite reforçá-las com remendos costurados. – [11]Exorta a detestar os panos delicados e critica asperamente diante de todos os que fazem coisas contrárias; e para confundir a estes com seu exemplo, *costura um saco* (cf. Jó 16,16) grosseiro sobre a própria túnica; também na morte pediu que a túnica exequial fosse coberta com um saco barato.

[12]E aos irmãos obrigados pela enfermidade ou outra necessidade ele permitia uma túnica macia por baixo junto ao corpo, mas de modo que exteriormente no hábito se conservasse a aspereza e a rudeza. [13]Dizia, pois: "O rigor ainda se afrouxará tanto, a tibieza dominará tanto que os filhos do pai pobre não se envergonharão absolutamente de vestir até escarlate, mudada somente a cor". – [14]A partir disso, ó pai, não é a *ti* que *mentimos como filhos de estranhos* (cf. Sl 17,46), antes é *nossa iniquidade que mente para si mesma* (cf. Sl 26,12). [15]Pois eis que [ela] se manifesta de maneira mais evidente do que a luz e cresce a cada dia.

Capítulo XL – Anuncia que os que se afastam da pobreza hão de ser corrigidos pela necessidade

70 [1]Por vezes, o santo também repetia estas palavras: "Quanto mais os irmãos se desviarem da pobreza, tanto mais o mundo se desviará deles, e eles *buscarão e não encontrarão* (cf. Ap 9,6). [2]Mas, se tiverem abraçado a minha senhora pobreza, o mundo os nutrirá, porque eles foram dados para a salvação do mundo". [3]E dizia novamente: "Há uma aliança entre o mundo e os irmãos; estes devem dar ao mundo o bom exemplo, e o mundo deve-lhes a provisão das necessidades. [4]Quando eles retirarem o bom exemplo por uma fé fingida, o mundo retirará a mão em justa censura".

[5]Ao cuidar da pobreza, *o homem de Deus* (cf. 2Rs 1,9.10) temia a multidão que a aparência, embora não a realidade, apresenta como rica. [6]Donde dizia: "*Ah se pudesse* – digo, se puder – *acontecer* (cf. Mc 14,35), que o mundo, vendo muito raramente os frades menores, se admirasse do pequeno número!" – [7]E assim, ligado à senhora pobreza com vínculo indissolúvel, espera não o presente, mas o futuro dote dela. – [8]Cantava com mais fervoroso afeto e com mais alegre júbilo os Salmos que falam da pobreza, como aquele: *A paciência dos pobres jamais será frustrada* (cf. Sl 9,19); e: *Vejam os pobres e se alegrem* (Sl 68,33).

O pedir esmola

Capítulo XLI – A recomendação da esmola

71 [1]O santo pai usava preferentemente as esmolas pedidas de porta em porta às oferecidas [espontaneamente]. [2]Dizia que a vergonha de mendigar é inimiga da salvação, confirmando que é santa aquela vergonha de mendigar que não recua o passo. [3]Louvava o rubor que nasce de uma fronte delicada, mas não a confusão causada pela vergonha. [4]Por vezes, exortando os seus a pedirem esmola, *usava* estas *palavras* (cf. Sir 20,8): [5]"Ide, porque nestes *últimos tempos* (cf. 1Jo 2,18) os frades menores *foram cedidos em empréstimo* (cf. 1Sm 1,28) ao mundo para que os eleitos cumpram para com eles aquilo de que serão exaltados pelo juiz: *O que fizestes a um dos meus irmãos menores, a mim o fizestes"* (Mt 25,40). [6]Donde, dizia que a Religião fora privilegiada *pelo grande Profeta* (cf. Lc 7,16) que exprimira de maneira tão evidente *o título e nome* (cf. 2Sm 18,18) dela. – [7]E por isso queria que os irmãos morassem não só nas cidades, mas também nos lugares ermos onde a todos fosse dada ocasião de ter [mais] mérito e fosse tirado aos maus *o véu da desculpa* (cf. Jo 15,22; 2Cor 3,16).

Capítulo XLII – Exemplo do santo sobre o pedir esmola

72 [1]Para não ofender uma vez sequer aquela santa esposa, *o servo de Deus excelso* (cf. At 16,17) costumava fazer isto: [2]se por acaso, convidado pelos senhores, devia ser honrado com mesas mais fartas, antes pedia pelas casas próximas dos vizinhos *pedaços de pão* (cf. Mt 15,36-37) e, em seguida, assim *enriquecido pela penúria* (cf. 2Cor 8,9), apressava-se para sentar-se à mesa. [3]Interrogado de vez em quando por que fazia isto, respondia que não queria deixar a herança estável por um feudo concedido por uma hora. [4]Disse: "A pobreza é que institui *os herdeiros* e reis *do reino dos céus* (cf. Mt 5,3; Tg 2,5), não as vossas falsas riquezas".

Capítulo XLIII – Exemplo que deu na cúria do senhor de Óstia e a sua resposta ao bispo

73 [1]Uma vez, como São Francisco visitasse o Papa Gregório, de venerável memória, ainda constituído em ofício menor, estando já próxima a hora da refeição, ele vai pedir esmolas e, ao voltar, coloca sobre a mesa do bispo os pedaços de pão preto. [2]Tendo visto isto, o bispo fica um pouco envergonhado, mormente por causa dos convivas convidados pela primeira vez. [3]E o pai, com semblante alegre, distribui aos cavaleiros e capelães que estão à mesa as esmolas recebidas que todos recebem com admirável devoção, comendo-as uns, reservando-as outros com reverência. [4]Terminada a refeição, o bispo levantou-se e, levando para dentro o homem de Deus, com os braços erguidos, *abraçou-o* (cf. Gn 33,4). [5]Disse: "Meu irmão, por que me causaste vergonha na casa que é tua e de teus irmãos, ao ires pedir esmolas?" [6]Respondeu-lhe o santo: "Pelo contrário, prestei--vos honra à medida que honrei o Senhor maior. [7]Na verdade, o Senhor *se comprazia na* (cf. Sl 67,17) pobreza, e especialmente naquela que é mendicidade voluntária. [8]E eu considero dignidade régia e insigne nobreza *seguir* aquele *Senhor* (cf. Mt 19,21) que, *sendo rico, por nós se fez pobre*" (cf. 2Cor 8,9). [9]E acrescentou: "Como mais deliciosamente de uma mesa pobre que é abastecida com pequenas esmolas do que de [mesas] grandiosas nas quais as iguarias *são sem número* (cf. Sl 39,13)". [10]Muito edificado a partir daí, o bispo disse ao santo: "Filho, *faze o que é bom aos teus olhos*, porque o Senhor está contigo" (cf. 1Sm 3,18; Js 1,9).

Capítulo XLIV – Exortação, pelo exemplo e pela palavra, a pedir esmola

74 [1]E no início, exercitando-se a si mesmo e poupando a vergonha dos irmãos, por vezes ele saía sozinho para pedir esmola. [2]E, ao ver que muitos não estavam devidamente atentos à sua vocação, disse uma vez: "*Caríssimos irmãos*, mais nobre do que nós era *o Filho de Deus* (cf. Fl 4,1; Mt 4,3) que por nós se fez pobre neste mundo. [3]Por seu amor, *escolhemos o caminho* (cf. Sl 118,30) da pobreza; não devemos envergonhar-nos de pedir esmolas. [4]Não convém de maneira alguma que *os herdeiros do reino* (cf. Tg 2,5) se envergonhem da garantia da herança eterna. [5]*Digo-vos* (cf. Mt 5,22) que *muitos nobres e sábios* (cf. 1Cor 1,26) hão de associar-se à nossa congregação, os quais considerarão honra mendigar esmolas. [6]Portanto, vós que sois as primícias deles, *alegrai-vos e regozijai-vos* (cf. Sl 31,11; Mt 5,12) e não recuseis fazer as coisas a serem feitas que deveis transmitir àqueles santos".

Capítulo XLV – Repreensão do irmão que não queria mendigar

75 [1]Muitas vezes, o bem-aventurado Francisco dizia que o verdadeiro frade menor não deveria ficar muito sem ir pedir esmolas. ²Dizia: "Quanto mais nobre é meu filho, tanto mais pronto seja para ir, porque desta maneira se lhe acumulam os méritos". – ³Havia num eremitério um irmão que era um ninguém para pedir esmola, mas valia por muitos para dirigir-se à mesa. ⁴Percebendo o santo o amigo do ventre *que participava* do fruto e *se desembaraçava* (cf. Hb 5,13) do trabalho, assim lhe falou uma vez: "Toma o teu caminho, irmão mosca, porque queres comer o suor de teus irmãos e estar ocioso *na obra de Deus* (cf. 1Cor 15,58). ⁵És semelhante ao irmão zangão que, não aguentando o trabalho das abelhas, quer por primeiro comer o mel". ⁶O homem carnal, reconhecendo que sua glutoneria fora descoberta, retorna ao mundo que ainda não havia abandonado. ⁷Saiu, pois, da Religião, e quem fora um ninguém para a esmola, já não era nenhum irmão; quem valia por muitos para a mesa se torna um grande número de demônios.

Capítulo XLVI – Como, indo ao encontro do irmão que trazia esmola, lhe beijou o ombro

76 ¹Noutra ocasião, na Porciúncula, ao voltar um irmão de Assis com esmola, já próximo do eremitério, começou a prorromper em canto e *a louvar o Senhor* (cf. Sl 134,1) em alta voz. ²Tendo-o ouvido, o santo salta de repente, corre para fora e, tendo beijado o ombro do irmão, coloca o saco em seu próprio ombro e ³diz: "Bendito seja meu irmão que vai com prontidão, pede com humildade e *volta alegrando-se*" (cf. Lc 10,17).

Capítulo XLVII – Como convenceu os cavaleiros seculares a pedirem esmola

77 ¹Aconteceu que o bem-aventurado Francisco, cheio de enfermidades e já quase próximo do fim, foi procurado no eremitério de Nocera pelo povo de Assis, tendo sido destinados mensageiros solenes, *para não darem a outro* [povo] *a sua glória* (cf. Is 42,8) de ter o corpo *do homem de Deus* (cf. 1Rs 13,29). ²E como os cavaleiros o transportassem reverentemente em cavalos, chegaram a uma vila paupérrima de nome Satriano. ³Aí, como a fome e a hora reivindicassem uma refeição, os cavaleiros, indo *e não encontrando nada* (cf. Mt 21,19) à venda, voltaram ao bem-aventurado Francisco, dizendo: "É necessário que nos dês de tuas esmolas, porque aqui *nada* podemos *ter* (cf. 2Cor 6,10) para comprar". [4]*Respondeu o santo e disse* (cf. Jo 4,13): "Não encontrais, porque *confiais* mais em vossas moscas do que *em Deus*" (cf. Mt 27,43). Chamava, pois, as moedas de moscas. [5]Disse ainda: "Voltai às casas que percorrestes e, oferecendo o amor de Deus em vez de moedas, pedi esmola humildemente! [6]Não vos envergonheis, porque depois do pecado todas as coisas foram concedidas em esmola, e aquele grande esmoler com clemente piedade as distribui aos dignos e aos indignos". [7]Os cavaleiros deixam de lado a vergonha e, pedindo esmolas prontamente, compram mais coisas com o amor de Deus do que com moedas. [8]Na verdade, todos a modo de competição deram com alegria, e não houve *fome* onde *prevaleceu* (cf. Gn 12,10) a opulenta pobreza.

Capítulo XLVIII – O pedaço de frango transformado em peixe em Alexandria

78 [1]Na doação das esmolas, ele buscava mais o lucro das almas do que o subsídio do corpo e *colocava*-se *como exemplo* (cf. Na 3,6) para os outros tanto em *dá-las* como em *recebê-las* (cf. Sir 4,36). – [2]De fato, ao dirigir-se a Alexandria da Lombardia *para pregar a palavra de Deus* (cf. At 13,5) e ao ser devotamente *recebido em hospedagem* (cf. 1Tm 5,10) por *um homem temente a Deus* (cf. Jó 1,1; 2,3) e de fama louvável, rogado por ele a que por obediência ao santo Evangelho *comesse* de tudo que fosse *colocado à mesa* (cf. Lc 10,8), anuiu benignamente, vencido pela devoção do hospedeiro. [3]Este vai às pressas e prepara cuidadosamente um frango de sete anos *para o homem de Deus* (cf. 2Rs 1,10) comer. [4]Estando o patriarca dos pobres sentado à mesa e alegrando-se a família, imediatamente se faz presente à porta *o filho de Belial* (cf. 1Sm 25,17), pobre de toda graça, simulando pobreza das coisas necessárias. [5]Propõe sagazmente o amor de Deus para pedir esmola e, com voz lacrimosa, pede por amor de Deus que lhe venha em auxílio. [6]O santo reconhece o nome *bendito sobre todas as coisas* (cf. Rm 9,5) e para ele *mais doce do que o mel* (cf. Jz 14,18); de muito boa vontade toma a coxa da ave colocada à mesa e dá-a, colocada sobre o pão, ao que lhe pede. [7]Que mais? O infeliz guarda o que lhe foi dado para prejudicar o santo.

79 [1]*No dia seguinte* (cf. Jo 1,43; 12,12), estando o povo reunido, o santo *prega a palavra de Deus* (cf. At 13,5), segundo seu costume. [2]De repente, aquele perverso ruge e tenta mostrar a coxa de frango *a todo povo* (cf. At 4,10). [3]Grita: "Eis aqui quem é este Francisco que prega, a quem honrais como santo: vede a carne que ele me deu, quando a comia ontem de tarde". [4]Todos repreendem aquele péssimo homem e o censuram como possuído do demônio. [5]Na verdade, todos viam que era um peixe aquilo que ele se esforçava por afirmar que era uma coxa de frango. [6]E o próprio mísero, estupefato pelo milagre, foi forçado a confessar o que os outros diziam. [7]Finalmente, o infeliz ficou envergonhado e lavou com a penitência *o crime descoberto* (cf. Js 7,15). [8]Pediu perdão ao santo diante de todos, expondo a perversa intenção que teve. [9]A carne voltou à sua forma depois que o *prevaricador voltou à razão* (cf. Is 46,8).

Os que renunciam ao mundo

Capítulo XLIX – Exemplo de alguém que distribuiu seus bens aos parentes e não aos pobres, a quem o santo reprovou

80 [1]Aos que vinham à Ordem o santo ensinava que, antes de darem ao mundo *a carta de repúdio* (cf. Mt 5,31), oferecessem primeiro as suas coisas exteriores e depois *oferecessem a si mesmos* interiormente *a Deus* (cf. Hb 9,14). [2]Admitia à Ordem tão somente os que já se haviam despojado e os que não retinham absolutamente nada, seja por causa da palavra do santo Evangelho (cf. Mt 19,21) seja para não *servirem de escândalo* (cf. Sl 105,36) da bolsa reservada.

81 [1]Na Marca de Ancona, depois da pregação do santo, aconteceu que alguém veio ter com ele, pedindo humildemente entrada na Ordem. [2]Disse-lhe o santo: "Se queres associar-te *aos pobres de*

Deus (cf. Tg 2,5), primeiramente *distribui* teus bens *aos pobres* (cf. 1Cor 13,3) do mundo". [3]Tendo ouvido isto, o homem foi e, levado por amor carnal, *distribuiu* os bens aos seus e nada *aos pobres* (cf. Sl 111,9). [4]E aconteceu que, ao voltar e relatar aquela generosa munificência ao santo, o pai lhe disse rindo: "Toma teu caminho, irmão mosca, porque ainda não *saíste da casa e de tua parentela* (cf. Gn 12,1). [5]Deste teus bens aos teus consanguíneos e *defraudaste os pobres* (cf. Sir 34,25), *não és digno* (cf. Mt 8,8) dos pobres santos. [6]Começaste pela carne, *colocaste fundamento* (cf. Sb 4,3) que ameaça ruína na estrutura espiritual". [7]Volta *o homem animal* (cf. 1Cor 2,14) aos seus e *pede de volta seus bens* (cf. Lc 6,30); não querendo deixá-los aos pobres, ele deixou mais depressa o propósito da virtude. – [8]Hoje, tal distribuição [dos bens] – digna de compaixão – induz ao erro muitos que buscam uma vida santa com início temporal. [9]Pois ninguém *se consagra a Deus* (cf. Jz 16,17) para *tornar ricos* (cf. Pr 10,22) os seus [parentes], mas para, *redimindo os pecados com o preço* (cf. Ex 13,13) da compaixão, *adquirir a vida com o fruto da boa obra* (cf. Rm 2,7; Fl 1,22).

[10]Ele ensinou também muitas vezes que, se os irmãos estivessem passando necessidade, antes recorressem aos outros do que aos que entram na Ordem, primeiramente por causa do bom exemplo e depois para evitar toda espécie de aproveitamento torpe.

Uma visão que tem da pobreza

Capítulo L

82 [1]Apraz-me relatar aqui uma visão do santo, digna de recordação. [2]Numa noite, concluída finalmente a longa oração, adormeceu lenta e profundamente. [3]Aquela alma santa é introduzida *no santuário de Deus* (cf. Sl 72,17) e vê *por meio de um sonho* (cf. Gn 20,3), entre outras coisas, uma senhora que assim se apresentava: *a cabeça* parecia *de ouro, o peito e os braços de prata, o ventre* de cristal, e *de ferro* os membros inferiores; era de *estatura* (cf. Dn 2,32-33) alta, de talhe esbelto e bem-formado. [4]Entretanto, a senhora *de forma* *egrégia* (cf. Ez 23,23) era coberta por um manto sujo. [5]*Levantando--se de manhã* (cf. Gn 24,54), o bem-aventurado pai narra a visão ao santo homem Frei Pacífico, mas não elucida o que significa.

[6]Embora muitos a tivessem interpretado como queriam, creio que se deve manter a interpretação não longe da interpretação do predito Frei Pacífico, a qual *o Espírito Santo* lhe *sugeriu* (cf. Jo 14,26), enquanto ele ouvia [a narração]. [7]Disse: "Esta senhora *de egrégia forma* (cf. Ez 23,23) é a formosa alma de São Francisco. [8]*A cabeça de ouro* é a contemplação e a sabedoria das realidades eternas; *o peito e os braços de prata* (cf. Dn 2,32) são *as palavras do Senhor* (cf. Sl 11,7) *meditadas no coração* (cf. Sl 118,11) e *realizadas em obras* (cf. Gn 11,6); [9]a rigidez do cristal designa a sobriedade, e o esplendor designa a castidade; o ferro é a firme perseverança; [10]o manto sujo – podes crer – é o corpo desprezível com o qual *a alma preciosa* (cf. Pr 6,26) se reveste".

[11]No entanto, muitos *que possuem o espírito de Deus* (cf. Dn 4,5; 1Cor 7,40) entendem que esta senhora é a pobreza, como esposa do pai. [12]Dizem: "O prêmio da glória a fez de ouro; o louvor da sua fama, de prata; uma única profissão sem usar bolsas dentro e fora de casa, cristalina; a perseverança final, de ferro. [13]A reputação *dos homens animais* (cf. 1Cor 2,14) teceu o manto sujo para esta preclara senhora".

[14]Muitos aplicam este oráculo à Religião, seguindo a sucessão dos tempos no curso de Daniel. – [15]Mas fica absolutamente claro que se refere ao pai a partir disso: evitando a arrogância, ele não quis de maneira alguma interpretar. [16]Na verdade, se se referisse à Ordem, ele não teria passado em mudo silêncio.

Compaixão de São Francisco para com os pobres

Capítulo LI – A compaixão que teve para com os pobres; e como invejava os pobres

83 [1]Que língua consegue narrar de quanta compaixão para com os pobres este homem foi dotado? [2]De fato, tinha uma clemência congênita que uma compaixão infusa duplicava copiosamente. [3]E assim, *o espírito* de Francisco *derretia-se* (cf. Ct 5,6) para com os pobres e, aos que não podia estender a mão, oferecia o afeto. [4]Com a mente voltada [para Cristo] e em rápida transferência, ele atribuía a Cristo tudo que via de necessidade, tudo que via de penúria em alguém. [5]Assim, ele lia em todos os pobres o Filho da Senhora pobre, trazendo nu no coração quem ela trouxe nu nas mãos. [6]E como tivesse banido de si *toda inveja* (cf. 1Pd 2,1), só não pôde ficar livre da inveja da pobreza. [7]Se por acaso visse um mais pobre do que ele próprio, imediatamente sentia inveja e temia ser vencido pelo outro, ao concorrer com pobreza rival.

84 [1]*Aconteceu num dia* (cf. Gn 39,11), quando *o homem de Deus* (cf. 1Sm 2,27) andava pregando por toda parte, que encontrou um pobrezinho no caminho. [2]Ao ver a nudez dele, volta-se compungido ao companheiro, dizendo: "A miséria deste homem causa-nos grande vergonha e repreende muito a nossa pobreza". [3]Respondeu-lhe o companheiro: "Por que razão, irmão?" E o santo, com voz de lamentação, respondeu: "Escolhi a pobreza como minha riqueza e como minha senhora, e eis que ela brilha mais neste homem. [4]Acaso ignoras que soou por todo mundo que nós somos extremamente pobres por amor de Cristo? Mas este pobre prova que é de outra maneira!" – [5]Ó inveja que nunca se vê! Ó competição a ser imitada pelos filhos! [6]Pois esta não é aquela que se aflige com relação aos bens alheios; não é aquela que se obscurece com os raios do sol; não é aquela que se opõe à piedade; não é aquela que se revolve na lividez. [7]Julgas que a pobreza evangélica não tem algo a ser invejado? Tem o Cristo, e por meio dele tem *tudo em todos* (cf. 1Cor 12,6). [8]Ó clérigo de nossos dias, o que desejas com os rendimentos? Amanhã, quando encontrares na tua mão os rendimentos dos tormentos, saberás que rico foi Francisco.

Capítulo LII – Como corrigiu um irmão que falou mal de um pobre

85 [1]Num outro dia de sua pregação, veio ao eremitério um homem pobrezinho e enfermo. [2]Compadecendo-se do duplo sofrimento dele, a saber, da pobreza e da doença, começou a ter uma conversa com o companheiro sobre a pobreza. [3]E, ao compadecer-se daquele que sofria, como já *tivesse passado ao afeto do seu coração* (cf. Sl 72,7), disse-lhe o companheiro: "Irmão, é verdade que ele é pobre, mas talvez em toda a província não haja mais rico pelo desejo". [4]Imediatamente, o santo o repreendeu e assim lhe disse, enquanto ele confessava sua culpa: "*Vai depressa e despe-te* (cf. Is 5,19; Br 5,1) de tua túnica e, lançando-te aos pés do pobre, proclama-te culpado! [5]Não somente peças perdão, mas suplica a oração dele!" [6]Obedeceu, deu a satisfação e voltou. [7]Disse-lhe o santo: "Quando vês um pobre, ó irmão, é-te proposto o espelho do Senhor e de sua Mãe pobre. [8]Considera igualmente nos enfermos *as enfermidades* que ele assumiu *por nós!*" (cf. Mt 8,17; Is 53,4). – [9]Em Francisco *havia* sempre *um ramalhete de mirra* (cf. Ct 1,12), ele sempre *olha para o rosto de seu Cristo* (cf. Sl 83,10), sempre toca com as mãos *o homem das dores, que conhece as enfermidades* (cf. Is 53,3).

Capítulo LIII – O manto dado a uma velhinha em Celano

86 [1]Em Celano, no tempo de inverno, aconteceu que São Francisco tinha um pano dobrado à maneira de manto que um homem de Tívoli, amigo dos irmãos, lhe emprestara. [2]E, quando estava no palácio do bispo dos Marsos, foi-lhe ao encontro uma velhinha *a pedir esmola* (cf. At 3,2). [3]Imediatamente ele soltou o pano do pescoço e, embora de propriedade alheia, o deu à pobre velhinha, dizendo: "Vai, faze para ti uma túnica, porque estás muito necessitada". [4]A velha ri e estupefata, não sei se por temor ou alegria, toma-lhe o pano das mãos. [5]Corre mais depressa e, para que a demora não traga o perigo do pedido de volta, corta-o com a tesoura. [6]E quando descobriu que o pano cortado não era suficiente para a túnica, ao ter experimentado a primeira benignidade, retorna ao santo, indicando o quanto falta no pano. [7]O santo volta os olhos ao companheiro, que trazia às costas o mesmo tanto de pano, e diz: "Irmão, ouves o que diz esta pobrezinha? [8]Toleremos o rigor do frio por amor de Deus, e dá o pano à pobrezinha para que complete a túnica". [9]Ele o dera, dá-o também o companheiro, e ambos ficam despidos para que a velhinha seja vestida.

Capítulo LIV – Outro pobre a quem deu outro manto

87 [1]Noutra ocasião, quando voltava de Sena, encontrou um pobre; e o santo disse ao companheiro: "Irmão, é necessário que restituamos o manto ao pobrezinho, pois a ele pertence. [2]*Recebemo--lo de empréstimo* (cf. Lc 6,34) até acontecer que encontremos alguém mais pobre". [3]O companheiro, considerando a necessidade do piedoso pai, opunha-se com firmeza a que não provesse o outro, descuidando de si mesmo. [4]Disse-lhe o santo: "Não quero *ser ladrão* (cf. Jo 12,6); ser-nos-ia imputado como furto, se não o dermos ao mais necessitado". [5]O outro desistiu, ele entregou o manto.

Capítulo LV – Fez algo semelhante a outro pobre

88 [1]Algo semelhante aconteceu em Celle di Cortona. [2]O bem-aventurado pai vestia um manto novo que os irmãos adquiriram com esforço para ele. [3]Veio um pobre ao eremitério, chorando a esposa morta e a família *pobrezinha abandonada* (cf. Sl 10,14). [4]Disse-lhe o santo: "Por amor de Deus, entrego-te este manto sob tal condição: que não o restituas a ninguém, a não ser que o compre por bom preço". [5]Os irmãos acorreram imediatamente para tomar o manto e impedir esta doação. [6]Mas o pobre, *tomando coragem* (cf. 2Cr 17,6) no rosto do santo pai, defendia-o com as mãos e unhas como próprio. [7]*Finalmente* (cf. 2Mc 5,5), os irmãos compraram de novo o manto, e o pobre, tendo recebido o preço, retirou-se.

Capítulo LVI – Como deu o manto a alguém para que não odiasse a seu senhor

89 [1]Numa ocasião, em Colle, no Condado de Perúgia, São Francisco encontrou um pobrezinho que conhecera anteriormente no mundo. [2]E disse-lhe: "Irmão, como vais?" [3]E ele, de mau humor, começou a *acumular maldições* (cf. Nm 5,19.23) contra seu patrão que lhe tomara todos os seus bens. [4]Disse: "Por causa do meu patrão, *a quem Deus onipotente amaldiçoe* (cf. Ap 1,8; Gn 5,29), só *ando mal*" (cf. Mt 4,24). [5]Compadecendo-se mais da alma do que do corpo dele, visto que persistia em ódio mortal, disse-lhe o bem-aventurado Francisco: "Irmão, perdoa a teu patrão por amor de Deus *para libertares tua alma* (cf. Est 4,13); e poderá ser que ele te *restitua as coisas tiradas* (cf. Ex 22,12). [6]Caso contrário, perdeste tuas coisas e *perderás a alma*" (cf. Lc 9,24). [7]E ele disse: "Absolutamente não posso perdoar, a não ser que ele [me] restitua o que tirou". [8]Como o bem-aventurado Francisco tivesse um manto às costas, disse-lhe: "Eis que te dou este manto e peço que perdoes a teu patrão por amor do *Senhor Deus*" (cf. Is 42,5). [9]Abrandado e incentivado pelo benefício, tendo tomado o presente, perdoou as injúrias.

Capítulo LVII – Como deu a um pobre a barra da túnica

90 [1]Uma vez, como nada tivesse em mãos para dar a um pobre que lhe pedia, descosturou a barra da própria túnica e deu-a ao pobre. – [2]Algumas vezes, despojou-se até dos calções em vista de semelhante ação. – [3]Tinha *entranhas de piedade* (cf. Cl 3,12) para com os pobres e seguia *os passos de Cristo* (cf. 1Pd 2,21) pobre nestes afetos.

Capítulo LVIII – Como mandou que fosse dado à mãe pobre de dois frades o primeiro Novo Testamento que houve na Ordem

91 [1]A mãe de dois irmãos veio uma vez ter com o santo, *pedindo esmola* (cf. At 3,2) com confiança. [2]Compadecendo-se dela, o santo pai disse a Frei Pedro Cattani, seu vigário: "Podemos *dar* alguma *esmola* (cf. Mt 6,2) à nossa mãe?" [3]Na verdade, ele dizia que a mãe de algum irmão era também sua mãe e de todos os irmãos. [4]Respondeu-lhe Frei Pedro: "Nada *há* em casa *que* lhe possa *ser dado*" (cf. Lc 11,41). [5]E acrescentou: "Temos um Novo Testamento em que, por não termos breviários, fazemos as leituras das Matinas". [6]Disse-lhe o bem-aventurado Francisco: "Dá o Novo Testamento à nossa mãe para que ela o venda para sua necessidade, porque por ele somos admoestados a ajudar os pobres. [7]Creio realmente que mais agradará a Deus a doação do que a leitura". [8]Portanto, o livro é dado à mulher, e o primeiro Testamento que houve na Ordem se vai por esta sagrada piedade.

Capítulo LIX – Como deu o manto a uma mulher pobre que sofria dos olhos

92 [1]No tempo em que São Francisco se hospedava no palácio do bispo de Rieti para tratar da enfermidade dos olhos, foi ao médico uma mulher pobrezinha de Maquilone que também tinha enfermidade semelhante à do santo. [2]Então o santo, falando familiarmente ao seu guardião, insinua estas coisas: "Irmão guardião, é necessário que restituamos o que é alheio". [3]Ele respondeu: "Pai, se há algo conosco, que se restitua". [4]Disse ele: "Restituamos este manto que *recebemos de empréstimo* (cf. Lc 6,34) daquela mulher pobrezinha, porque ela nada tem na bolsa para as despesas". [5]Respondeu o guardião: "Irmão, este manto é meu e não me foi emprestado por ninguém. [6]Usa-o até quando quiseres; depois que não quiseres usar, entrega-mo de volta". [7]Na realidade, pouco tempo antes, o guardião o havia comprado para a necessidade de São Francisco. [8]Disse-lhe o santo: "Irmão guardião, sempre foste cortês comigo; agora, te peço, mostra tua cortesia". [9]Respondeu o guardião: "Pai, faze como quiseres aquilo que *o espírito* te *sugere*" (cf. Jo 14,26). [10]Então, chamando um secular muito devoto, disse-lhe: [11]"Toma este manto e doze pães, *vai e fala* (cf. Ez 3,1) assim àquela mulher pobrezinha: [12]O pobre a quem emprestaste o manto agradece-te pelo empréstimo; mas agora *toma o que é teu!*" (cf. Mt 20,14). [13]Ele foi e disse como ouvira. [14]Pensando que *era enganada*, disse-lhe a mulher *cheia de rubor* (cf. Gn 27,12; Lc 14,9): "*Deixa-me em paz* (cf. 1Sm 20,13) com teu manto! *Não sei o que falas*" (cf. Mt 26,70). [15]O homem insiste e coloca-lhe tudo nas mãos. [16]Considerando ela que não havia fraude no fato e temendo que lhe fosse tirado lucro tão fácil, ela se levanta de noite e, não se preocupando com o tratamento dos olhos, volta para casa com o manto.

Capítulo LX – Como lhe apareceram três mulheres no caminho e, depois de uma saudação nova, desapareceram

93 [1]Narrarei em poucas palavras algo admirável, de interpretação duvidosa, mas certíssimo pela verdade. [2]Francisco, o pobre de Cristo, ao andar de Rieti a Sena para tratamento dos olhos, atravessava a planície perto de Rocca Campiglia, tendo como *companheiro de viagem* (cf. Gn 33,12) um médico ligado à Ordem. [3]E eis que apareceram três mulheres pobrezinhas à beira do caminho na passagem de São Francisco. [4]E eram tão semelhantes na estatura, na idade e na fisionomia que crerias [tratar-se de] três obras modeladas segundo uma única fôrma. [5]E assim, chegando São Francisco, elas inclinam reverentemente suas cabeças e o engrandecem com uma nova saudação. Dizem: "Bem-vinda, senhora Pobreza!" [6]Imediatamente, o santo *ficou repleto* de indizível *alegria* (cf. Sl 125,2); nada em si lhe agradava tanto ao ser saudado pelos homens do que aquilo que elas haviam percebido. [7]E, julgando que as mulheres eram realmente pobrezinhas, voltando-se ao médico que o acompanhava, disse: "Rogo-te por amor de Deus, dá-me algo para que eu possa dar a essas pobrezinhas". [8]Muito rapidamente ele tirou as moedas e, saltando do cavalo, deu-as a cada uma. [9]Então, prosseguem um pouco o caminho, quando, voltando logo os olhos, os irmãos e o médico percebem toda aquela planície sem a presença das mulheres. [10]Muito estupefatos, incluem o evento *nas maravilhas do Senhor* (cf. Sl 106,8.15), sabendo que não havia mulheres que *voassem* mais rápido *do que as aves* (cf. Sb 5,11).

O empenho de São Francisco na oração

Capítulo LXI – O tempo, o lugar e o afeto do orante

94 [1]Francisco, *o homem de Deus* (cf. 1Sm 2,27), *corporalmente distante do Senhor* (cf. 2Cor 5,6), lutava para manter *o espírito presente* (cf. 1Cor 5,3) no céu; e, já feito concidadão dos anjos, somente a parede da carne o separava. [2]Toda a sua *alma tinha sede do* (cf. Sl 62,2) seu Cristo, ele lhe dedicava não só todo o coração, mas também todo o corpo.

[3]Relatamos umas poucas *maravilhas* das suas orações a serem imitadas pelos pósteros, o quanto *vimos com* nossos *olhos* (cf. Sir 17,11), conforme é possível transmitir *a ouvidos humanos* (cf. 1Cor

2,9). [4]Fazia de todo o tempo um ócio santo, para gravar a *sabedoria no coração* (cf. Sir 45,31), para não parecer que fracassava, caso não progredisse. [5]Se por acaso as visitas dos seculares ou quaisquer negócios o surpreendiam, interrompendo-os antes de terminar, ele voltava novamente às realidades interiores. [6]Na verdade, o mundo era insípido para quem se alimentava da doçura celeste, e as delícias divinas o fizeram delicado para as grosserias dos homens.

[7]Sempre procurava *um lugar escondido* (cf. Mt 6,4) em que pudesse unir a seu Deus não só o espírito, mas também cada membro. [8]Quando era subitamente agraciado em público *pela visita do Senhor* (cf. Lc 1,68), para não estar sem cela, fazia do manto uma pequena cela. [9]Muitas vezes, faltando-lhe o manto, para não revelar *o maná escondido* (cf. Ap 2,17), cobria o rosto com a manga. [10]Sempre interpunha algo aos presentes, para que não conhecessem *o toque do esposo* (cf. Ct 5,4), de modo que, inserido entre muitos no estreito espaço de um navio, rezava sem ser visto. [11]Finalmente, não podendo nada destas coisas, fazia do peito um templo. [12]O esquecimento de si e a absorção em Deus fizeram desaparecer tosses e gemidos, respirações duras e gestos externos.

95 [1]Estas coisas em casa. Mas, rezando nas florestas e nos lugares solitários, enchia os bosques de gemidos, banhava os lugares de lágrimas, batia com a mão no peito e aí, encontrando como que um esconderijo mais oculto, conversava muitas vezes com palavras com seu Senhor. [2]Aí respondia ao Juiz, suplicava ao Pai, conversava com o Amigo, divertia-se com o Esposo. [3]Na verdade, para tornar todas *as medulas* do coração *um holocausto* (cf. Sl 65,15) múltiplo, *propunha de maneira múltipla diante dos olhos* (cf. Sb 7,22; Sl 100,3) aquele que é sumamente simples. [4]Muitas vezes, *com os lábios* imóveis, *ruminava* (cf. Ct 7,9) interiormente e, arrastando para o interior as realidades exteriores, elevava o espírito às superiores. [5]Assim, totalmente transformado não só em orante, mas em oração, dirigia toda a atenção e todo o afeto a *uma única coisa* que *pedia ao Senhor* (cf. Sl 26,4). – [6]De quanta suavidade crês que ele estava repleto nestas coisas? *Ele o soube* (cf. Jó 28,23), eu, pelo contrário, apenas admiro. [7]Ao que faz a experiência é dado conhecer, aos que não experimentam não se concede. [8]Deste modo, *fervendo intensamente no fervor do espírito* (cf. Jó 41,22; Sb 7,22), e todo o aspecto exterior e toda a *alma* completamente *derretida* (cf. Ct 5,6), já morava na suprema pátria *do reino celeste* (cf. 2Tm 4,18).

[9]O bem-aventurado pai costumava não deixar de lado com negligência nenhuma visitação do Espírito; na verdade, quando esta se apresentava, ele a seguia e fruía a doçura oferecida, pelo tempo que *o Senhor* lho *permitia* (cf. 1Cor 16,7). [10]Então, quando era pressionado por afazeres ou estava atento à viagem, ao aperceber-se pouco a pouco de algum toque da graça, saboreava de maneira intercalada e frequente aquele dulcíssimo maná. [11]De fato, mesmo no caminho, indo os companheiros na frente, ele parava e, convertendo a nova inspiração em fruição, *não recebia a graça em vão* (cf. 2Cor 6,1).

Capítulo LXII – As horas canônicas a serem rezadas devotamente

96 [1]Rezava as horas canônicas com devoção e não menos reverência. [2]Pois, embora sofresse a doença dos olhos, do estômago, do baço e do fígado, não queria encostar-se ao muro ou à parede enquanto salmodiava, mas rezava as horas sempre de pé e sem capuz, não com olhos a girar por toda parte nem com alguma supressão de sílaba.

[3]Quando ia pelo mundo a pé, sempre parava para rezar suas horas [canônicas]; e quando ia a cavalo, descia ao chão. – [4]Por isso, num determinado dia, quando voltava de Roma e chovia continuamente, desceu do cavalo para rezar o ofício e, ficando de pé por longo tempo, ficou todo molhado na chuva. [5]Dizia, pois, algumas vezes: "Se o corpo toma com tranquilidade seu alimento, que com ele há de ser pasto dos vermes, com quanta paz e tranquilidade não deve a alma tomar o seu alimento, que é seu Deus?"

Capítulo LXIII – Como afastava com a oração os fantasmas do coração

97 [1]Julgava que pecava gravemente, se por acaso, entregue à oração, se deixava levar por imaginações fúteis. [2]Quando acontecia tal coisa, não poupava a confissão, mas expiava-a imediatamente. [3]Convertera tanto este esforço em hábito que rarissimamente permitia esse tipo de moscas.

[4]Numa quaresma, fizera um pequeno vaso, ao qual dedicara pequenos espaços de tempo para que não se perdessem completamente. [5]Num dia, quando rezava devotamente a Terça, caindo casualmente os olhos em observação atenta do vaso, sentiu que *o homem interior* (cf. Rm 7,22) fora impedido no seu fervor. [6]Então, lamentando que a voz do coração, [dirigida] aos ouvidos divinos, fora interrompida, depois de terminada a Terça, disse aos irmãos que ouviam: "Ei, obra estúpida que teve tanta força em mim que desviou para si a minha atenção. [7]*Sacrificá-la-ei ao Senhor* (cf. Sl 53,8), cujo sacrifício ela impediu". [8]Tendo dito estas coisas, tomou o pequeno vaso e *queimou-o no fogo* (cf. Ez 22,20). [9]Disse: "Envergonhemo-nos por ser arrebatados em divagações tolas, quando falamos com o *grande Rei* (cf. Sl 94,3) na hora da oração".

Capítulo LXIV – O êxtase

98 [1]Elevava-se, muitas vezes, por tão grande doçura da contemplação que, arrebatado acima de si mesmo, a ninguém revelava o que experimentava além dos sentidos humanos. – [2]Mas por um fato que uma vez ficou conhecido, fica claro quão frequentemente estivera absorvido na doçura do alto. [3]Numa ocasião, transportado por um burro, ele precisava passar por Borgo San Sepolcro. [4]E como quisesse descansar num hospital dos leprosos, a passagem *do homem de Deus* (cf. 2Rs 5,14) [por ali] chegou ao conhecimento de muitos. [5]Acorrem de toda parte homens e mulheres para vê-lo, desejando tocá-lo com a habitual devoção. [6]O que acontece, então? Tocam-no, puxam-no e cortam pedacinhos de sua túnica e guardam-nos. [7]O homem parece insensível a tudo e, como corpo exânime, nada percebe daquilo que acontece. [8]Finalmente, chegam ao lugar e, tendo já deixado Borgo para trás por muito tempo, o contemplador das realidades celestes, como que voltando de outro mundo, *pergunta solicitamente* (cf. Dt 13,14) quando se aproximariam de Borgo.

Capítulo LXV – Como se apresentava depois da oração

99 [1]Quando voltava das orações particulares, em que quase *se transformava em outro homem* (cf. 1Sm 10,6), esforçava-se com o maior empenho por conformar-se aos outros, para não perder com o ruído dos aplausos, ao aparecer abrasado, o que *lucrara* (cf. Mt 25,16). [2]Muitas vezes, dizia também aos mais íntimos estas coisas: "Quando *o servo de Deus* (cf. 2Cr 24,9), enquanto reza, *é visitado pelo Senhor* (cf. Lc 1,68) com nova consolação, antes de sair da oração, deve *elevar os olhos ao céu* (cf. Lc 18,13; Jo 6,5) e, com as mãos juntas, dizer ao Senhor: [3]'Senhor, *enviastes-me do céu* (cf. 1Pd 1,12) esta consolação e doçura *a mim, pecador* (cf. Lc 18,13) e indigno, e eu vo-la devolvo para que a *guardeis para mim* (cf. Gn 27,36), porque sou um ladrão do vosso tesouro'". [4]E de novo: "Senhor, tirai de mim o vosso bem *neste mundo* e guardai-o para mim *no futuro*" (cf. Ef 1,21). [5]Dizia ainda: "Assim deve ser que, quando [alguém] sai da oração, se mostre aos outros tão pobrezinho e pecador, como se não tivesse conseguido graça nova". [6]Dizia, pois: "Por pequena recompensa acontece que alguém perde uma coisa inestimável e provoca aquele que deu a não dar facilmente de novo".

[7]Enfim, tinha o costume de levantar-se tão furtiva e levemente para a oração que nenhum dos companheiros o percebia ao levantar-se ou ao rezar. [8]E de noite, quando ia para a cama, fazia barulho e quase estrépito, para que ao deitar-se fosse ouvido por todos.

Capítulo LXVI – Como o bispo, encontrando-o a rezar, perdeu a fala

100 [1]Estando São Francisco a rezar no eremitério da Porciúncula, aconteceu que o bispo de Assis veio visitá-lo familiarmente, como estava acostumado. [2]Logo que ele entra no eremitério, dirige-se menos reverentemente à cela do santo, sem ter sido chamado, e, tendo empurrado a portinha, faz menção de entrar. [3]E eis que, quando coloca dentro a cabeça e olha o santo a rezar, de repente *um tremor o sacode* (cf. Jó 21,6) e, tendo-se-lhe enrijecido os membros, perde também a fala. [4]É súbita e violentamente atirado para fora *pela vontade do Senhor* (cf. At 21,14; Sl 50,20) e é afastado para longe. [5]Creio que ou este era indigno de contemplar aquele segredo ou aquele merecera ter mais o que tivera. [6]Estupefato, o bispo volta aos irmãos e, confessando a culpa com a primeira palavra, recupera a fala.

Capítulo LXVII – Como um abade sentiu a força da oração dele

101 [1]Noutra ocasião, aconteceu que o abade do mosteiro de São Justino, da diocese de Perúgia, encontrou São Francisco; descendo rapidamente do cavalo, conversou com ele umas poucas coisas com relação à salvação de sua alma. [2]Finalmente, ao retirar-se, pediu humildemente que se rezasse por ele. [3]Respondeu-lhe São Francisco: "Senhor, rezarei de boa vontade". [4]E assim, afastando-se um pouco o abade de São Francisco, disse o santo ao companheiro: "Irmão, espera um pouco, porque quero saldar o débito que prometi". [5]Pois ele sempre teve este costume: quando alguém lhe pedia, *não lançava para trás* (cf. Is 38,17) a oração, mas *cumpria depressa a promessa* (cf. Pr 25,14). [6]E assim, estando o santo a suplicar a Deus, subitamente o abade *sentiu no espírito* (cf. Rm 8,5) um insólito calor e doçura até então não experimentada, de modo que, arrebatado *em êxtase* (cf. At 11,5), pareceu que saía todo de si. [7]Houve pouca demora, e ele, *voltando a si* (cf. Lc 15,17; At 12,11), conheceu a força da oração de São Francisco. [8]Por isso, inflamou-se cada vez mais com maior amor para com a Ordem e relatou o fato a muitos como milagre. – [9]Os servos de Deus devem conceder mutuamente estes pequenos benefícios; entre eles convém que haja esta *comunhão do dado e do recebido* (cf. Fl 4,15). [10]Amor santo é aquele que, na proporção que se diz espiritual, está contente com o fruto da oração; a caridade menospreza os dons terrenos. [11]Creio que é próprio do amor santo ajudar e ser ajudado na luta espiritual, recomendar e ser recomendado *diante do tribunal de Cristo* (cf. 2Cor 5,10). [12]Mas, até que ponto pensas que ele se elevava na oração, ele que pôde deste modo elevar um outro com seus méritos?

A compreensão que o santo tinha das sagradas escrituras e a força de suas palavras

Capítulo LXVIII – De quanta ciência e memória foi dotado

102 [1]Embora este homem bem-aventurado não tivesse sido instruído em nenhum estudo da ciência, no entanto, aprendendo *a sabedoria que do alto* provém *de Deus* (cf. Cl 3,2; Tg 1,7) e iluminado pelos fulgores da luz eterna, tinha não pouca compreensão sobre as Sagradas Escrituras. [2]Pois a inteligência purificada de toda mancha penetrava nas *realidades escondidas dos mistérios* (cf. Cl 1,26), e, onde a ciência dos mestres está fora, entrava o afeto de quem ama. [3]De vez em quando, lia nos livros sacros e *escrevia* indelevelmente *no coração* (cf. Rm 2,15; 2Cor 3,2) o que uma vez lançara dentro do espírito. [4]Tinha a memória em lugar de livros, porque o afeto ruminava com contínua devoção o que uma vez o ouvido captava não em vão. [5]Dizia que este é o modo frutuoso de aprender e de ler: não vagar por milhares de tratados. [6]E considerava verdadeiro filósofo quem nada antepunha ao desejo da vida eterna. [7]E afirmava que facilmente passará da ciência de si *à ciência de Deus* (cf. Pr 2,5) aquele que, dedicando-se à Escritura, pesquisa com humildade e não com presunção. [8]Frequentemente resolvia por palavras as dúvidas das questões e, embora *imperito nas palavras* (cf. 2Cor 11,6), exprimia com clareza a compreensão e a força [delas].

Capítulo LXIX – A palavra do profeta que ele explicou a pedido de um frade Pregador

103 [1]Estando ele em Sena, aconteceu que lá chegou alguém da Ordem dos Pregadores, *homem* realmente *espiritual* (cf. Os 9,7) e doutor na sagrada Teologia. [2]Então, tendo visitado o bem-aventurado Francisco, ele juntamente com o santo fruem longamente agradabilíssima conversa sobre *as palavras do Senhor* (cf. Jo 3,34). [3]E o mencionado mestre interrogou-o a respeito daquele verso de Ezequiel: *Se não anunciares* ao ímpio a sua impiedade, *de tuas mãos pedirei contas* (cf. Ez 3,18) da alma dele. [4]Disse, pois: "Bom pai, eu próprio conheço muitos e, sabendo que eles estão em pecado mortal, nem sempre lhes anuncio a sua impiedade. [5]Por acaso *de minha mão serão pedidas contas de* suas *almas?"* (cf. Ez 3,18). [6]Quando o bem-aventurado Francisco lhe disse que era iletrado e que, por isso, mais deveria ser instruído por ele do que responder sobre a sentença da Escritura, o humilde mestre acrescentou: [7]"Irmão, conquanto eu tenha ouvido de alguns sábios a explicação desta palavra, no entanto, de bom grado eu receberia a tua interpretação sobre ela". [8]Disse-lhe o bem-aventurado Francisco: "Se a palavra se deve compreender de maneira universal, deste modo eu entendo: que *o servo de Deus* (cf. Dn 6,20) deve tanto *arder* em si pela vida e pela santidade que repreenda todos os ímpios *pela luz* (cf. Jo 5,35) *do exemplo* e pela linguagem *do modo de vida* (cf. 1Tm 4,12). [9]Assim, eu diria, o esplendor de sua vida e o odor de sua fama *anunciará* a todos a *iniquidade* (cf. Ez 3,19) deles". [10]E assim, retirando-se muito edificado, aquele homem disse aos companheiros do bem-aventurado Francisco: "Meus irmãos, a teologia deste homem, fundada na pureza e na contemplação, é *a águia a voar* (cf. Jó 9,26); nossa ciência, porém, *se arrasta com o ventre sobre a terra"* (cf. Gn 1,20.22; 3,14).

Capítulo LXX – As coisas que ele explicou ao ser interrogado por um cardeal

104 [1]Noutra ocasião, estando em Roma na casa de um cardeal, interrogado a respeito de textos obscuros, *colocava à luz* (cf. Sb 6,24) coisas tão profundas que julgarias que ele sempre habitou nas Escrituras. [2]E disse-lhe o senhor cardeal: "Não te interrogo como a um letrado, mas como a um homem *que possui o espírito de Deus* (cf. 1Cor 7,40) e por isso aceito a compreensão de tua resposta, porque sei que ela *só procede de Deus"* (cf. Jo 15,26; Mt 4,4).

Capítulo LXXI – Exortado ao empenho da leitura, respondeu a um irmão o que sabia

105 [1]Tendo ele adoecido e estando perpassado de dores por toda parte, disse-lhe uma vez o companheiro: "Pai, sempre buscaste refúgio nas Escrituras, elas sempre te propiciaram os remédios para as dores. [2]Peço-te que agora me mandes ler para ti algo dos profetas;

talvez *teu espírito exulte no Senhor*" (cf. Lc 1,47). [3]Respondeu-lhe o santo: "É bom ler os testemunhos das Escrituras, é bom buscar nelas o Senhor nosso Deus; [4]mas eu próprio já hauri tanto das Escrituras para mim que é mais do que suficiente para quem medita e recorda. [5]Não necessito de mais nada, filho, *conheço o Cristo* pobre e *crucificado*" (cf. 1Cor 2,2).

Capítulo LXXII – As espadas que Frei Pacífico viu refulgindo na boca do santo

106 [1]Havia na Marca de Ancona um secular que, esquecido de si e ignorando a Deus, se prostituíra todo à vaidade. [2]Era chamado pelo nome de Rei dos versos, pelo fato que era o príncipe dos que cantam coisas lascivas e compositor de canções mundanas. [3]Para dizer em poucas palavras, a glória do mundo elevara tanto o homem que fora coroado com muita pompa pelo imperador. [4]*Andando* assim *nas trevas* (cf. Jo 8,12) e *arrastando a iniquidade com as cordas da vaidade* (cf. Is 5,18), a compassiva bondade divina *pensa* em chamá-lo de volta, *para que não pereça aquele que havia sido lançado fora* (cf. 2Sm 14,14). [5]Por providência divina, *encontram-se* (cf. Sb 6,17) o bem-aventurado Francisco e ele num mosteiro de reclusas pobres. [6]O bem-aventurado Francisco lá chegara com os companheiros para visitar as filhas; ele chegara com muitos amigos para visitar uma consanguínea.

[7]E, *pousando a mão de Deus sobre* (cf. Sl 79,18) ele, ele vê com os olhos corporais São Francisco marcado por duas espadas transversas muito refulgentes, a modo de cruz, uma das quais se estendia da cabeça aos pés, e a outra se estendia transversalmente de uma mão à outra pelo peito. [8]Ele não conhecia o bem-aventurado Francisco, mas logo o conheceu somente pelo milagre mostrado. [9]E subitamente estupefato diante desta visão, começou a propor coisas melhores, ainda que para mais tarde. [10]E depois que o bem-aventurado pai pregou primeiro a todos em comum, voltou para o homem *a espada da palavra de Deus* (cf. Hb 4,12). [11]De fato, à parte, admoesta-o docemente a respeito da vaidade e do desprezo do mundo e, em seguida, traspassa o coração dele, ameaçando-o com os julgamentos divinos. [12]Respondeu ele imediatamente: "Que

palavras mais é necessário falar? Vamos aos fatos. Tira-me dos homens e entrega-me ao grande Imperador!" [13]No outro dia, o santo vestiu-o com o hábito e chamou de Frei Pacífico o que fora reconduzido à *paz do Senhor* (cf. Is 26,12; Sl 84,9). [14]A conversão dele foi tanto mais edificante para muitos quanto maior fora a multidão dos companheiros frívolos.

[15]Alegrando-se na companhia do bem-aventurado pai, Frei Pacífico começou a sentir as unções que ainda não havia sentido. [16]Pois reiteradamente lhe era permitido ver o que se velava aos outros. [17]Viu, depois de pouco tempo, um grande *sinal Tau sobre a fronte* (cf. Ez 9,4; Ap 7,3) do bem-aventurado Francisco, o qual apresentava a beleza do pavão com círculos variegados.

Capítulo LXXIII – A eficácia de suas palavras e o testemunho de um médico a esse respeito

107 [1]Embora o evangelista Francisco pregasse aos rudes por meio de coisas materiais e rudes, como quem sabia que é mais necessária a virtude do que as palavras, no entanto, entre as pessoas espirituais e mais capazes proferia palavras cheias de vida e profundas. [2]Indicava com breves palavras o que era inefável e, inserindo inflamados gestos e acenos, arrebatava todos os ouvintes às realidades celestes. [3]Não usava as chaves das distinções [da retórica], porque não elaborava sermões que ele próprio não criava. [4]A verdadeira *virtude* e *sabedoria que é Cristo* (cf. 1Cor 2,1.5) *davam voz de virtude à sua voz* (cf. Sl 67,34). – [5]Disse uma vez um médico, homem erudito e eloquente: "Retenho [na memória] palavra por palavra a pregação dos outros, só me escapam as que São Francisco profere. [6]Se confio algumas delas à memória, elas não me parecem as que seus *lábios destilaram* (cf. Ct 4,11; 5,13) antes".

Capítulo LXXIV – Como expulsou os demônios de Arezzo pela força da palavra através de Frei Silvestre

108 [1]As *palavras* de Francisco eram cheias de força não só na sua presença, mas também, transmitidas de vez em quando por meio de outros, *não voltavam vazias* (cf. Is 55,11). [2]De fato, aconteceu que uma vez ele chegou à cidade de Arezzo, quando *toda a cidade* (cf. Mt 8,34), abalada por uma guerra interna, era ameaçada de destruição próxima. [3]E, assim, o homem de Deus, hospedado num bairro fora da cidade, vê sobre aquela terra demônios a exultarem e a abrasarem cidadãos ao extermínio dos cidadãos. [4]E, chamando um irmão de nome Silvestre, *homem de Deus* (cf. 1Sm 9,7) dotado de digna simplicidade, *ordenou-lhe, dizendo* (cf. Gn 28,1): "Vai diante da porta da cidade e da parte *de Deus onipotente* (cf. Sb 7,25) ordena aos demônios que *saiam da cidade* (cf. Mt 10,11) o mais depressa possível!" [5]Apressa-se a piedosa simplicidade para cumprir a obediência e, *entrando com louvores na presença* (cf. Sl 94,2) do Senhor, *grita valentemente* (cf. Dn 3,4) diante da porta: "Da parte de Deus e por ordem de nosso pai Francisco, *afastai-vos para longe* (cf. Esd 6,6) daqui, demônios todos!" [6]Pouco depois, a cidade volta à paz, e [todos] guardam com grande tranquilidade entre si os direitos de cidadania. – [7]Por isso, posteriormente, pregando-lhes o bem-aventurado Francisco, disse no início da pregação: [8]"Falo a vós como a pessoas uma vez submetidas ao diabo e amarradas por demônios; sei que fostes libertados pelas preces de um pobre".

Capítulo LXXV – A conversão do mesmo Frei Silvestre; e uma visão dele

109 [1]Creio que merece ser anexada às presentes narrações a conversão do mencionado Frei Silvestre, como o Espírito o moveu a entrar na Ordem. [2]Silvestre fora um sacerdote secular da cidade de Assis de quem *o homem de Deus* (cf. 2Rs 1,10) outrora comprara pedras para restaurar uma igreja. [3]Ao ver naquele tempo que Frei Bernardo – que foi a primeira plantinha da Ordem dos Menores depois do *santo de Deus* (cf. Lc 4,34) – *abandonava perfeitamente os seus bens* e os *dava aos pobres* (cf. Mt 19,21.29), abrasado por voraz cobiça, queixa-se ao homem de Deus a respeito das pedras vendidas a ele antigamente, como se não lhe tivesse sido pago o preço adequado. [4]Francisco sorri, percebendo o espírito do sacerdote infectado pelo veneno da avareza. [5]Mas, desejando de alguma forma dar refrigério ao maldito ardor, sem contar, enche as mãos dele de dinheiro. [6]O presbítero Silvestre alegrou-se com o que lhe fora dado, mas admirando mais a generosidade do doador; voltando para casa, muitas vezes medita sobre o fato, murmurando com feliz murmúrio que ele já envelhecendo *ama o mundo* (cf. 1Jo 2,15), e fica estupefato que aquele jovem deste modo despreza todas as coisas. [7]Por conseguinte, estando já cheio *do bom odor* (cf. 2Cor 2,15), Cristo abre-lhe as entranhas de sua misericórdia.

[8]Mostra-lhe *por meio de uma visão* (cf. At 18,9) o quanto valem as obras de Francisco, com quanta eminência elas brilham diante dele, quão magnificamente enchem toda a extensão do mundo. [9]*Vê*, pois, *em sonho* uma cruz de ouro que procedia da boca de Francisco, *cujo* ápice *tocava os céus* (cf. Gn 28,12) e cujos braços estendidos para o lado cingiam, abraçando-as, ambas as partes do mundo. [10]O sacerdote, *compungido pela visão* (cf. Sir 40,7), sacode a demora perniciosa, *abandona o mundo* (cf. Jo 16,28), torna-se perfeito imitador *do homem de Deus* (cf. 2Rs 5,14). [11]Começou a viver de maneira perfeita na Ordem e com a graça de Cristo terminou da maneira mais perfeita. – [12]Mas, o que há de admirável, se Francisco, que sempre teve tanta coisa com a cruz, apareceu crucificado? [13]Estando a gloriosa cruz assim radicada interiormente, o que há de grandioso se, originando de *terra boa* (cf. Mt 13,8.23), produziu flores, ramagens e frutos vistosos? [14]Nada mais podia ser gerado naquela terra, a não ser a cruz admirável que ele tanto reivindicou para si desde o princípio. [15]Mas agora devemos voltar ao assunto.

Capítulo LXXVI – Um irmão libertado do assalto do demônio

110 [1]Aconteceu que um irmão era longamente atormentado por uma tentação do espírito, que é mais sutil e pior do que os incentivos da carne. [2]Ele, indo ter finalmente com o bem-aventurado Francisco, *lançou-se-lhe* humildemente *aos pés* (cf. Mt 15,30); e, banhado com lágrimas amargas, ele nada conseguia dizer, impedido por altos soluços. [3]Move-se para com ele a piedade do pai e, percebendo que ele era molestado por impulsos malignos, diz: "*Ordeno--vos* (cf. Jo 15,14), demônios, *pelo poder de Deus* (cf. 1Cor 2,5), que não ataqueis mais meu irmão como até agora ousastes". [4]Dissipada imediatamente *a escuridão das trevas* (cf. 2Pd 2,17), o irmão se levanta e não sente mais o tormento, como se absolutamente não o tivesse tido.

Capítulo LXXVII – A porca malvada que comeu o cordeiro

111 [1]Em outro lugar fica bastante claro que sua palavra foi de admirável força também para com os animais. [2]Mas tratarei de um [fato] que está à mão. [3]Numa noite, tendo-se hospedado *o servo do Excelso* (cf. At 16,7) no mosteiro de San Verecundo, na diocese de Gubbio, uma ovelha deu à luz a um cordeirinho naquela noite. [4]Havia uma porca muito cruel que, não poupando a vida do inocente, o matou com mordida voraz. [5]*Levantando-se de manhã* (cf. Mc 16,9), os homens encontram o cordeirinho morto, *reconhecendo verdadeiramente* (cf. Jo 17,8) a porca como culpada daquela malvadeza. [6]Tendo ouvido isto, o piedoso pai move-se de admirável compaixão e, lembrando-se do outro Cordeiro, lamenta o cordeirinho morto, *dizendo diante de todos* (cf. Gl 2,14): "Ai, irmão cordeirinho, animal inocente que sempre retratas algo salutar aos homens! [7]*Maldita seja* (cf. Jó 24,18) a impiedosa que te matou, e ninguém, homem ou animal, *coma dela!*" (cf. Gn 3,17). [8]Coisa admirável de se dizer! Imediatamente a porca malvada começou a adoecer e, padecendo durante três dias os tormentos dos castigos, finalmente sofreu morte vingadora. [9]E foi jogada na fossa do mosteiro onde, jazendo por longo tempo, ressecada como tábua, não serviu de alimento a nenhum ser faminto.

Contra a familiaridade das mulheres

Capítulo LXXVIII – Evitar a familiaridade das mulheres; e como falava com elas

112 [1]Mandava que fosse evitado totalmente o mel venenoso, a saber, a familiaridade com as mulheres que *induz ao erro até* (cf. Mt

24,24) os homens santos. [2]Pois temia que a partir daí depressa o espírito frágil se quebrasse e *o espírito* forte muitas vezes *se enfraquecesse* (cf. Ez 21,7). [3]Disse que quem convive com elas – a não ser *um homem provadíssimo* (cf. Tg 1,12) – tão facilmente escapa do contágio como, de acordo com a Escritura, quem *anda no fogo e não queima as plantas dos pés* (cf. Pr 6,28). [4]E para falar com a prática, *oferecia-se a si mesmo como modelo* (cf. Tt 2,7) de toda virtude. [5]Na verdade, a mulher o incomodava tanto que crerias tratar-se não de cautela ou exemplo, mas de medo ou horror. [6]Quando a importuna loquacidade delas causava o desentendimento no falar, *com palavra breve* (cf. Rm 9,28) e humilde e *com olhos baixos* (cf. Dn 10,15), ele evocava o silêncio. [7]E por vezes, com os olhos *voltados ao céu* (cf. At 7,55), parecia tirar de lá o que respondia às *resmungadoras da terra* (cf. Is 29,4).

[8]No entanto, instruía com admiráveis e breves palavras aquelas em cujos corações a persistente e sagrada devoção estabelecera a habitação da sabedoria. [9]Quando falava com uma mulher, expressava o que tinha a dizer em voz alta, para poder ser ouvido por todos. [10]Disse uma vez ao companheiro: "Caríssimo, digo-te a verdade, se eu olhasse, eu não reconheceria nenhuma pela fisionomia, a não ser duas. [11]Conheço o rosto desta e daquela; não conheço o de outra". – [12]Ótimo, pai, porque o rosto delas não santifica ninguém; eu diria, ótimo, porque nada há de proveito, mas muito de perda, até perda de tempo. [13]Elas servem de impedimento para os que querem empreender o caminho árduo e contemplar *a face cheia de graças* (cf. Est 15,17).

Capítulo LXXIX – Parábola contra olhar mulheres

113 [1]Costumava *espetar* com esta *parábola* (cf. 1Cor 13,12; Sl 118,120) os olhos não castos: [2]"Um rei muito poderoso enviou sucessivamente dois mensageiros à rainha. [3]Volta o primeiro e somente relata as palavras com exatidão. [4]Pois que *os olhos do sábio* haviam ficado *na cabeça* (cf. Ecl 2,14) e não saltaram para outro lugar qualquer. [5]Volta o outro e, depois das breves palavras que relata, tece uma longa história sobre a beleza da senhora: 'Verdadeiramente, senhor, vi uma mulher belíssima. Feliz quem pode aproveitar'. [6]E ele disse: 'Tu, *servo mau* (cf. Mt 18,32), lançaste olhos impudicos sobre minha esposa? Está claro que quiseste comprar o que observaste atentamente'. [7][O rei] manda que seja chamado de novo o primeiro e diz: 'Que achas da rainha?' [8]E ele respondeu: 'Ótima, porque ouviu em silêncio e respondeu com habilidade'. [9]E [o rei] disse: 'E ela não tem nenhuma formosura?' [10]Disse ele: 'Meu senhor, compete a ti verificar isto; a mim compete proferir as palavras'. [11]É dada a sentença pelo rei; ele diz: 'Tu, [que és] casto nos olhos, estejas nos [meus] aposentos mais casto no corpo! Este, porém, saia da [minha] casa, a fim de não poluir o [meu] tálamo!'"

[12]E o bem-aventurado pai dizia: "Por excesso de segurança se cuida menos do inimigo. [13]O demônio, quando pode possuir [apenas] um cabelo no homem, depressa o faz crescer em uma trave. [14]E, se por muitos anos não pôde derrubar quem ele tentou, não se queixa da demora, contanto que lhe ceda no fim. [15]Este é o seu trabalho, e, dia e noite, ele não está preocupado com outra coisa".

Capítulo LXXX – Exemplo do santo contra a familiaridade excessiva

114 [1]Uma vez aconteceu que, ao dirigir-se a Bevagna, São Francisco não podia chegar à aldeia por causa da fraqueza causada pelo jejum. [2]E o companheiro, tendo mandado um mensageiro a uma senhora espiritual, pediu humildemente pão e vinho para o santo. [3]Assim que ouviu, ela correu ao encontro do santo, juntamente com uma filha virgem consagrada a Deus, levando-lhe as coisas necessárias. [4]E, refeito e um pouco confortado, o santo refaz *por sua vez* (cf. Est 9,1) a mãe e a filha *com a palavra de Deus* (cf. Lc 4,4). [5]E enquanto lhes pregava, não *olhou* nenhuma *no rosto* (cf. Sl 83,10). [6]Quando elas se retiraram, disse-lhe o companheiro: "Irmão, por que não olhaste a santa virgem que com tanta devoção veio a ti?" [7]Respondeu-lhe o pai: "Quem não temeria em olhar para a esposa de Cristo? [8]Porque, se se prega com os olhos e com o rosto, ela haveria de olhar-me, não eu a ela".

[9]E, muitas vezes, ao falar deste assunto, afirmava que toda conversa da mulher é frívola, excetuada unicamente a confissão ou, como é costume, uma brevíssima admoestação. [10]Dizia, pois: "Que

negócios tem o frade menor a tratar com uma mulher, a não ser quando ela pede religiosamente a santa penitência ou um conselho de vida melhor?"

As tentações que suportou

Capítulo LXXXI – As tentações do santo; e como superou a tentação

115 [1]Crescendo os méritos de São Francisco, crescia também a discórdia com *a antiga serpente* (cf. Ap 12,9). [2]Pois, quanto *maiores os carismas* (cf. 1Cor 12,31) deste, mais sutis as tentações daquele, e mais pesadas guerras se moviam. [3]E, embora muitas vezes [o demônio] tivesse comprovado que o valoroso *homem de guerra* (cf. Is 3,2) não *tinha cedido por um momento sequer* (cf. Gl 2,5) ao certame, no entanto, ainda tenta sempre agredir o vencedor. – [4]Numa ocasião, foi enviada ao santo uma gravíssima tentação do espírito, certamente para aumento de sua coroa. [5]A partir de então, *angustiava-se e enchia-se de dores, afligia* (cf. Hb 11,37; Jó 7,4) e macerava o corpo, rezava e chorava amargamente. – [6]Combatido durante muitos anos desta maneira, enquanto rezava num dia em Santa Maria da Porciúncula, ouviu em espírito uma voz: "Francisco, *se tiveres fé como um grão de mostarda, dirás ao monte que se desloque e ele se deslocará*" (cf. Mt 17,19). [7]Respondeu o santo: "Senhor, qual é o monte que eu quereria deslocar?" E de novo ouviu: "O monte é tua tentação". [8]E ele disse em lágrimas: "*Senhor, faça-se em mim* (cf. Lc 1,38) como dissestes!" [9]Repelida imediatamente toda tentação, ele se torna livre e se tranquiliza totalmente no seu íntimo.

Capítulo LXXXII – Como o demônio, chamando-o, o tentou com relação à luxúria; e como o santo superou

116 [1]No eremitério dos irmãos de Sarteano, aquele maligno que sempre inveja os progressos *dos filhos de Deus* (cf. Rm 5,2) ousou para com o santo o que segue. [2]Vendo que *o santo ainda se santificava* (cf. Ap 22,11) e não deixava de buscar *o ganho de hoje* *pelo de ontem* (cf. Tg 4,13), numa noite, enquanto [Francisco] *se dedicava à oração* (cf. 1Cor 7,5) em sua pequena cela, [o demônio] *chamou-o por três vezes* (cf. 1Sm 3,8), dizendo: "Francisco, Francisco, Francisco!" [3]Ele *respondeu, dizendo: "Que queres?"* (cf. Mc 9,37; Mt 20,21). [4]E ele: "Não há nenhum pecador no mundo a quem o Senhor não perdoe, *se se converter* (cf. Ez 33,9); mas todo aquele que se matar a si mesmo com dura penitência nunca *encontrará a misericórdia*" (cf. Dn 3,39). [5]O santo imediatamente *reconheceu por revelação a astúcia* (cf. Gl 1,12; Sir 1,6) do inimigo, a maneira como ele tentava chamá-lo de volta à tepidez. [6]O que acontece então? O inimigo não desiste de propor-lhe novo certame. [7]Percebendo, pois, que assim não pôde ocultar a *armadilha*, prepara-lhe outra *armadilha* (cf. Sl 139,6), a saber, a tentação da carne. [8]Mas em vão, porque quem capta a astúcia do espírito não pode ser enganado pela carne. [9]Então, o demônio envia-lhe uma gravíssima tentação de luxúria. [10]E o bem-aventurado pai, logo que percebe, tendo deposto a veste, açoita-se durissimamente com uma corda, dizendo: "Vamos, irmão burro, assim é preciso que tu fiques, assim convém que tu suportes o castigo! [11]A túnica é da Religião, não [te] é permitido roubá-la; *se queres ir a algum lugar, prossegue!*" (cf. Is 40,4; 1Sm 30,13).

117 [1]E vendo que a tentação não se afastava por causa dos açoites e como já tivesse pintado todos os membros de manchas, tendo aberto a pequena cela, *foi para fora* (cf. Mc 14,68) ao jardim e mergulhou-se nu em grande quantidade de neve. [2]E tomando neve com as mãos cheias, fez sete *montes* e *formou-os* (cf. Jó 38,38) a modo de bonecos. [3]Colocando-os diante de si, começou a falar ao seu corpo: "Eis que este maior é tua esposa; estes quatro são dois filhos e duas filhas; os outros dois são o servo e a serva que deves ter para servir-te. [4]Apressa-te em vestir a todos, porque morrem de frio. [5]Se, porém, a múltipla preocupação deles te molesta, *serve* solicitamente *ao único Senhor!*" (cf. Mt 4,10). [6]Imediatamente o demônio se retira confuso, e o santo *volta* à cela, *glorificando a Deus* (cf. Lc 2,20). – [7]E um irmão, que então *se dedicava à oração* (cf. 1Cor 7,5), contemplou tudo, *quando a lua caminhava mais claramente* (cf. Jó 31,26). [8]Mas o santo, tendo descoberto depois que ele o tinha visto naquela noite, lamentando muito, ordenou-lhe que a ninguém revelasse o fato, enquanto *ele vivesse neste mundo* (cf. Tt 2,12).

Capítulo LXXXIII – Como libertou um irmão da tentação; e o bem da tentação

118 [1]Certa vez, ao sentar-se sozinho com o santo, disse-lhe um irmão que era atacado por uma tentação: *"Reza por mim* (cf. 1Rs 13,6; 1Ts 5,25), benigno pai; creio, na verdade, que serei libertado imediatamente das *minhas tentações* (cf. Lc 22,28), se te dignares rezar por mim. [2]Na realidade, sou afligido acima de minhas forças e sei que isto não te é oculto". [3]Disse-lhe São Francisco: *"Acredita em mim* (cf. Jo 4,21), filho; creio que por causa disto és mais *servo de Deus* (cf. At 16,17), e saibas que, quanto mais tentado, mais [serás] amado por mim". [4]E acrescentou: "Verdadeiramente te digo, ninguém deve considerar-se *servo de Deus* (cf. At 16,17), enquanto não *tiver passado por tentações e tribulações* (cf. Jt 8,23). [5]A tentação vencida é de algum modo o anel com que o Senhor desposa *a alma de seu servo* (cf. Sl 85,4). [6]Muitos se gabam dos méritos de muitos anos e se alegram de não ter padecido tentação. [7]Mas que eles saibam que a fraqueza de seu espírito foi levada em conta pelo Senhor, porque antes mesmo do combate só o terror os esmagaria. [8]Pois somente se travam fortes batalhas, onde há virtude perfeita".

Como os demônios o açoitaram

Capítulo LXXXIV – Como os demônios o açoitaram; e as cortes devem ser evitadas

119 [1]Este homem não somente *era atacado pelo demônio* (cf. Lc 22,31) com tentações, mas também lutava com ele corpo a corpo. [2]Convidado uma vez pelo senhor Leão, cardeal da igreja de Santa Cruz, a que permanecesse com ele por algum tempo em Roma, ele escolheu uma torre retirada que, disposta em forma de abóbada por nove arcadas, formava como que pequenas celas de eremitério. ³Então, na primeira noite, quando queria repousar, *depois de ter derramado sua oração* (cf. 2Cr 6,19) diante de Deus, vêm os demônios e travam batalhas hostis contra *o santo de Deus* (cf. Lc 4,34). ⁴Espancando-o por longo tempo e duríssimamente, por fim o *deixaram* como que *semimorto* (cf. Lc 10,30). ⁵Retirando--se eles, o santo, depois de ter finalmente recuperado a respiração, chama seu companheiro que dormia sob outra arcada e diz, quando ele chega: "Irmão, quero que fiques perto de mim, porque tenho medo de estar só. ⁶Pois, pouco antes, os demônios me espancaram". ⁷E o santo tremia e sacudia-se em seus membros, como se padecesse febre altíssima.

120 ¹Então, passando eles toda a noite sem dormir, disse São Francisco ao seu companheiro: "Os demônios são os carrascos de Nosso Senhor; ele os destina para punir os excessos. ²Mas é sinal de graça maior não deixar nada impune em seu servo, enquanto este vive no mundo. ³Na verdade, não me lembro de ofensa que, *pela misericórdia de Deus* (cf. Rm 12,1), eu não tenha lavado com a reparação; ⁴de fato, com sua paterna condescendência, ele sempre agiu comigo deste modo: mostrava-me, enquanto eu rezava e meditava, as coisas que lhe agradavam e as que lhe desagradavam. ⁵Mas pode ser que por esta razão ele permitiu que seus carrascos irrompessem contra mim: porque minha permanência na corte dos grandes não apresenta boa imagem aos outros. ⁶Os meus irmãos que moram em eremitérios pobrezinhos, ao ouvirem dizer que estou com os cardeais, talvez suspeitarão que eu *esteja saciando-me de delícias* (cf. Lc 7,25). ⁷Por isso, irmão, acho melhor que aquele que *é colocado como exemplo* (cf. Jó 17,6) fuja das cortes e torne fortes *os que suportam penúrias* (cf. Pr 28,27), suportando [ele também] as mesmas coisas". ⁸Então, *de manhã, eles se apresentam* (cf. Mc 16,2) e, depois de terem narrado tudo, se despedem do cardeal. – ⁹Que aqueles [irmãos] que vivem nos palácios tenham conhecimento destas coisas e saibam que eles são abortivos, retirados *do útero de sua mãe* (cf. Lc 1,15). ¹⁰Não condeno a obediência [desses irmãos], mas repreendo a ambição, o ócio, os prazeres; ¹¹afinal, de modo absoluto coloco Francisco antes de todas as obediências. ¹²Mas que se resista a tudo aquilo que, *agradando aos homens* (Sl 52,6), *desagrada a Deus* (cf. Ecl 5,3).

Capítulo LXXXV – Um exemplo a propósito

121 [1]Ocorreu-me à memória algo que julgo que de modo algum se deve deixar passar. [2]Um irmão, ao ver os irmãos que moravam numa corte atraídos não sei por qual glória, desejou tornar-se um cortesão juntamente com eles. [3]E como estivesse curioso a respeito da corte, numa noite *vê em sonhos* (cf. Gn 31,24) os preditos irmãos colocados fora do eremitério dos irmãos e separados do convívio deles. [4]Vê-os, além disso, comendo em sujíssimo e imundo cocho de porcos, no qual se alimentavam de grão de bico misturado com esterco humano. [5]Ao ver isto, o irmão ficou fortemente estupefato e, *levantando-se de manhã* (cf. Mc 1,35), não se preocupou mais com a corte.

Capítulo LXXXVI – Tentações que sofreu em um lugar solitário; e a visão de um irmão

122 [1]Uma vez, chegou o santo com um companheiro a uma igreja situada longe da aldeia e, desejando *oferecer* solitariamente a sua *oração* (cf. Tb 12,12), admoesta a seu companheiro, dizendo: "Irmão, eu gostaria de permanecer aqui sozinho nesta noite. [2]Vai para o hospital e volta para junto de mim bem cedo!" [3]Então, ao permanecer sozinho, *apresentando prolongadas* e mui devotas *orações ao Senhor* (cf. Sl 141,3; Mt 23,14), finalmente, procurou ao redor *onde reclinar a cabeça* (cf. Mt 8,20) para dormir. [4]E, de repente, *perturbado no espírito* (cf. Jo 13,21), *começou a ficar apavorado, a sentir mal-estar* (cf. Mc 14,33) e a tremer no corpo por toda parte. [5]Sentia claramente as investidas do demônio contra ele e bandos de demônios a correrem com barulho sobre o teto da casa. [6]E assim, levantou-se imediatamente e, *indo para fora* (cf. Mt 26,75) e imprimindo na fronte o sinal da cruz, disse: "Da parte *de Deus onipotente* (cf. Ap 16,14), eu vos digo, demônios, que façais em meu corpo tudo que vos foi permitido. [7]Suporto-o de boa vontade, porque, já que não tenho maior inimigo do que o [meu] corpo, *vós me vin-*

gareis de meu adversário (cf. Lc 18,3) à medida que *exercereis* nele *o castigo* (cf. Nm 33,4) em meu lugar". [8]E, assim, os que se haviam reunido para aterrorizar o espírito, ao verem *em um corpo enfermo um espírito ainda mais disposto* (cf. Mt 26,41), imediatamente desapareceram, *confusos de vergonha* (cf. Sl 70,13).

123 [1]*Ao amanhecer* (cf. Jo 21,4), o companheiro volta até ele e, encontrando-o prostrado *diante do altar* (cf. 1Rs 8,31), espera-o fora do coro e, neste ínterim, ele próprio reza fervorosamente diante da cruz. [2]E eis que, arrebatado em êxtase, *vê* entre muitas *cadeiras no céu* (cf. Ap 4,1-4) uma mais digna do que as outras, ornada *com pedras preciosas* (cf. Est 15,9) e refulgente de toda glória. [3]*Admira-se consigo mesmo* do trono nobre e, *em silêncio, pensa* (cf. Dn 4,16) de quem seria. [4]*Nisto, ouve uma voz que lhe diz* (cf. At 9,4): "Esta cadeira foi de um dos que caíram e agora está reservada para o humilde Francisco". [5]*Finalmente, voltando a si* (cf. At 12,11), o irmão vê o bem-aventurado Francisco sair da oração e, tendo-se prostrado imediatamente a modo de cruz, fala-lhe, não como a quem vive no mundo, mas como a quem quase já reina no céu, dizendo: "Pai, roga por mim ao Filho de Deus, para que *não* me *impute os pecados!*" (cf. Sl 31,2). [6]*Estendendo a mão, o homem de Deus* (cf. Mt 14,31; 1Rs 13,4) *levanta-o* (cf. At 3,7), reconhecendo que algo lhe fora mostrado na oração. [7]Finalmente, tendo-se retirado dali, aquele irmão *interroga* o bem-aventurado Francisco, *dizendo* (cf. Mt 21,41.42): "Pai, qual é a tua opinião a respeito de ti mesmo?" [8]Ele respondeu: "Pareço a mim mesmo o maior dos pecadores, porque, se Deus tivesse acompanhado com tanta misericórdia a algum criminoso, este seria dez vezes mais espiritual do que eu". [9]A estas coisas, disse o espírito imediatamente no coração do irmão: "Saibas que *a visão* que tiveste *foi verdadeira* (cf. Dn 8,26), porque a humildade elevará o mais humilde à cadeira perdida pela soberba".

Capítulo LXXXVII – Um irmão libertado da tentação

124 [1]Um irmão espiritual, antigo na Religião, afligido por grande *tribulação da carne* (cf. 1Cor 7,28), parecia como que *absorvido pelo abismo* (cf. Sl 68,16) do desespero. [2]O sofrimento duplicava-se-lhe a cada dia, à medida que a consciência, mais escrupulosa do que discreta, o forçava a confessar-se por causa de nada. [3]Na verdade, deve-se confessar com grande esmero não o fato de ter tentação, mas de ter cedido, mesmo pouco, à tentação. [4]Mas ele tinha tanta vergonha – quando na realidade nada havia – que, temendo revelar tudo a um sacerdote, confiava diversas pequenas partes a diferentes sacerdotes, dividindo as próprias preocupações. [5]E num dia, ao caminhar com o bem-aventurado Francisco, disse-lhe o santo: "Irmão, digo-te que doravante não deves confessar a ninguém a tua tribulação. [6]E *não temas* (cf. Gn 15,1; Mt 1,20), porque o que acontece em ti – e que tu não fazes – resultará para ti em coroa e não em culpa. [7]Todas as vezes que *estiveres atribulado* (cf. Sl 106,6), reza sete vezes o *Pai-nosso* com a minha licença". [8]Admirado de que o santo soubesse isto e *alegrando-se* com grande *júbilo* (cf. Pr 15,13), depois de pouco tempo, ficou livre de toda tribulação.

A verdadeira alegria do espírito

Capítulo LXXXVIII – A alegria espiritual e seu louvor; e o mal da tristeza

125 [1]Este santo afirmava que o remédio mais seguro contra as mil *insídias e astúcias* (cf. Ef 6,11; 2Cor 11,3) do inimigo é a alegria espiritual. [2]Dizia, pois: "O demônio então exulta acima de tudo, quando pode surripiar ao servo de Deus *a alegria de espírito* (cf. Gl 5,22). [3]Ele leva um pó que possa jogar o mais possível nas pequenas frestas da consciência e sujar a candura da mente e a pureza de vida. [4]Mas, quando a alegria espiritual enche os corações, em vão a serpente *derrama o veneno* (cf. Pr 23,32) letal. [5]Os demônios não podem ofender o servo de Cristo quando o virem *repleto* de santa *alegria* (cf. At 2,28). [6]Quando, porém, o espírito está choroso, desolado e tristonho, *é* facilmente *absorvido pela tristeza* (cf. 2Cor 2,7) ou levado a alegrias vãs". [7]Por conseguinte, o santo esforçava-se por manter-se sempre na *alegria do coração*, por conservar a unção do espírito *e o óleo da alegria* (cf. Sl 44,8). [8]Com o máximo cuidado evitava a péssima doença da tristeza, de modo que, quando a sentia a penetrar na mente, ainda que um pouquinho, corria o mais depressa possível à oração. [9]E dizia: "*O servo de Deus* (cf. Dn 6,20), perturbado por alguma coisa, como pode acontecer, deve levantar-se imediatamente para rezar e perseverar na oração por tanto tempo diante do Pai supremo até que ele *lhe restitua a alegria de* sua *salvação* (cf. Sl 50,14). [10]Pois, *se demorar* (cf. Hab 2,3) na tristeza, desenvolver-se-á aquele mal babilônico que finalmente, se não for lavado pelas lágrimas, produzirá no coração uma ferrugem que há de permanecer".

Capítulo LXXXIX – A cítara angelical que ouviu

126 [1]Nos dias em que estava em Rieti para o tratamento dos olhos, chamou um dos companheiros que no mundo fora citarista, dizendo: "Irmão, *os filhos deste mundo* (cf. Lc 16,8) não entendem *os segredos divinos* (cf. Sb 2,22). [2]Na verdade, o capricho humano passou a usar para o prazer dos ouvidos os instrumentos musicais, outrora destinados aos louvores divinos. [3]Eu gostaria, portanto, irmão, que trouxesses em segredo uma cítara de empréstimo, com a qual, fazendo um canto honesto, desses algum alívio ao irmão corpo cheio de dores". [4]Respondeu-lhe o irmão: "Pai, tenho não pouca vergonha, temendo que os homens suspeitem que eu fui tentado por esta leviandade". [5]Disse-lhe o santo: "Então, deixemos [isto], irmão! É bom deixar muitas coisas, para que a reputação não seja lesada". – [6]Na noite seguinte, estando o santo em vigília e a meditar sobre Deus, de repente, soa uma cítara de harmonia maravilhosa e *de suavíssima melodia* (cf. Sir 40,21). [7]Não se via ninguém, mas a própria *variação da intensidade do som* (cf. Ez 10,13) indicava o ir e vir do citarista de cá para lá. [8]Finalmente, *estando o espírito voltado para Deus* (cf. Jó 34,14), o santo pai frui tanta suavidade naquele agradabilíssimo canto que pensa que se tinha mudado para outro mundo. [9]*Levantando-se de manhã* (cf. Gn 28,18), o santo chama o referido irmão e, narrando-lhe *tudo por ordem* (cf. Est 15,9), acrescentou: "O Senhor *que consola* os aflitos nunca me deixou sem *consolação* (cf. 2Cor 1,4). [10]Pois, já que não pude ouvir as cítaras dos homens, ouvi uma cítara mais suave".

Capítulo XC – Alegrando-se no espírito, o santo cantava em francês

127 [1]E por vezes fazia coisas como estas. [2]Quando fervia dentro dele a mais suave melodia do espírito, ele a expressava exteriormente em língua francesa, e *a veia do* divino *sussurro, que seu ouvido captava furtivamente* (cf. Jó 4,12), prorrompia em júbilo [cantando em] francês. [3]De vez em quando, como vi com os [meus próprios] olhos, ele colhia do chão um pedaço de pau e, colocando-o sobre o braço esquerdo, mantinha um pequeno arco curvado por um fio na mão direita, puxando-o sobre o pedaço de pau como sobre um violino e, apresentando para isto movimentos próprios, *cantava* em francês [cânticos] sobre *o Senhor* (cf. Sl 12,6). [4]Frequentemente, todas estas danças terminavam em lágrimas, e este júbilo se convertia em compaixão para com a paixão de Cristo. [5]Por isso, este santo dava contínuos suspiros e, com repetidos gemidos, elevava-se ao céu, esquecido das coisas inferiores que estavam na [sua] mão.

Capítulo XCI – Censurou um irmão triste e admoestou-o sobre a maneira como devia comportar-se

128 [1]Viu uma vez um companheiro seu que apresentava um rosto desanimado e triste e, sentindo-se incomodado, disse-lhe: "Não convém que *o servo de Deus* (cf. Dn 6,20) se mostre *triste* e *carrancudo* (cf. Is 42,4) aos homens, mas se mostre sempre gracioso. [2]Dissipa tuas ofensas *em teu quarto* (cf. Ecl 10,20), chora e geme *diante de* teu *Deus* (cf. Gn 6,8). [3]Quando voltas para junto dos irmãos, tendo deposto a tristeza, conforma-te aos outros". [4]E, pouco depois, disse: "Os adversários da salvação humana muito me invejam e sempre tentam perturbar nos meus companheiros o [espírito] que em mim eles não conseguem perturbar". – [5]E amava tanto o homem cheio de alegria espiritual que por ocasião de um Capítulo, para admoestação geral, mandou que se escrevessem estas palavras: [6]"Cuidem os irmãos para não se mostrar exteriormente sombrios e tristes hipócritas, mas mostrem-se *alegres no Senhor* (cf. Is 61,10), sorridentes, agradáveis e convenientemente simpáticos".

*Capítulo XCII – Como deve ser tratado o corpo para que
não murmure*

129 [1]Disse também uma vez o santo: "Deve-se prover o irmão corpo com discernimento, para que ele não provoque a tempestade da tristeza. [2]Seja-lhe tirada a ocasião de murmurar, para que ele não fique entediado de vigiar *e de perseverar* reverentemente *em oração* (cf. Tb 3,11). [3]Ele, pois, diria: '*Morro de fome* (cf. Lm 2,19), não consigo carregar o peso de teu exercício'. [4]Depois de ter devorado suficiente ração, se ele resmungar tais coisas, sabei que o jumento preguiçoso precisa de esporas, e o burrinho indolente espera chicote".

[5]Somente neste ensinamento a ação foi incoerente com a palavra no santíssimo pai. [6]Pois submetia seu corpo inocente a flagelos e penúrias, multiplicando-lhe *as feridas sem motivo* (cf. Pr 23,29). [7]De fato, o ardor do espírito já havia reduzido tanto o corpo que, quando *a alma tinha sede de Deus, muito mais sede tinha* aquela *carne* (cf. Sl 62,2) santíssima.

A alegria inconveniente

Capítulo XCIII – Contra a vanglória e a hipocrisia

130 [1]Abraçando, na realidade, a alegria espiritual, ele evitava cuidadosamente a falsa, sabendo que se deve amar com fervor o que aperfeiçoa e fugir com não menos vigilância do que corrompe. [2]Na verdade, esforçava-se por destruir *a vanglória* (cf. Gl 5,26) na origem, não permitindo que subsistisse por um momento sequer o que *ofendesse os olhos* (cf. 1Sm 29,7) de seu Senhor. [3]Pois, muitas vezes, quando era exaltado com muitos louvores, lamentando e gemendo, imediatamente mudava o afeto em tristeza.

[4]No tempo de inverno, como seu santo corpo estivesse coberto unicamente por uma túnica já remendada com retalhos baratos, seu guardião, que também era seu companheiro, adquirindo uma pele de raposa e levando-a até ele, disse: [5]"Pai, padeces a enfermidade do

baço e do estômago. Suplico a tua caridade no Senhor que debaixo da túnica permitas que seja costurada esta pele. [6]Se não a queres toda, pelo menos permite que se aplique sobre o estômago". [7]Respondeu-lhe o bem-aventurado Francisco: "Se queres que eu permita isto sob minha túnica, manda que me seja aplicado exteriormente um remendo da mesma medida, o qual, costurado por fora, indique aos homens a pele escondida interiormente". [8]O irmão ouve e não aprova, insiste e não obtém outra coisa. [9]Finalmente, aquiescendo o guardião, costura-se remendo sobre remendo, para que se mostre que Francisco não é outro fora do que dentro. – [10]Ó tu, que foste o mesmo pela palavra e pela vida! Sempre o mesmo no exterior e no interior! O mesmo como súdito e como prelado! [11]Não amavas nenhuma glória alheia, nenhuma glória particular, tu, que sempre *te gloriavas no Senhor* (cf. 1Cor 1,31). [12]Mas, por favor, quando eu disse *pele* posta *em lugar de pele* (cf. Jó 2,4) não foi para ofender os que usam peles; pois sabemos que aqueles que foram espoliados da inocência precisaram de *túnicas de peles* (cf. Gn 3,21).

Capítulo XCIV – Uma confissão sua contra a hipocrisia

131 [1]Numa ocasião, no eremitério de Poggio, perto do Natal do Senhor, tendo convocado grande multidão à pregação, começou com este prólogo: [2]"Vós credes que eu sou santo e por isso viestes com devoção. Mas digo-vos que durante toda esta quaresma comi alimentos condimentados com banha". [3]E assim, frequentemente atribuía ao prazer o que antes havia concedido à enfermidade.

Capítulo XCV – Confissão contra a vanglória

132 [1]Com semelhante fervor, toda vez que seu espírito tinha o sentimento de vanglória, imediatamente revelava-o diante de todos em desnudada confissão. – [2]Numa ocasião, ao andar pela cidade de Assis, veio-lhe ao encontro uma velhinha, *pedindo-lhe algo* (cf. Mt 20,20). [3]E, *nada tendo* (cf. 2Cor 6,10) além do manto, concedeu-lho com rápida generosidade. [4]E, sentindo insinuar-se o movimento da vaidade, imediatamente confessou diante de todos que havia tido vanglória.

Capítulo XCVI – Palavras suas contra os que o louvavam

133 [1]Esforçava-se por esconder no arcano de seu peito *os bens do Senhor* (cf. Sl 26,13), não querendo expor à glória o que poderia ser causa de ruína. [2]Muitas vezes, de fato, quando era exaltado por muitos como santo, respondia *palavras deste tipo* (cf. Gn 39,10): "Ainda posso ter filhos e filhas; não me louveis como se estivesse a salvo! Não se deve louvar ninguém cujo êxito é incerto. [3]Sempre que aquele que concedeu o empréstimo quiser tirar o que foi concedido, só restarão o corpo e a alma, coisas que também um infiel possui". [4]Na verdade, dizia estas coisas aos que [o] louvavam. – [5]E a si dizia assim: "Tivesse o Altíssimo concedido tantos bens a um ladrão, este seria mais grato do que tu, Francisco".

Capítulo XCVII – Palavras contra os que se louvavam

134 [1]E dizia com frequência aos irmãos: "Ninguém deve lisonjear-se com aplauso injusto de tudo aquilo que um pecador pode fazer. [2]O pecador pode jejuar, rezar, chorar, macerar a própria carne. [3]Mas isto não pode: ser fiel a seu Senhor. [4]E assim, nisto devemos gloriar-nos: se *rendermos a Deus a* sua *glória* (cf. Sir 35,10; Jo 9,24) e, servindo-o fielmente, atribuirmos a ele tudo o que ele nos concede. – [5]O maior inimigo do homem é a carne; ela não sabe pensar nada para afligir-se, não sabe prever nada para temer. [6]O empenho dela é abusar das coisas presentes. [7]E, o que é pior, ela transfere para a sua glória o que foi dado não a si, mas à alma. [8]Ela colhe o louvor das virtudes, o aplauso exterior das vigílias e orações. [9]Nada deixando à alma, exige até mesmo a esmola das lágrimas".

Ocultação dos estigmas

Capítulo XCVIII – O que ele respondeu aos que perguntavam sobre eles; e o esforço com que os ocultava

135 [1]E não é permitido deixar passar em silêncio o cuidado com que ele ocultou os sinais do Crucificado, dignos de serem venerados pelos espíritos mais sublimes. *²No primeiro momento* (cf. Is 9,1) em que o verdadeiro amor de Cristo *transformara em sua própria imagem* (cf. 2Cor 3,18) aquele que o amava, ele começou a esconder e a ocultar o tesouro com tanta cautela que *por muito tempo* (cf. Sb 4,13) nem os que lhe eram mais familiares o conheciam. ³Mas a divina providência não quis que [este tesouro] ficasse sempre escondido e que não chegasse aos olhos dos que lhe eram caros. ⁴Mas também os lugares dos membros, à vista de todos, não permitiam o próprio ocultamento. ⁵E, uma vez, ao ver um dos companheiros os estigmas nos pés dele, disse-lhe: "O que é isto, bom irmão?" ⁶Ele respondeu: *"Cuida de tua vida!"* (cf. Sir 41,15; Tg 1,25).

136 ¹Noutra ocasião, pedindo o mesmo irmão a túnica dele para bater²⁴ e vendo-a manchada de sangue, disse ao santo, depois que a devolveu: "Que sangue é aquele com que tua túnica estava manchada?" ²E o santo, tendo colocado o dedo no olho, disse-lhe: "Pergunta o que é isto, se não sabes que é um olho". – ³E assim, raramente ele lavava as mãos totalmente, molhando apenas os dedos, para que as chagas não fossem mostradas aos presentes. ⁴E lavava os pés muito raramente e não menos às escondidas. ⁵Apresentava a mão pela metade, quando ela era pedida para ser beijada, colocando na frente só os dedos, para que pudesse ser depositado o beijo; e sempre alongava a manga sobre a mão. – ⁶Calçava os pés com meias de lã para que não pudessem ser vistos, colocava sobre as chagas uma pele que abrandasse a aspereza da lã. ⁷E embora o santo pai não pudesse esconder totalmente dos companheiros os estigmas das mãos e dos pés, no entanto, ficava aborrecido se alguém os olhasse. ⁸Por isso, também os próprios companheiros, cheios *de prudência espiritual* (cf. Ex 28,3), quando ele por alguma necessidade descobria as mãos ou os pés, *desviavam os olhos* (cf. Sl 118,37).

Capítulo XCIX – Alguém as olhou com piedosa fraude

137 ¹Quando *o homem de Deus* (cf. Jz 13,6) morava em Sena, aconteceu que lá chegou um irmão de Bréscia que, desejando mui-

---

24. Na época, não era costume lavar o hábito, mas bater nele com uma vara para tirar a sujeira que nele se acumulava; daí a expressão "bater a túnica".

to ver os estigmas do santo pai, pediu insistentemente a Frei Pacífico que lhe desse esta possibilidade. [2]E ele disse: "Havendo de retirar-me do eremitério, pedir-lhe-ei as mãos para beijar; quando ele mas apresentar, far-te-ei *um sinal com os olhos* (cf. Pr 10,10), e verás". [3]Preparados para a saída, ambos vão ter com o santo e, *tendo dobrado os joelhos* (cf. Ef 3,14), diz Frei Pacífico a São Francisco: "Abençoa-nos, mãe caríssima, e dá-me a mão para beijar!" [4]Beija a mão estendida não de boa vontade e acena ao irmão para que a veja. [5]Pedindo também a outra, beija-a e mostra-lha. [6]Tendo-se eles retirado, o pai suspeitou que aí tinha havido uma santa fraude, como realmente houvera. [7]E, considerando ímpia a piedosa curiosidade, tendo chamado imediatamente de volta a Frei Pacífico, diz-lhe: "O Senhor te perdoe, irmão, porque *de vez em quando me causas muita* tribulação" (cf. 2Cor 2,4). [8]Frei Pacífico prostra-se imediatamente e *interroga*-o humildemente, *dizendo* (cf. Mt 22,2.4): "Que tribulação te causei, mãe caríssima?" [9]Nada respondendo o bem-aventurado Francisco, o evento termina em silêncio.

Capítulo C – A chaga do lado vista por alguém

138 [1]Embora as próprias partes descobertas dos membros tornassem manifestas a alguns as chagas das mãos e dos pés, no entanto, ninguém foi digno de ver, enquanto ele vivia, a chaga do lado, exceção feita tão somente de um, e uma única vez. [2]Pois todas as vezes que mandava que fosse batida a túnica, cobria com o braço direito a chaga do lado. [3]Por vezes, ele cobria aquela bem-aventurada chaga, aplicando a mão esquerda ao lado traspassado. – [4]Mas um dos companheiros dele, enquanto o massageava, tendo deslizado a mão na ferida, infligiu-lhe grande dor. – [5]Um outro dos irmãos, com um desejo cheio de curiosidade, tentando ver o que era escondido aos outros, disse num certo dia ao santo pai: "Gostarias, pai, que batêssemos tua túnica?" [6]Disse o santo: "*O Senhor te recompense* (cf. Sl 17,21.25), irmão, porque na verdade tenho necessidade disto". [7]E assim, estando ele despido, o irmão, olhando *com olhos atentos* (cf. Lm 4,17), viu a chaga reproduzida no lado. [8]Somente este a viu em vida, ninguém dos demais, até o momento depois da sua morte.

Capítulo CI – Virtudes a serem ocultadas

139 [1]Desta maneira, este homem renunciara a toda glória *que não tivesse o sabor* (cf. Fl 3,19) de Cristo; desta maneira, pronunciara o eterno anátema contra os aplausos humanos. [2]Sabia que o preço da fama diminui o segredo da consciência e que é muito mais prejudicial abusar das virtudes do que não possuí-las. [3]Sabia que proteger os bens adquiridos não é menor virtude do que adquiri-los. – [4]Ai! A vaidade, mais do que a caridade, provoca-nos a muitas coisas, e o aplauso do mundo prevalece sobre o amor de Cristo. [5]Não discernimos os afetos, *não examinamos os espíritos* (cf. 1Jo 4,1), e quando a vanglória nos impele a agir, julgamos que o agir foi impelido pela caridade. [6]Além disso, se fizermos algo de bom, ainda que pouco, *não somos capazes de carregar o peso dele* (cf. Jó 31,23), deixamos de carregá-lo enquanto vivemos e o perdemos até ao último porto. [7]Suportamos com paciência não ser bons; não é fácil suportar não parecer e não considerar-se bons. [8]Assim, vivemos totalmente *nos louvores dos homens* (cf. Rm 2,29), porque nada mais *somos* do que *homens* (cf. Mt 8,9).

A humildade

Capítulo CII – A humildade de São Francisco no modo de ser, no sentimento e nos costumes; e contra o próprio parecer

140 [1]A humildade é guarda e beleza de todas as virtudes. [2]Não sendo ela colocada como fundamento da estrutura espiritual, quando esta parece crescer, avança para a ruína. [3]A humildade, para nada faltar ao homem ornado com tantas graças, o *cumulara com mais copiosa fecundidade* (cf. Sl 64,12). [4]Na verdade, segundo a sua própria reputação, ele nada era, a não ser um pecador, quando na realidade era beleza e esplendor de toda espécie de santidade. [5]Nela, [na humildade], ele se esforçou por edificar a si mesmo, para que *à base estivesse o fundamento* (cf. Hb 6,1) que aprendera de Cristo. [6]Esquecido do que *havia conquistado* (cf. Mt 25,16.17), *punha* somente os defeitos *diante dos olhos* (cf. Sl 100,3), considerando mais o que [ainda] lhe faltava do que o que [já] possuía. [7]Nele prevaleceu somente uma cobiça: tornar-se melhor, de modo que, não contente com as primeiras virtudes, acrescentava-lhes novas.

[8]Era humilde no modo de ser, mais humilde no sentimento, humílimo na própria reputação. [9]Não se percebia que *o príncipe de Deus* (cf. Gn 23,6) era um prelado, a não ser por esta claríssima pedra preciosa, porque estava presente como o mínimo entre os menores. [10]Esta era a virtude, este era o título, esta era a insígnia que indicava que ele era o ministro geral. [11]Estava longe de sua boca toda altivez, longe de seus gestos toda pompa, longe de seus atos toda soberba.

[12]*Aprendera* por revelação *o sentido* (cf. Sir 16,24; Sb 9,18) de muitas coisas; discutindo-as diante de todos, antepunha [às suas] as opiniões dos outros. [13]Acreditava que o parecer dos companheiros era mais seguro e que o modo de ver alheio era melhor do que o próprio. [14]Dizia que não *deixara tudo* (cf. Mt 19,27) pelo Senhor aquele que retinha as bolsas do próprio modo de pensar. [15]Com relação a si próprio, preferia *ouvir vitupério* (cf. Sl 30,14) ao louvor, pois que aquele o obrigava a emendar-se, e esta o impelia a cair.

Capítulo CIII – A humildade dele para com o bispo de Terni e para com um camponês

141 [1]Estando ele uma vez a pregar ao povo de Terni, o bispo da cidade, terminada a pregação, elogiando-o, assim disse diante de todos: "Nestes *últimos tempos* (cf. 1Jo 2,18), Deus iluminou a sua Igreja com este *pobrezinho e desprezível* (cf. Is 53,3; 66,2), simples e iletrado; [2]por causa disto, devemos sempre *louvar o Senhor* (cf. Sl 146,1), sabendo que *ele não agiu assim com toda nação*" (cf. Sl 147,20). [3]*Tendo ouvido isto* (cf. Gn 50,17), o santo aceitou com admirável satisfação que o bispo tivesse indicado com palavras tão expressas que ele era desprezível. [4]E, quando eles entraram na igreja, *ele caiu aos pés* (cf. Mc 5,22) do bispo, dizendo: "*Na verdade* (cf. Sl 110,8), senhor bispo, prestaste-me uma grande honra, porque somente tu conservaste ilesas as coisas que são minhas, ao passo que os outros as tiram. [5]Como homem de discernimento, tu separaste *o precioso do vil* (cf. Jr 15,19), *atribuindo a Deus o louvor* (cf. Lc 18,43) e a mim o desprezo".

142 [1]Mas *o homem de Deus* (cf. Jz 13,6) mostrava-se humilde não somente com relação aos maiores, mas também com relação aos iguais e aos desprezados, mais preparado para ser admoestado e corrigido do que para admoestar. [2]Por isso, num dia, sendo transportado por um burrinho, porque fraco e enfermo não podia andar a pé, ao passar pelo campo de um camponês que aí então trabalhava, este o interrogou solicitamente se ele era Frei Francisco. [3]Quando *o homem de Deus* (cf. Jz 13,6) lhe respondeu humildemente que era ele mesmo aquele sobre quem perguntava, disse-lhe o camponês: "Procura ser tão bom como todos dizem, porque muitos *confiam em ti* (cf. Hb 6,9). [4]Por esta razão eu te aconselho: para que nunca aconteça diferentemente do que se espera de ti". [5]Francisco, *o homem de Deus* (cf. Jz 13,6), ao ouvir isto, lança-se do burro ao chão e, *prostrado* diante do camponês, *beija-lhe* humildemente *os pés* (cf. Lc 7,38), *agradecendo-lhe* (cf. Tb 11,7), porque se dignou admoestá-lo. – [6]Embora fosse de tão grande fama, a ponto de ser tido como santo por muitos, ele se julgava desprezível *diante de Deus e dos homens* (cf. Rm 12,17), não se ensoberbecendo [7]nem da célebre fama nem da santidade com que ele sobressaía nem mesmo dos muitos e tão santos irmãos e filhos que *lhe* haviam sido *dados* como início da *remuneração* (cf. 2Cor 6,13.18) dos seus méritos.

Capítulo CIV – Como renunciou ao cargo de prelado no Capítulo; e uma oração

143 [1]Para conservar a virtude da santa humildade, decorridos poucos anos após sua conversão, num Capítulo, diante de todos os irmãos da religião, demitiu-se do ofício de prelado, dizendo: [2]"Agora estou morto para vós. Mas eis Frei Pedro Cattani, a quem eu e todos vós devemos obedecer". [3]E inclinando-se no mesmo instante diante dele, prometeu-lhe obediência e reverência. [4]Então, os irmãos choravam, e a dor arrancava altos gemidos, pois que eles viam que de algum modo se tornavam órfãos de tão grande pai. – [5]Levantando-se o bem-aventurado Francisco, tendo as mãos juntas e *os olhos* elevados *ao céu* (cf. Jo 17,1), disse: "Senhor, recomendo-vos a família que até agora me confiastes. [6]E agora, devido às enfermidades que vós conheceis, dulcíssimo Senhor, não podendo *cuidar dela* (cf. Lc 10,35), recomendo-a aos ministros. [7]Sejam eles obrigados, Senhor, *a prestar contas* diante de vós *no dia do juízo* (cf. Mt 12,36), se algum irmão deles perecer por negligência ou pelo exemplo ou também por correção severa". – [8]A partir de então, permaneceu súdito até à morte, agindo mais humildemente do que qualquer um dos outros [irmãos].

Capítulo CV – Como renunciou aos companheiros

144 [1]Noutra ocasião, entregou todos os companheiros ao seu vigário, dizendo: "Não quero parecer especial por esta prerrogativa de liberdade, mas que os irmãos se associem a mim de um lugar para outro, como o Senhor lhes inspirar". [2]E acrescentou: "Já vi um cego que tinha uma cadelinha como guia do caminho". – [3]Sua glória, portanto, era que, relegada toda forma de singularidade e jactância, *nele habitasse a virtude de Cristo* (cf. 2Cor 12,9).

Capítulo CVI – Palavras dele contra os que amam os cargos de prelado; e descrição do frade menor

145 [1]E vendo que alguns aspiravam aos cargos de prelado – a quem, sem contar outras coisas, a simples ambição de presidir os tornava indignos –, dizia que eles não eram frades menores, mas, esquecidos *da vocação à qual foram chamados* (cf. Ef 4,1), *tinham sido cortados da glória* (cf. Gl 5,4). [2]Derrubava com muitas palavras alguns infelizes que ficavam indignados por ser removidos dos ofícios, visto que não buscavam o peso, mas a honra.

[3]E disse uma vez a um companheiro seu: "Não pareço ser frade menor, se não estiver no estado que te descreverei". [4]E disse: "Eis que, sendo prelado dos irmãos, vou ao Capítulo, prego, admoes-

to os irmãos e, no fim, se diz contra mim: [5]'Não nos convém um iletrado e desprezível, por isso *não queremos que reines sobre nós* (cf. Lc 19,14), porque és sem eloquência, és *simples e ignorante* (cf. At 4,13)'. [6]Finalmente, sou expulso com injúria, vilipendiado por todos. [7]Digo-te que, se eu não ouvir estas palavras com o mesmo *semblante*, com a mesma *alegria* (cf. Sl 15,10) do espírito e com o mesmo propósito de santidade, não sou de maneira alguma um frade menor". – [8]E acrescentava: "No cargo de prelado, a queda; no louvor, o precipício; na humildade do súdito está o lucro da alma. [9]Por que, então, nos dedicamos mais aos perigos do que ao lucro, quando recebemos o tempo para lucrar?"

Capítulo CVII – A submissão que queria que os irmãos tivessem para com os clérigos; e por que a queria

146 [1]E embora quisesse que [seus] filhos *vivessem a paz com todos os homens* (cf. Rm 12,18) e se apresentassem a todos como pequeninos, no entanto, ensinou-os pela palavra e mostrou pelo exemplo a serem humildes, mormente com relação aos clérigos. [2]Dizia, pois: "Fomos enviados *em auxílio* (cf. Sl 69,2; Dn 10,13) dos clérigos para *a salvação das almas* (cf. 1Pd 1,9), de modo que o que neles se encontrar de menos seja suprido por nós. [3]*Cada um receberá sua recompensa* não de acordo com a autoridade, mas *de acordo com o trabalho* (cf. 1Cor 3,8). [4]Sabei, irmãos – disse –, que a Deus é muito agradável o *fruto das almas* (cf. Sb 3,13) e que isto se pode conseguir melhor com a paz do que com a discórdia dos clérigos. [5]Se por acaso eles impedem a salvação dos povos, *a vingança é* de Deus, e ele mesmo lhes *retribuirá em tempo* (cf. Dt 32,35). [6]Por isso, *sede submissos* (cf. 1Pd 2,13) aos prelados para que, quanto *depender de vós* (cf. Rm 12,18), não surja ciúme algum. [7]*Se fordes filhos da paz* (cf. Lc 10,6), havereis de lucrar o clero e o povo para o Senhor, o que o Senhor julga mais agradável do que lucrar só o povo, [depois de ter] escandalizado o clero. [8]Ocultai – disse – as quedas deles, supri-lhes as muitas deficiências e, *quando tiverdes feito isto* (cf. Lc 17,10), sede [ainda] mais humildes".

Capítulo CVIII – A reverência que demonstrou ao bispo de Ímola

147 [1]Numa ocasião, chegando São Francisco à cidade de Ímola da Romanha, apresentou-se ao bispo do lugar, pedindo-lhe a licença de pregar. [2]Disse-lhe o bispo: "Irmão, basta que eu pregue ao meu povo". [3]Tendo inclinado a cabeça, São Francisco *vai para fora* humildemente e depois de pouco tempo *volta para dentro* (cf. Mt 26,75.58). [4]Perguntou-lhe o bispo: "Que queres, irmão? Que procuras de novo?" [5]Respondeu-lhe o bem-aventurado Francisco: "Senhor, se o pai expulsa o filho por uma porta, resta-lhe entrar de novo por outra". [6]Vencido pela humildade, o bispo abraçou-o com rosto alegre e disse: "Tu e todos os teus irmãos pregareis doravante em minha diocese com uma licença geral minha, porque a santa humildade o mereceu".

Capítulo CIX – Humildade dele diante de São Domingos e vice-versa; e a mútua caridade deles

148 [1]Na cidade de Roma, encontraram-se com o senhor de Óstia – que depois foi sumo pontífice – os preclaros luminares da terra, São Francisco e São Domingos. [2]Como falassem alternadamente coisas melífluas do Senhor, disse-lhes finalmente o bispo: "Na Igreja primitiva, os pastores eram pobres e homens fervorosos de caridade e não de avareza. [3]Por que não fazemos dos vossos irmãos bispos e prelados que sobressaiam aos outros *pela doutrina e pelo exemplo?*" (cf. Tt 2,7). [4]Entre os santos, *surgiu uma disputa* (cf. Lc 22,24) sobre [quem devia] responder, [cada qual] não se antecipando, mas oferecendo, antes obrigando [um ao outro] a responder. [5]Na verdade, cada um era prior do outro, pois que cada um tinha devoção para com o outro. [6]Finalmente, a humildade venceu Francisco, para que não se colocasse à frente, e venceu também Domingos, para que, respondendo primeiro, obedecesse humildemente. [7]Respondendo, portanto, o bem-aventurado Domingos, disse ao bispo: "Senhor, meus irmãos, se [o] reconhecerem, foram elevados a bom grau, e, quanto me for possível, não permitirei que cheguem a outro tipo de dignidade". [8]Depois que ele completou o discurso assim tão brevemente, o bem-aventurado Francisco, inclinando-se diante do bispo, disse: "Senhor, meus irmãos foram chamados de Menores para que não presumam *tornar-se maiores* (cf. Mt 20,26). [9]A vocação [deles] os ensina a permanecer no chão e a *seguir as pegadas* da humildade *de Cristo* (cf. 1Pd 2,21) para que finalmente *na retribuição dos santos* (cf. Sb 3,13) sejam mais exaltados do que os outros. [10]Se quereis – disse – *que produzam fruto* (cf. Jo 15,2.8) na *Igreja de Deus* (cf. Fl 3,6), mantende-os e conservai-os no estado *de sua vocação* (cf. 1Cor 7,20) e reconduzi-os às coisas do chão, mesmo contra a vontade deles. [11]E assim suplico, pai, para que não sejam tanto mais soberbos quanto mais pobres e se tornem insolentes contra os outros, não permitais de maneira alguma que eles sejam elevados à prelatura". [12]Estas foram as respostas dos bem-aventurados.

149 [1]O que dizeis [a isto], *ó filhos dos santos* (cf. Tb 2,18)? [2]*O ciúme e a inveja* (cf. 1Mc 8,16) provam que sois degenerados, e a ambição de bens comprova não menos que sois filhos ilegítimos. [3]*Vós vos dilacerais e vos devorais uns aos outros* (cf. Gl 5,15), e *guerras e desavenças* surgem unicamente *das concupiscências* (cf. Tg 4,1). [4]Tendes uma *guerra contra* os esquadrões *das trevas* (cf. Ef 6,12) e *um forte combate* (cf. Sb 10,12) contra os exércitos dos demônios e voltais a espada um contra o outro; *com os rostos voltados para o propiciatório*, os pais *olham-se familiarmente* (cf. Ex 25,20), *cheios de ciência* (cf. Rm 15,14); os filhos, porém, *cheios de inveja* (cf. Rm 1,29), *não suportam olhar-se* (cf. Sb 2,15) mutuamente. [5]Que fará o corpo, *se tiver o coração dividido* (cf. Os 10,2)? [6]Realmente, o ensinamento da piedade produziria mais frutos *por todo o mundo* (cf. 2Mc 3,12), se *o vínculo da caridade* (cf. Cl 3,14) unisse mais fortemente *os ministros da palavra de Deus* (cf. At 6,4; Tt 2,5). [7]De fato, o que falamos ou ensinamos torna-se especialmente suspeito, porque em nós se manifesta *com sinais evidentes* (cf. 2Mc 14,15) um certo fermento de ódio. [8]Sei que não estão em causa os bons de uma e de outra parte, mas os maus que eu creria deverem ser extirpados justamente para não infectarem os santos. [9]Que direi, em suma, dos *que têm pretensões de grandeza* (cf. Rm 12,16)? [10]Os pais *chegaram ao reino* (cf. Lc 23,42) pela via da humildade, não da grandeza; os filhos, *andando em volta* (cf. Sl 11,9) da ambição, *não buscam o caminho da cidade habitada* (cf. Sl 106,4). [11]O que nos resta, a não ser não conseguirmos a glória, já que não seguimos a via deles? *Longe* *de nós, Senhor* (cf. Js 24,16; At 10,14)! [12]Fazei que sejam humildes os discípulos sob as asas dos mestres; [13]fazei que sejam benévolos os consanguíneos do espírito; e *que vejais os filhos de vossos filhos e a paz sobre Israel* (cf. Sl 127,6).

Capítulo CX – Como se recomendaram um ao outro

150 [1]Terminadas, como dissemos acima, as respostas dos servos de Deus, o senhor de Óstia, muito edificado pelas palavras de cada um, *rendeu* imensas *graças a Deus* (cf. At 27,35). [2]E, ao se retirarem eles de lá, o bem-aventurado Domingos pediu a São Francisco que lhe dignasse dar-lhe o cordão com que se cingia. [3]A isto São Francisco foi lento, negando com a mesma humildade quanta a caridade com que o outro lhe pedia. [4]Mas venceu a feliz devoção do que pedia, e [São Domingos] cingiu com muita devoção o cordão concedido sob a túnica inferior. [5]Finalmente, colocam-se as mãos entre as mãos, e fazem-se muito amáveis recomendações mútuas. [6]E disse um santo a outro santo: "Eu gostaria, Frei Francisco, que a tua e a minha se tornassem uma única Religião e que vivêssemos de igual forma na Igreja". [7]Por fim, quando *um se retirou do outro* (cf. At 15,39), disse São Domingos a muitos que estavam presentes: "*Em verdade vos digo* (cf. Lc 4,25), os outros religiosos deveriam seguir este santo homem Francisco, tão grande é a perfeição de sua santidade".

A obediência

Capítulo CXI – Sempre teve um guardião por causa da verdadeira obediência

151 [1]Este cauteloso comerciante, para lucrar de muitas maneiras e transformar todo o tempo presente em mérito, quis ser guiado pelos freios da obediência e submeter-se a si mesmo ao governo de outro. [2]Na verdade, não somente renunciou ao ofício de geral, mas, por causa de uma maior vantagem da obediência, pediu um guardião particular a quem respeitasse de modo especial como prelado. [3]Disse, pois, a Frei Pedro Cattani, a quem já antes havia prometido a santa obediência: "Rogo-te, por amor de Deus, que confies a tua função com relação a mim a um dos meus companheiros, a quem obedecerei devotamente como a ti. [4]Conheço o fruto da obediência e sei que para aquele que *submeter o pescoço ao jugo* (cf. Sir 51,34) de outro nenhum tempo passa sem lucro". [5]Então, tendo sido aceito o insistente pedido, ele permaneceu súdito em toda parte *até à morte* (cf. Fl 2,8), obedecendo sempre com reverência a um guardião próprio.

[6]E disse uma vez aos seus companheiros: "Entre outras coisas que a bondade divina se dignou conceder-me, conferiu-me esta graça: que eu obedecesse tão diligentemente a um noviço de uma hora, se me fosse dado como guardião, como ao mais antigo e discreto. [7]O súdito não deve considerar no prelado um homem, mas aquele por cujo amor se submeteu. [8]E quanto mais desprezível o que preside, tanto mais agrada a humildade do que obedece".

Capítulo CXII – Como descreveu o verdadeiro obediente; e as três obediências

152 [1]Noutra ocasião, estando sentado com os companheiros, o bem-aventurado Francisco emitiu um suspiro: "Dificilmente há em todo o mundo um religioso que obedece com perfeição ao seu prelado". [2]Abalados, os companheiros disseram-lhe: "Dize-nos, pai, qual é a mais alta e perfeita obediência". [3]E ele, descrevendo o obediente sob a figura de um corpo morto, respondeu: "Toma um corpo exânime e coloca-o onde te aprouver. [4]Verás que o que foi movido não faz resistência, o que foi colocado não murmura, o que foi deixado não reclama. [5]Se ele é posto na cátedra, não olhará para o alto, mas para baixo; se ele é vestido de púrpura, empalidecerá duplamente. [6]Este é o verdadeiro obediente; não pensa por que deva ser movido, não se preocupa com o lugar em que deva ser colocado, não insiste para ser transferido. [7]Elevado a um ofício, mantém a costumeira humildade; quanto mais honrado, mais se julga indigno". – [8]Numa outra vez, falando do mesmo tema, disse que [as obediências] concedidas depois de um pedido são propriamente licenças, mas chamou de sagradas as obediências impostas e não pedidas. [9]Dizia que ambas são boas, mas a segunda é mais segura. – [10]Mas considerava que suprema [obediência] era aquela em que nada tinham *a carne e o sangue* (cf. Mt 16,17), pela qual se vai por divina inspiração para o meio dos infiéis, seja por causa da conquista do próximo, seja por causa do desejo do martírio. [11]E julgava que era muito *agradável a Deus* (cf. Fl 4,18) pedir esta obediência.

Capítulo CXIII – Não se deve mandar por obediência em matéria leve

153 [1]Ele era de opinião de que raramente se deve mandar pela obediência e de que não se deve arremessar por primeiro o dardo que deveria ser o último. [2]Disse: "Não se há de meter logo a mão na espada". [3][Dizia] que aquele que não se apressa em obedecer ao preceito da obediência *não teme a Deus nem respeita os homens* (cf. Lc 18,4). – [4]Nada mais verdadeiro do que isto. Pois, naquele que dá preceitos temerários, o que é a autoridade de mandar, senão uma espada na mão de um [homem] furioso? [5]E o que há mais sem esperança do que o religioso que despreza a obediência?

Capítulo CXIV – O irmão cujo capuz ele atirou ao fogo, porque viera sem obediência, conquanto trazido pela devoção

154 [1]Certa vez, manda que seja atirado na fogueira o capuz tirado de um irmão que viera sozinho sem a obediência. [2]E, como ninguém tirasse o capuz [do fogo], pois temiam o rosto um tanto alterado do pai, o santo manda que ele seja retirado das chamas, não sofrendo qualquer estrago. [3]Embora os méritos do santo tivessem podido isto, talvez não faltou também o merecimento daquele irmão. [4]Pois, a devoção de ver o santíssimo pai havia-o vencido, embora tivesse faltado a discrição, única condutora das virtudes.

Os que dão bom ou mau exemplo

Capítulo CXV – O exemplo de um bom irmão e os costumes dos irmãos antigos

155 [1]Afirmava que os Frades Menores foram *enviados pelo Senhor* (cf. Jo 1,6) *nos últimos tempos* (cf. Jd 18), a fim de apresentarem exemplos de luz aos [que estavam] envolvidos pelas trevas dos pecados. [2]Dizia que *se enchia de suavíssimos odores* (cf. Ex 29,18; Jo 12,3) e se untava com a virtude de *precioso unguento* (cf. Mt 26,7), quando *ouvia as maravilhas* (cf. At 2,11) dos santos irmãos dispersos pelo mundo. – [3]Aconteceu que um irmão, de nome Bárbaro, diante de um nobre varão da Ilha de Chipre, uma vez *proferiu uma palavra* (cf. Jó 18,2) de injúria contra outro irmão. [4]Quando ele viu o irmão um tanto ferido pelo impacto da palavra, tendo tomado esterco de burro, inflamado para a vingança contra si mesmo, introduziu-o na própria boca para mastigá-lo, dizendo: [5]"Mastigue esterco a língua que *derramou o veneno* (cf. Pr 23,32) da ira contra meu irmão. [6]Vendo isto, o cavaleiro, atônito de estupefação, retirou-se muito edificado, e desde então se colocou generosamente a si mesmo e a seus bens à disposição dos irmãos.

[7]Todos os irmãos, por costume, observavam isto infalivelmente: se algum deles algum dia proferisse diretamente uma palavra que causasse perturbação ao outro, *prostrado por terra* (cf. 2Mc 10,4), acariciava com beatos ósculos o pé do [irmão] ofendido, mesmo contra a vontade [deste]. [8]O santo exultava em tais coisas, quando ouvia dizer que seus filhos davam por si mesmos exemplos de santidade, cumulando aqueles irmãos das bênçãos *mais dignas de toda aceitação* (cf. 1Tm 1,15), os quais, *por palavra ou por obra* (cf. Cl 3,17), levavam os pecadores ao amor de Cristo. [9]Pelo *zelo* das almas, do qual ele *era* perfeitamente *repleto* (cf. At 5,17), queria que os filhos lhe correspondessem em verdadeira semelhança.

Capítulo CXVI – Alguns que dão mau exemplo; e maldição do santo para eles; e quanto isto o incomodava

156 [1]Assim também, os que violavam a sagrada Religião *com más ações* (cf. 2Pd 2,8) ou com maus exemplos incorriam na mais grave sentença da sua maldição. [2]Num dia, pois, ao ser-lhe relatado que o bispo de Fondi tinha falado a dois irmãos – que cultivavam barba mais longa sob pretexto de maior desprezo de si mesmos – que se apresentaram diante dele: "Cuidai para que a beleza da Religião não seja deturpada pela presunção de novidade deste gênero",

[3]o santo levantou-se imediatamente e, *estendidas as mãos ao céu* (cf. 2Mc 14,34), banhando-se em lágrimas, prorrompeu nestas palavras de oração, ou melhor, de imprecação: [4]"Senhor Jesus Cristo, que escolhestes doze apóstolos; embora caindo um deles, os outros, no entanto, permanecendo unidos a vós, pregaram o santo Evangelho repletos de *um único espírito* (cf. Ef 2,18); [5]vós, Senhor, *lembrando--vos nestes últimos tempos* (cf. 1Jo 2,18) *da antiga misericórdia* (cf. Sl 88,50; Sir 51,11), plantastes a Religião dos irmãos para apoio da fé em vós e para que se cumprisse por meio deles o mistério do vosso Evangelho. [6]Quem, portanto, satisfará por eles diante de vós, se eles não apenas não mostram a todos exemplos de luz – para o que foram enviados –, mas pelo contrário apresentam *obras das trevas* (cf. Rm 13,12)? [7]Por vós, ó santíssimo Senhor, e por toda a corte celeste e por mim, vosso pequenino, sejam malditos os que por seu mau exemplo confundem e destroem o que outrora edificastes e não cessais de edificar por meio dos santos irmãos desta Ordem!" – [8]Onde estão os que se proclamam felizes com a bênção dele e se gabam de ter-se apoderado como queriam da familiaridade dele? [9]Se por acaso – que Deus não o permita! –, se descobrir que eles mostraram em si sem arrependimento *as obras das trevas* com perigo [de perda] dos outros, *ai deles* (cf. Jd 11), ai da condenação eterna!

157 [1]Dizia: "Muitos irmãos ótimos são confundidos pelas obras dos maus irmãos e onde eles não *pecaram suportam* (cf. Lm 5,7) o julgamento pelo exemplo dos perversos. [2]Por esta razão, eles me traspassam com dura espada e *todo o dia* (cf. Sl 43,9.16) a revolvem dentro das minhas entranhas". [3]Por causa disto, subtraía-se do convívio dos irmãos, especialmente para não acontecer que ouvisse algo de desagradável sobre alguém para renovação de sua dor.

[4]E dizia: "*Tempo virá* (cf. Ez 7,12), em que esta Religião amada por Deus será difamada pelos maus exemplos, de modo que se envergonhará de sair em público. [5]Mas os que vierem nesse tempo para ser recebidos na Ordem serão conduzidos unicamente pela operação do Espírito Santo, e *a carne e o sangue* não lhes impingirão *mancha alguma* (cf. Sir 11,33; Mt 16,17); e eles serão ver-

dadeiramente *abençoados pelo Senhor* (cf. Sl 113,15). [6]E posto que neles não tenha havido obras meritórias, *ao esfriar a caridade* (cf. Mt 24,12), que faz os santos agirem fervorosamente, hão de sobrevir--lhes imensas tentações; e os que nesse tempo mostrarem ter sido provados serão melhores do que seus predecessores. [7]Mas, ai daqueles que, aplaudindo-se a si mesmos unicamente pela aparência de vida religiosa, se arrefecerem no ócio e não resistirem com constância às tentações [que forem] permitidas para a provação dos eleitos; [8]porque somente *os que forem provados receberão a coroa da vida* (cf. Tg 1,12); a estes, entretanto, a malícia dos réprobos exercita".

Capítulo CXVII – A revelação que lhe fora feita por Deus sobre o estado da Ordem; e que a Ordem nunca perecerá

158 [1]Mas consolava-se muito com *as visitações de Deus* (cf. 1Pd 5,6) pelas quais se tornava seguro de que os fundamentos de sua Religião haveriam de permanecer inabaláveis. [2]Era-lhe prometida também a substituição certa no número dos eleitos que perecessem. [3]Uma vez, como estivesse perturbado pelos maus exemplos e, [assim] perturbado, se entregasse à oração, obteve do Senhor esta censura: "Por que te perturbas, homenzinho? [4]Por acaso te constituí pastor sobre a minha Religião a ponto de não saberes que eu sou [dela] o principal protetor? [5]Constituí a ti, homem simples, para que os que quiserem sigam as coisas que eu fizer em ti, coisas a serem imitadas pelos outros. [6]*Eu [os] chamei, conservarei, nutrirei* (cf. Is 48,15; Ap 10,3) e, para reparar a perda de alguns, colocarei outros no lugar deles, de modo que, *se* algum *não tiver nascido* (cf. Mt 26,24), farei com que ele nasça. [7]Portanto, não te perturbes, mas *ocupa-te com tua salvação* (cf. Fl 2,12), porque, ainda que a Religião chegue ao número de três, permanecerá sempre inabalável pela minha graça". [8]A partir de então, dizia que a maior multidão dos imperfeitos era superada pela virtude de um único santo, porque pelo raio de uma única luz se dissipam as mais densas trevas.

Contra o ócio e os ociosos

Capítulo CXVIII – Revelação que lhe foi feita sobre quando seria servo de Deus e quando não

159 ¹Desde que este homem, tendo desprezado as coisas passageiras, começou a *ligar-se ao Senhor* (cf. Zc 13,17), dificilmente permitiu que decorresse vazia a menor fração do tempo. ²Na verdade, depois de *ter acumulado* grande quantidade de méritos *nos tesouros do Senhor* (cf. Dn 1,2), estava sempre renovado, sempre mais pronto para os exercícios espirituais. ³Considerava grave ofensa não *fazer algo de bom* (cf. Rm 9,11) e julgava que não progredir sempre era retroceder. – ⁴Uma vez, quando estava na cela em Sena, numa noite chamou a si os companheiros que dormiam, dizendo: *"Roguei ao Senhor* (cf. 2Cor 12,8), irmãos, que se dignasse mostrar-me quando *sou seu servo* (cf. Sl 118,125) e quando não sou servo. ⁵Pois nenhuma outra coisa eu quereria, senão ser seu servo. ⁶E o próprio benigníssimo Senhor se dignou responder-me: 'Saibas que és verdadeiramente *meu servo* (cf. Sl 88,21; Jó 1,8) quando pensas, falas e praticas coisas santas'. ⁷Por isso, vos chamei, irmãos, porque diante de vós quero envergonhar-me, se alguma vez eu não fizer nenhuma destas três coisas".

Capítulo CXIX – Penitência contra as palavras ociosas na Porciúncula

160 ¹Noutra ocasião, em Santa Maria da Porciúncula, considerando *o homem de Deus* (cf. 2Tm 3,17) que o lucro da oração se perdia *pelas palavras ociosas* [ditas] depois da oração, ordenou este remédio contra o pecado *das palavras ociosas* (cf. Mt 12,36), dizendo: ²"Todo irmão que *proferir palavra ociosa* (cf. Mt 12,35.36) ou inútil esteja obrigado a confessar imediatamente a sua culpa e a rezar uma vez o *Pai-nosso* (cf. Mt 6,9-13) para cada palavra ociosa. ³E quero que reze o *Pai-nosso* (cf. Mt 6,9-13) por sua alma, se ele próprio se acusar por primeiro do [pecado] cometido; ⁴se tiver sido primeiramente censurado por outro, atribua à alma de quem o censurou".

Capítulo CXX – Como ele, a trabalhar, odiava os ociosos

161 [1]Dizia que os *tíbios*, que não se aplicam habitualmente a nenhuma ocupação, *deviam ser* logo *vomitados da boca* de Deus (cf. Ap 3,16). [2]Ninguém podia comparecer ocioso diante dele, sem que ele o corrigisse de maneira mordaz. [3]Na verdade, ele próprio, exemplo de toda perfeição, se afadigava e *trabalhava com* suas *mãos* (cf. 1Cor 4,12; 1Ts 4,11), não permitindo que nada se perdesse do excelente dom do tempo. – [4]E disse uma vez: "Quero que todos os meus irmãos trabalhem e se exercitem, e que aqueles que não sabem aprendam algum ofício". [5]E, apresentando o motivo, disse: "Para sermos menos pesados aos homens e a fim de que o coração ou a língua por meio de coisas ilícitas não vague no ócio". [6]Confiava, porém, o lucro ou recompensa do trabalho não ao arbítrio de quem trabalhava, mas ao guardião ou à família[25].

Capítulo CXXI – Lamentação feita a ele sobre os preguiçosos e gulosos

162 [1]Permite-me, santo pai, elevar hoje ao alto a lamentação por aqueles que se dizem teus. [2]Muitos odeiam o exercício das virtudes e, querendo descansar diante do trabalho, provam ser filhos não de Francisco, mas de Lúcifer. [3]Temos maior quantidade de enfermos do que de militantes, visto que, *nascidos para o trabalho* (cf. Jó 5,7), deveriam considerar sua *vida como uma luta* (cf. Jó 7,1). [4]Não lhes agrada progredir pela ação; pela contemplação não o conseguem. [5]Depois de terem perturbado a todos por sua singularidade, trabalhando mais com a boca do que com as mãos, *odeiam quem os repreende na porta* (cf. Am 5,10) e não se deixam tocar sequer com as pontas dos dedos. [6]E admira-me mais o descaramento daqueles que, de acordo com a palavra do bem-aventurado Francisco, em sua casa somente tinham vivido *com suor* (cf. Gn 3,19) e agora, sem trabalho, se alimentam do suor dos pobres. [7]Admirável esperteza! Embora nada façam, julgarias que eles estão sempre ocupados.

---

25. Família era o termo usado para indicar o que hoje denominamos a fraternidade local.

[8]Sabem as horas da refeição, e se por acaso a fome aperta, eles se queixam de que o sol parou seu curso. [9]Ó bom pai, deveria eu crer que estes monstros de homens são dignos de tua glória? Na verdade, [não são dignos] nem do hábito! [10]Sempre ensinaste a buscar neste tempo incerto e fugaz as riquezas dos méritos, para não acontecer [ter que] mendigar no futuro. [11]E estes, que hão de passar posteriormente ao exílio, nem da pátria desfrutam. [12]E a doença grassa entre os súditos, porque os prelados fingem, como se fosse possível não receber o castigo daqueles cujos vícios eles sustentam.

Os ministros da palavra de Deus

Capítulo CXXII – Como deve ser o pregador

163 [1]Queria que *os ministros da palavra de Deus* (cf. At 6,4; 17,13) fossem de tal modo dedicados aos estudos espirituais que não fossem impedidos por outros ofícios. [2]Dizia que eles foram escolhidos por um grande rei para transmitir aos povos os editos que recebessem de sua boca. [3]E afirmava: "O pregador deve haurir nas orações secretas aquilo que depois vai difundir em palavras sagradas; deve antes aquecer-se por dentro para não proferir palavras frias". [4]Dizia que este ofício devia ser respeitado e que aqueles que os exercem deviam ser venerados por todos. [5]Dizia: "Eles são a vida do corpo, são eles que combatem os demônios, eles são a *lâmpada do mundo*" (cf. Mt 5,14).

[6]E considerava os doutores na sagrada Teologia dignos de mais amplas honras. [7]De fato, certa vez, mandou escrever de modo geral: "A todos os teólogos e aos que nos ministram as palavras divinas devemos honrar e venerar como a quem nos ministra *espírito e vida*" (cf. Jo 6,64). – [8]E uma vez, ao escrever ao bem-aventurado Antônio, assim mandou que fosse colocado no princípio da carta: "A Frei Antônio, meu bispo".

Capítulo CXXIII – Contra os que buscam o vão louvor;
e explicação de uma palavra profética

164 [1]E disse que se deviam lamentar os pregadores que muitas vezes vendem o que fazem pela moedinha do vão louvor. [2]E por vezes tratava os tumores deles com este antídoto: "Por que vos gloriais da conversão dos homens que os meus irmãos simples converteram com suas orações?" [3]Por fim, explicava desta maneira aquela palavra: *Até a estéril deu à luz muitos filhos* (1Sm 2,5). Dizia: "A estéril é meu irmão pobrezinho que não tem na Igreja o ofício de gerar filhos. [4]Ele dará muitos à luz no [dia do] juízo, porque então o juiz atribuirá à sua glória os que ele agora converte com suas orações particulares. [5]*A que tem muitos filhos enfraquecerá* (1Sm 2,5), porque o pregador, que se alegra como que por muitos [filhos] gerados por sua própria virtude, saberá então que neles nada teve de próprio". – [6]E não gostava muito daqueles que desejam ser louvados mais como oradores do que como pregadores, que falam com ornato [das palavras] e não com afeto. [7]E dizia que fazem má distribuição aqueles que aplicam tudo à pregação e nada à devoção. [8]Na verdade, louvava o pregador, mas aquele que por sua vez saboreava e degustava [a pregação].

A contemplação do Criador nas criaturas

Capítulo CXXIV – O amor do santo para com as criaturas
sensíveis e insensíveis

165 [1]Tendo pressa de sair deste mundo como de um exílio de peregrinação, este feliz itinerante era auxiliado pelas coisas que *estão no mundo* (cf. Jo 17,11.16), e realmente não pouco. [2]Usava o mundo como campo de batalha contra *os príncipes das trevas* (cf. Ef 6,12), mas também o usava, com relação a Deus, como *espelho* limpidíssimo *de sua bondade* (Sb 7,26). [3]Em qualquer obra de arte ele exalta o Artífice e atribui ao Criador tudo o que descobre nas coisas criadas. [4]*Exulta em todas as obras das mãos do Senhor* (cf. Sl

91,5; 8,7) e intui, através dos espetáculos do encantamento, a razão e causa que tudo vivifica. ⁵Reconhece nas coisas belas aquele que é o mais Belo; *todas as coisas boas* (cf. Gn 1,31) lhe clamam: "Quem *nos fez* (cf. Sl 99,3) é o Melhor". ⁶Por meio dos *vestígios* impressos nas coisas ele *segue o amado* (cf. Jó 23,11; Ct 5,17) por toda parte e de todas as coisas faz para si uma escada *para se chegar ao trono* (cf. Jó 23,3) dele.

⁷Abraça todas as coisas com o afeto de inaudita devoção, falando com elas sobre o Senhor e exortando-as a louvá-lo. – ⁸Poupa os candeeiros, lâmpadas e velas, não querendo com sua mão extinguir o fulgor que era sinal *da luz eterna* (cf. Sb 7,26). – ⁹Anda com reverência sobre a pedra em consideração daquele que é chamado de Pedra. ¹⁰Quando precisa recitar aquele versículo: *Vós me exaltastes sobre a pedra* (Sl 60,3), para expressá-lo mais reverentemente, diz: "*Vós me exaltastes* (cf. 60,3) *aos pés* (cf. Sl 17,39) da Pedra".

¹¹Proíbe aos irmãos que cortam lenha cortar pelo pé toda a árvore, para que tenha esperança de brotar de novo. – ¹²Manda que o hortelão deixe sem cavar a faixa de terra ao redor da horta, para que, a seu tempo, o verdor das ervas e a beleza das flores apregoem que é belo *o Pai de todas as coisas* (cf. Ef 4,6). ¹³Manda traçar um canteiro na horta para as ervas aromáticas e que produzem flores, para que elas evoquem os que as contemplam à recordação da suavidade eterna.

¹⁴Recolhe do caminho os vermezinhos, para que não sejam pisados, e manda que sejam servidos mel e ótimos vinhos às abelhas, para que elas não morram por falta de alimento no rigoroso frio do inverno. – ¹⁵Chama com o nome de irmão todos os animais, conquanto entre todas as espécies de animais prefira os mansos. ¹⁶*Quem seria capaz de narrar* (cf. Sir 18,2) tudo? Na verdade, toda aquela bondade fontal, que há de ser *tudo em todos* (cf. 1Cor 12,6), já se manifestava a este santo como *tudo em todos* (cf. 1Cor 12,6).

Capítulo CXXV – Como as próprias criaturas lhe retribuíam o amor; e o fogo que não o queimou

166 ¹Por conseguinte, todas as criaturas procuram retribuir o amor do santo e corresponder-lhe com sua gratidão; sorriem para aquele que as acaricia, atendem aquele que lhes pede, obedecem àquele que lhes ordena. [2]Que vos seja agradável a narração de poucos episódios. – [3]No tempo da enfermidade dos olhos, constrangido a permitir que cuidassem dele, é chamado um cirurgião ao eremitério. [4]Vindo este, traz um instrumento de ferro para cauterizar e manda que este seja submetido ao fogo até que se torne brasa. [5]E o bem-aventurado pai, confortando o corpo já abalado pelo terror, assim fala ao fogo: "Meu irmão fogo, o *Altíssimo te criou* (cf. Sir 1,8.9) forte, belo e útil, [dotado] de beleza de causar inveja às demais criaturas. [6]*Sê-me propício* (cf. Gn 33,10) nesta hora, sê cortês! Porque há muito tempo que te amo no Senhor. [7]Suplico ao grande *Senhor que te criou* (cf. Sl 47,2; Dt 32,6) que modere agora o teu calor, para que eu possa suportar-te enquanto [me] queimas suavemente". [8]Terminada a oração, faz o sinal da cruz sobre o fogo e em seguida permanece intrépido. [9]O ferro incandescente e em brasa é tomado nas mãos, os irmãos fogem vencidos pela compaixão, o santo apresenta-se alegre e disposto ao ferro. [10]O ferro crepitante aprofunda-se na tenra carne, e a cauterização estende-se sem interrupção da orelha até ao supercílio. [11]As palavras do santo – ele, que melhor sabe – testemunham quanta dor aquele fogo lhe causou. [12]Pois, tendo voltado os irmãos que haviam fugido, disse-lhes o pai a sorrir: "*Pusilânimes* e homens *de coração pequeno* (cf. 1Ts 5,14; Mt 14,31), por que fugistes? [13]*Em verdade eu vos digo* (cf. Lc 4,25) que não senti o calor do fogo nem dor alguma na carne". [14]E, *voltando-se ao* (cf. Lc 7,44) médico, disse: "Se a carne não está bem cauterizada, aplica de novo [o ferro]". [15]O médico, que já tinha experiência de diferentes casos de cauterização, exaltou este milagre divino, dizendo: "Digo-vos, irmãos, *hoje vi maravilhas* (cf. Lc 5,26)". – [16]Creio que havia voltado à inocência primitiva aquele diante do qual – quando ele queria – se amansavam as criaturas violentas.

Capítulo CXXVI – A avezinha que pousa nas suas mãos

167 [1]O bem-aventurado Francisco estava num barco, dirigindo-se ao eremitério de Greccio, pelo lago de Rieti. [2]Um pescador ofereceu-lhe uma avezinha aquática, para que por meio dela ele se alegrasse no Senhor. ³O bem-aventurado pai, recebendo-a com alegria, depois de ter aberto as mãos, convidou-a com mansidão para que partisse livremente. ⁴Como ela não quisesse ir, mas se reclinasse nas mãos dele como em um ninho, o santo permaneceu com os olhos elevados em oração. ⁵E, depois de longa demora, *voltando a si* (cf. At 12,11) como que de um outro lugar, ordenou suavemente à avezinha que se entregasse sem temor à primitiva liberdade. ⁶E assim, tendo recebido a bênção com a licença, ela voou, mostrando uma certa alegria com o movimento do corpo.

Capítulo CXXVII – O falcão

168 ¹Quando o bem-aventurado Francisco estava num eremitério, como costumava, fugindo da presença e da conversa dos homens, um falcão que fazia ninho no lugar ligou-se a ele com grande pacto de amizade. ²Pois, de noite, com seu canto e ruído, sempre indicava com antecedência a hora em que o santo costumava levantar-se para o ofício divino. ³Isto era muito bom para *o santo de Deus* (cf. Lc 4,34), pelo fato que tão grande solicitude, que o falcão tinha para com ele, expulsava dele todo torpor da preguiça. ⁴E quando o santo estava mais do que de costume atormentado pela enfermidade, o falcão o poupava e não lhe anunciava as vigílias da madrugada. ⁵Na verdade, como se fosse *instruído por Deus* (cf. 2Tm 3,17), por volta do romper do dia, com leve toque ele batia o sino de sua voz. – ⁶Não é de se admirar se as demais criaturas veneram aquele que acima de tudo ama o Criador.

Capítulo CXXVIII – As abelhas

169 ¹Certa vez, fora construída numa montanha uma pequena cela em que *o servo de Deus* (cf. Dn 14,36) *fez* rigidíssima *penitência* (cf. Jz 21,15) por quarenta dias. ²Tendo completado o tempo, ao retirar-se dali, a cela ficou como que deixada na solidão sem nenhum sucessor. ³Lá ficou abandonado um pequeno vaso de barro, com o qual o santo costumava beber. ⁴E, uma vez, indo alguns homens àquele lugar por reverência ao santo, encontram aquele pequeno vaso cheio de abelhas. [5]Naquele vaso elas construíam pequeninas celas de favos, simbolizando certamente a doçura da contemplação que naquele lugar *o santo de Deus* (cf. Mc 1,24) havia haurido.

Capítulo CXXIX – O faisão

170 [1]Um nobre do condado de Sena enviou um faisão ao bem-aventurado Francisco, que estava doente. [2]Ao aceitá-lo com alegria – não pela vontade de comê-lo, mas pelo modo com que em tais circunstâncias sempre costumava alegrar-se por amor ao Criador –, disse ao faisão: "Louvado seja o nosso Criador, irmão faisão!" [3]E disse aos irmãos: "Façamos agora o teste, se o irmão faisão quer morar conosco ou ir para os lugares de costume ou mais adequados a ele". [4]E, levando-o um irmão a mandado do santo, colocou-o longe, numa vinha. Ele voltou imediatamente, com passo apressado, para a cela do pai. [5]Mandou novamente que ele fosse colocado mais longe; ele, com a maior ligeireza, voltou à porta da cela e, como que forçando por sob as túnicas dos irmãos que estavam à porta, entrou. [6]Então o santo, abraçando-o e acariciando-o com suaves palavras, mandou que ele fosse cuidadosamente alimentado. [7]Ao ver isto, um médico bastante devoto do *santo de Deus* (cf. Lc 4,34) pediu-o aos irmãos, não querendo comê-lo, mas criá-lo por reverência ao santo. [8]O que mais aconteceu? Levou-o consigo para casa; mas o faisão, separado do santo, sentindo-se como que ofendido, não quis comer absolutamente nada, enquanto estivesse sem a presença dele. [9]O médico ficou estupefato e, levando imediatamente de volta o faisão ao santo, narrou por ordem tudo o que acontecera. [10]Assim que foi colocado no chão, o faisão olhou para o seu pai e, tendo abandonado a tristeza, começou a comer com satisfação.

Capítulo CXXX – A cigarra

171 [1]Perto da pequena cela *do santo de Deus* (cf. Mc 1,24) na Porciúncula, morando sobre uma figueira, uma cigarra cantava com habitual suavidade; uma vez, o bem-aventurado pai, estendendo-lhe a mão, chamou-a benignamente a si, dizendo: "Minha irmã cigarra, vem a mim!" ²Ela, como se fosse dotada de razão, subiu imediatamente na mão dele. ³E ele lhe disse: "Canta, minha irmã cigarra, e louva com júbilo ao Senhor, teu Criador!" ⁴Ela, obedecendo sem demora, começou a cantar e não cessou o seu canto, enquanto *o homem de Deus* (cf. 2Rs 4,9), unindo seu louvor aos cânticos dela, não lhe ordenasse que voasse de volta ao seu lugar de costume. ⁵Lá ficou como que amarrada por oito dias consecutivos. ⁶E, quando o santo descia da cela, tocando-a sempre com a mão, mandava-a cantar; e ela estava sempre pronta para obedecer às ordens dele. ⁷E disse o santo aos seus companheiros: "Despeçamos agora nossa irmã cigarra que até agora nos alegrou bastante com seu louvor, *para que* nossa *carne não se vanglorie disto*" (cf. 1Cor 1,29; 2Cor 12,5). ⁸E, despedida por ele, ela se retirou imediatamente e não apareceu mais lá. ⁹Vendo isto, os irmãos ficaram muito admirados.

A caridade

Capítulo CXXXI – Sua caridade; colocava-se a si mesmo como exemplo de perfeição para salvação das almas

172 ¹Pois que a força do amor o tornara irmão das outras criaturas, não se deve admirar se a *caridade de Cristo* (cf. 2Cor 5,14) o tornava mais irmão dos que estão marcados com a imagem do Criador. ²Pois dizia que nada deve ser colocado à frente da *salvação das almas* (cf. 1Pd 1,9), demonstrando frequentemente que *o Unigênito de Deus* (cf. Jo 3,18) se dignou pender na cruz pelas almas. ³Daí, o esforço que ele tinha na oração, sua corrida à pregação e os excessos em [querer] dar exemplo. ⁴Não se julgava *amigo de Cristo* (cf. Jo 15,14.15), se não *amasse* as almas que *ele amou* (cf. 1Jo 4,21). ⁵E esta é para ele a principal causa para venerar os doutores: eles são *auxiliares de Cristo* (cf. Rm 16,9) e exercem com Cristo um único ofício. ⁶E ele, *acima de toda medida* (cf. 2Cor 4,17), abraçava entranhadamente os próprios irmãos *com todos os afetos* (cf. Ez 25,6), como *irmãos de uma fé* (cf. Gl 6,10) especial que a participação *da herança eterna* (cf. Hb 9,15) unia.

173 [1]Todas as vezes que o rigor de sua vida era repreendido, ele respondia que havia sido dado à Ordem como exemplo, *para, como a águia, provocar seus filhotes a voarem* (cf. Dt 32,11). [2]Embora a carne dele – a qual já se submetia espontaneamente ao espírito – fosse inocente e não precisasse de nenhum castigo por causa das ofensas, no entanto, por causa do exemplo, renovava-lhe as penas, *trilhando por causa dos* outros *duros caminhos* (cf. Sl 16,4). – [3]Realmente muito certo, porque *se olha* mais *para a mão* do que *para a língua* (cf. Sir 28,19.20; Jt 13,7) dos prelados. [4]Com a mão, ó pai, pregavas mais suavemente, persuadias com mais facilidade, davas provas mais seguras. [5]*Se* [os prelados] *falarem a língua dos homens e dos Anjos, mas não* mostrarem os exemplos *da caridade,* pouco *servem* para *mim, nada* (cf. 1Cor 13,1-3) para si. [6]Mas, onde aquele que repreende não é absolutamente temido e onde o capricho está no lugar da razão, serão bastante suficientes para a salvação os selos [dos prelados]? [7]No entanto, deve-se fazer o que eles ordenam com voz forte, para que a água passe pelos canais secos *até aos canteiros* (cf. Ct 6,1). [8]Enquanto isto, *colha-se* rosa *de espinhos* (cf. Mt 7,16), para que *o maior sirva ao menor* (cf. Gn 25,23; Rm 9,12).

Capítulo CXXXII – O cuidado dos súditos

174 [1]E quem já se revestiu do cuidado de Francisco pelos súditos? [2]Ele sempre *levanta as mãos aos céus* (cf. Ex 17,11-13; Ap 10,5) pelos *verdadeiros israelitas* (cf. Ex 17,11-13; Jo 1,47) e, esquecendo-se às vezes de si mesmo, sai primeiramente ao encontro da salvação dos irmãos. [3]Prostra-se aos pés da Majestade, oferece *sacrifício espiritual* (cf. Sl 50,19) pelos filhos, força Deus a conceder-lhes benefícios. [4]Com amor cheio de temor, compadece-se do *pequeno rebanho* (cf. Lc 12,32) que arrastara atrás de si, para que, depois de ter perdido o mundo, não lhes aconteça perder também o céu. [5]Pensava que seria inglório, se não tornasse gloriosos juntamente consigo os que lhe foram confiados, *os que* o espírito dele *dava à luz* (cf. Gl 4,19) mais trabalhosamente do que as entranhas maternas.

Capítulo CXXXIII – A compaixão dos enfermos

175 [1]Tinha muita compaixão para com os enfermos, muita solicitude para com as necessidades deles. [2]Se por acaso a piedade dos seculares lhe mandava remédios, ele os dava aos outros enfermos, quando ele próprio mais precisava do que os outros. [3]Tornava suas as dores dos que sofriam, oferecendo-lhes palavras de compaixão, quando não podia ajudá-los. – [4]Comia ele próprio nos dias de jejum, para que os enfermos não se envergonhassem de comer; não se envergonhava de pedir carnes publicamente pela cidade para um irmão enfermo. – [5]E exortava os doentes a suportarem as necessidades com paciência e a não armarem escândalo, quando não fossem satisfeitos em tudo. [6]Por isso, em uma regra mandou escrever estas palavras: "Peço a todos os meus irmãos enfermos que, em suas enfermidades, não se irem nem se perturbem contra Deus ou contra os irmãos. [7]Não exijam remédios muito insistentemente nem desejem muito libertar a carne, que depressa morrerá e que é inimiga da alma. [8]*Por tudo rendam graças* (cf. 1Ts 5,18) ao Criador, de modo que, como Deus os quer, assim desejem estar. [9]Porque todos aqueles que Deus *predestinou para a vida eterna* (cf. At 13,48), ensina-os por estímulos dos flagelos, como ele próprio disse: *Eu corrijo e castigo aqueles que amo*" (cf. Ap 3,19; Hb 12,6).

176 [1]Uma vez, ele levou a uma vinha um enfermo que ele sabia que tinha vontade de comer uvas; [2]e, *sentando-se sob a videira* (cf. Mq 4,4), começou ele próprio a comer primeiro para dar ao outro coragem de comer.

Capítulo CXXXIV – Compaixão que tinha dos doentes de espírito; e aqueles que agem de maneira contrária

177 [1]Mas ele encorajava com maior clemência e suportava com paciência os enfermos que ele sabia serem, *como crianças ao sabor das ondas* (cf. Ef 4,14), agitados pelas tentações e *enfraquecidos no espírito* (cf. Sl 76,4). [2]Por isso, evitando as correções ásperas onde não via perigo, *poupava a vara* (cf. 1Mc 13,5) [da correção] *para poupar a alma* (cf. Pr 13,24). [3]Dizia que é próprio do prelado que é pai e não tirano evitar a ocasião de pecar e não permitir que caia aquele que, *caído*, com dificuldade *se levantaria* (cf. Sl 144,14). – [4]Ai! Miseranda insensatez do nosso tempo! [5]Não somente não erguemos ou seguramos os fracos, mas por vezes os empurramos para caírem. [6]Julgamos que é sem importância tirar do Pastor supremo uma ovelhinha pela qual ele *ofereceu com lágrimas um forte grito* (cf. Hb 5,7) na cruz. [7]Tu, ó santo pai, diferentemente, preferias corrigir os que erram a perdê-los. [8]Mas sabemos que em alguns as doenças da própria vontade estão profundamente arraigadas e que eles precisam de cautério e não de unguento. [9]É evidente, pois, que para muitos *ser quebrado com uma vara de ferro* (cf. Sl 2,9) é mais salutar do que ser acariciado com as mãos. [10]Mas *o óleo e o vinho* (cf. Lc 10,34), *a vara e o bastão* (cf. Sl 22,4), o zelo e a piedade, a cauterização e a unção, o cárcere e a acolhida no regaço, *tudo tem seu tempo* (cf. Ecl 3,1). [11]O *Deus das vinganças* (cf. Sl 93,1) e *Pai das misericórdias* (cf. 2Cor 1,3) quer todas estas coisas, *preferindo*, porém, a *misericórdia* ao *sacrifício* (cf. Mt 9,13).

Capítulo CXXXV – Os irmãos espanhóis

178 [1]Por vezes, este homem santíssimo era admiravelmente *arrebatado com a mente em Deus* (cf. 2Cor 5,13) e exultava em espírito, quando *o bom odor* (cf. 2Cor 2,15) dos filhos chegava até ele. [2]Aconteceu que um espanhol, um clérigo devoto a Deus, teve uma vez o prazer de ver e de falar com São Francisco. [3]Ele, entre outras coisas sobre os irmãos que havia na Espanha, alegrou o santo com este relato: "Teus irmãos em nossa terra, morando num eremitério pobrezinho, de tal modo organizaram para si um modo de viver que metade deles se entrega aos cuidados domésticos e metade se dedica à contemplação. [4]Deste modo, a cada semana, a [vida] ativa passava para a contemplativa, e a quietude dos que contemplavam voltava aos exercícios dos trabalhos. [5]Num certo dia, tendo sido posta a mesa e chamados os ausentes por meio de um sinal, todos se reúnem, à exceção de um que era dos que contemplavam. [6]Depois de alguma espera, vai-se à cela para que ele seja chamado à mesa, ainda que fosse refeito pelo Senhor em mesa mais farta. [7]É encontrado *prostrado com o rosto em terra* (cf. Tb 12,22), estendido em forma de cruz, não parecendo, nem pelo movimento e nem pela respiração, que estivesse vivo. [8]Ardiam à cabeça e aos pés dois candelabros que iluminavam a cela de modo admirável com rutilante fulgor. [9]Para não perturbarem a unção e *para não despertarem a amada até que ela quisesse* (cf. Ct 2,7), *ele é deixado em paz* (cf. Lc 2,29). [10]Então, os irmãos observam atentamente pelas gretas da cela, *ficando atrás da parede e olhando pelas grades* (cf. Ct 2,9). [11]Que mais? *Enquanto os amigos auscultavam aquela que morava nos jardins* (cf. Ct 8,13), desaparecendo de repente a luz, o irmão volta a si. [12]Levanta-se imediatamente e, chegando à mesa, confessa a culpa pela demora. [13]Assim – diz aquele espanhol – aconteceu na nossa terra". [14]São Francisco não podia conter-se de alegria, inebriado com esse *odor dos filhos* (cf. Gn 27,27). [15]Levantou-se subitamente para o louvor e, como se a única *glória para ele fosse* (2Cor 1,12) ouvir as coisas boas sobre os irmãos, exclamou com plenas entranhas: [16]"*Graças vos dou* (cf. Lc 18,11), Senhor, santificador e guia dos pobres, que me alegrastes com esta notícia a respeito dos meus irmãos! [17]Eu vos suplico, abençoai estes irmãos benditos com a mais ampla bênção e santificai com graça especial todos os que fazem sua profissão espalhar o bom perfume por meio de bons exemplos!"

Capítulo CXXXVI – Contra os que vivem mal nos eremitérios; e queria que tudo fosse comum

179 [1]Embora tenhamos conhecido até aqui a caridade do santo, a qual manda alegrar-se com os sucessos dos [irmãos] amados, no entanto, cremos que foram não pouco repreendidos aqueles que vivem nos eremitérios de maneira contrária. [2]Pois muitos transformam o lugar da contemplação em lugar do ócio e convertem o modo eremítico de viver, que foi inventado para aperfeiçoar as almas, em sentina das paixões. [3]A constituição para os anacoretas de nosso tempo é que cada um viva segundo o próprio capricho. [4]Isto não [vale] para todos; pois sabemos que santos *que* [ainda] *vivem na carne* (cf. Gl 2,20) passam a vida nos eremitérios com ótimas leis.

[5]Sabemos também que os pais que nos precederam foram flores solitárias. [6]Oxalá os eremitas de nosso tempo não degenerem daquela beleza primitiva, cujo justo louvor é eterno!

180 [1]Além disso, São Francisco, admoestando todos à caridade, exortava-os a que mostrassem afabilidade e familiaridade doméstica; [2]disse: "Quero que meus irmãos se mostrem filhos da mesma mãe e que um dê generosamente ao outro a túnica, o cordão ou qualquer coisa que o outro lhe pedir. [3]Ponham em comum os livros e todas as coisas de que gostam, mais ainda, que um force o outro a aceitar". [4]Para também nisto não dizer *que Cristo não realizava* nada *por meio dele* (cf. Rm 15,18), era o primeiro a fazer todas estas coisas.

Capítulo CXXXVII – Os dois irmãos franceses aos quais deu a túnica

181 [1]Aconteceu que dois irmãos franceses, homens de grande santidade, se encontraram com São Francisco. [2]E, tendo uma alegria inaudita por causa dele, duplicou-lhes a alegria o fato que se tinham esforçado para isto com desejo de longo tempo. [3]Depois de doces manifestações de afeto e suaves conversas, sua ardente devoção pediu a túnica a São Francisco. [4]Ele, tirando imediatamente a túnica e ficando desnudo, lha entregou com devoção e vestiu a mais pobre de um deles, recebida na piedosa troca. [5]Estava disposto a entregar não somente tais coisas, mas também a *desgastar-se a si mesmo* (cf. 2Cor 12,15) e dava com muita alegria tudo quanto lhe fosse pedido.

A detração

Capítulo CXXXVIII – Como queria que fossem punidos os detratores

182 [1]Afinal, como o espírito cheio de caridade odeia os [que são] *odiáveis a Deus* (cf. Rm 1,30), isto sobressaía em São Francisco. [2]Na verdade, execrando terrivelmente os detratores mais do que outro tipo de viciosos, dizia que eles trazem *veneno* na *língua* (cf. Tg 3,8) e infeccionam os outros com seu veneno. [3]Por isso, evitava as pulgas maldizentes e mordazes, quando falavam, e desviava os ouvidos – como nós próprios o vimos –, para que não fossem poluídos por ouvir tais coisas. – [4]De fato, uma vez, ao ouvir um irmão denegrir a fama de outro, voltando-se a Frei Pedro Cattani, seu vigário, proferiu esta terrível sentença: "Se não se coloca obstáculo aos detratores, graves perigos ameaçam a Religião. [5]Depressa *o perfume suavíssimo* de muitos *há de feder* (cf. Lv 1,13; Ex 5,21), se não *forem fechadas as bocas* (cf. Est 13,17) dos fétidos. [6]Levanta-te, levanta-te, investiga cuidadosamente e, se descobrires que o acusado é inocente, com dura correção torna conhecido a todos o acusador! [7]Entrega-o nas mãos do pugilista florentino, se tu mesmo não puderes puni-lo!" [8](Ele chamava de pugilista a Frei João de Florença, homem de *grande estatura* (cf. Br 3,26) e de muita força). [9]Disse [ainda]: "Quero que cuides com a máxima providência – tu e todos os ministros –, para que esta doença pestífera não se difunda mais amplamente". – [10]E, algumas vezes, julgava que devia ser despojado de seu hábito aquele que despojasse o irmão de sua boa fama e que não poderia *elevar os olhos* (cf. Lc 18,13) a Deus, se antes não restituísse o que tirara. – [11]Daí resulta que os irmãos daquele tempo, como que renunciando a este vício de maneira especial, estabeleceram com firme pacto evitar cuidadosamente qualquer coisa que diminuísse a honra dos outros ou soasse como infâmia. – [12]Na verdade, está certo e ótimo! Pois, o que é o detrator, senão o fel dos homens, o fermento da maldade, a desonra da terra? [13]O que é o homem de língua dupla, senão o escândalo da Religião, o veneno do claustro, a desagregação da unidade? [14]Ai! *A superfície da terra* (cf. Ex 10,5) está repleta de animais venenosos, e é impossível que alguém honesto escape das mordidas dos invejosos. [15]Oferecem-se prêmios aos delatores e, derrubada a inocência, de vez em quando se dá a palma à falsidade. [16]Eis que, onde alguém não pode viver com honradez, obtém alimento e vestes, devastando a honradez dos outros.

183 [1]Com relação a isto, São Francisco dizia muitas vezes: "Esta é a fala do detrator: [2]Falta-me a perfeição de vida, não disponho da faculdade da ciência ou de dom especial e por isso não encontro lugar junto a Deus nem junto aos homens. [3]*Sei o que hei de fazer: colocarei mancha nos eleitos* (cf. Lc 16,4; Sir 11,33) e merecerei o favor junto aos grandes. [4]Sei que meu prelado é homem e que às vezes usa comigo o mesmo recurso, pelo qual, cortados os *cedros*, só será visto o *espinheiro* (cf. Jz 9,15) no bosque. [5]Vamos, miserável, alimenta-te de carnes humanas e, porque não podes viver diferentemente, rói as entranhas dos irmãos! [6]Estes se esforçam por parecer bons, não por tornar-se bons, acusando os vícios e não os depondo. [7]Só louvam aqueles de cuja autoridade desejam favorecer-se, calando os louvores que eles sabem que não chegarão ao que é louvado. [8]Vendem em troca de perniciosos louvores a palidez *do rosto em jejum* (cf. Mt 6,16) *para parecerem espirituais* (cf. 1Cor 14,37; Mt 6,18), *a fim de julgarem todas as coisas e eles próprios não serem julgados por ninguém* (cf. 1Cor 2,15). [9]Alegram-se com a fama de santidade, não com as obras, com o nome de anjos, não com a virtude".

Descrição do ministro geral e dos outros ministros

Capítulo CXXXIX – Como deve ser com os companheiros

184 [1]Perto do fim de sua vocação ao Senhor, um irmão, sempre solícito pelas realidades divinas, movido por bons sentimentos para com a Ordem, perguntou-lhe, dizendo: "Pai, tu passarás, e tua família que te seguiu será abandonada *no vale de lágrimas* (cf. Sl 83,7). [2]Indica alguém, se o conheces na Ordem, em quem teu espírito repouse e a quem possa ser imposto com segurança o peso do ministério geral". [3]Respondeu São Francisco, revestindo com suspiros todas as palavras: "Filho, não vejo nenhum guia capaz de tão grande exército, pastor de tão amplo rebanho. [4]Mas quero descrever-vos um e, de acordo com o provérbio, modelar com a mão aquele em quem brilhe como deve ser o pai desta família".

185 [1]Disse: "Deve ser um homem de vida muito austera, de grande discernimento, de reputação louvável. [2]Homem que não tenha amizades particulares para que, por amar mais uma parte, não cause escândalo ao todo. [3]Homem que tenha por amigo o empenho da santa oração, que distribua certas horas à sua alma e outras ao rebanho que lhe foi confiado. [4]Pois, *bem de manhã* (cf. Mt 20,1), deve colocar antes de tudo os mistérios da missa e com grande devoção recomendar-se a si mesmo e o rebanho à proteção divina. [5]E depois da oração – disse –, coloque-se em público para ser depilado por todos, para responder a todos, para prover a todos com mansidão. [6]Deve ser um homem que não faça, *por acepção de pessoas* (cf. Rm 2,11), sórdida discriminação, diante de quem não vigore menos o cuidado dos menores e simples do que dos sábios e maiores. [7]Homem que, embora lhe tenha sido concedido sobressair pelo dom das letras, traga em seus costumes mais a imagem da piedosa simplicidade e fomente a virtude. [8]Homem que execre o dinheiro, principal corrupção de nossa profissão e perfeição, e que, como cabeça de nossa Religião pobre, oferecendo-se aos outros para ser imitado, nunca abuse de bolsa alguma. [9]Devem ser-lhe suficientes, para si próprio – disse – o hábito e o caderno, e para os irmãos o estojo de penas e o selo. [10]Não seja ele acumulador de livros nem muito dedicado à leitura, para que não subtraia do ofício o que fornece ao estudo. [11]Homem que console os aflitos, pois que é o último *refúgio para os atribulados* (cf. Sl 31,7; 45,2), para que, se junto dele faltarem os remédios da saúde, não prevaleça nos enfermos a doença do desespero. [12]A fim de dobrar os violentos à mansidão, prosterne-se e modere alguma coisa de seu direito, para *lucrar a alma para Cristo* (cf. Fl 3,8). [13]Não *feche as entranhas* (cf. 1Jo 3,17) da piedade aos que fugiram da Ordem – como a *ovelhas que pereceram* (cf. Lc 15,4.6) –, sabendo que muito fortes são as tentações que podem impelir a tão grande queda.

186 [1]Eu gostaria que ele fosse honrado por todos no lugar de Cristo e que fosse provido em todas as coisas necessárias com toda a benevolência. [2]Mas seria necessário que ele não sorrisse para as honras nem se deleitasse mais com os favores do que com as injúrias. [3]Se alguma vez, estando fraco ou cansado, precisar de alimento mais forte, tomá-lo-á não às escondidas, mas em lugares públicos, para que os outros possam suportar a vergonha de cuidar de seus corpos fracos. [4]Compete-lhe principalmente distinguir as consciências que se escondem e extrair a verdade de veias ocultas e não prestar ouvidos a tagarelices. [5]Enfim, deve ser tal que de forma alguma quebre o aspecto viril da justiça, pelo desejo de preservar a [própria] honra, e sinta que tão grande ofício lhe causará mais peso do que honra. [6]E de supérflua mansidão não nasça a moleza, nem de indulgência relaxada a dissolução da disciplina, de modo que seja amado por todos e não menos temido *por aqueles que fazem o mal* (cf. Pr 10,29). – [7]Eu gostaria que ele tivesse companheiros dotados de honestidade, os quais, como ele próprio, se *apresentassem* como *exemplo de todas as boas obras* (cf. Tt 2,7): [8][que fossem] inflexíveis diante das paixões, fortes diante das angústias, e tão convenientemente afáveis que acolhessem todos os que chegassem com santa jovialidade. [9]Eis – disse – como deveria ser o ministro geral da Ordem".

Capítulo CXL – Os ministros provinciais

187 [1]O feliz pai buscava todas estas qualidades nos ministros provinciais, embora elas devam sobressair de modo especial no ministro geral. [2]Queria que eles fossem afáveis para com os menores e tão serenamente benevolentes que os pecadores não temessem entregar-se ao afeto deles. [3]Queria que fossem moderados nas ordens, benévolos nas ofensas, mais prontos a suportar do que a devolver as injúrias, inimigos dos vícios e médicos para os viciosos. [4]Enfim, queria que fossem tais que a vida deles fosse um espelho de disciplina para os demais. [5]Mas também queria que fossem honrados e amados, como pessoas que *carregavam o peso* (cf. Mt 20,12) dos cuidados e trabalhos. [6]Dizia que são dignos dos mais altos prêmios junto a Deus os que, desta forma e com esta lei, governavam as almas a eles confiadas.

Capítulo CXLI – O que o santo respondeu quando perguntado sobre os ministros

188 [1]Interrogado uma vez por um irmão por que ele entregara em mãos alheias todos os irmãos – assim excluídos de seus cuidados –, como se eles não lhe pertencessem de maneira alguma, ele respondeu: [2]"Filho, amo os irmãos como posso; mas, se *seguissem* minhas *pegadas* (cf. 1Pd 2,21), eu certamente os amaria mais e não me tornaria alheio a eles. [3]Pois há alguns dentre os prelados que os arrastam para outras coisas, propondo-lhes os exemplos dos antigos e fazendo pouco caso de minhas admoestações. [4]Mas no fim se verá o que fazem". – [5]E, pouco depois, quando estava acabrunhado por grande enfermidade, endireitou-se no leito *na força do espírito* (cf. Sl 47,8) e disse: "Quem são estes que *arrebataram de minhas mãos* (cf. Jo 10,28) a Religião minha e dos irmãos? [6]Se eu for ao Capítulo geral, então lhes mostrarei qual é a vontade que tenho". [7]E aquele irmão acrescentou: "Por acaso não mudarás aqueles ministros provinciais que há tanto tempo abusaram da liberdade?" [8]E o pai, a gemer, respondeu esta terrível palavra: "Vivam como lhes aprouver, porque a perdição de poucos é de menor dano do que a de muitos". – [9]Dizia [isto] não por causa de todos, mas por causa de alguns que pela excessiva permanência no cargo pareciam reivindicar o cargo de prelado como hereditário. [10]Na verdade, em todas as categorias de prelados regulares recomendava sobretudo isto: não mudar os costumes, a não ser para melhor, não buscar favores que amarram, não exercer o poder, mas cumprir o dever.

A santa simplicidade

Capítulo CXLII – O que é a verdadeira simplicidade

189 [1]O santo, com o mais desvelado empenho, pretendia [trazer] em si e *amava* nos outros a santa *simplicidade* (cf. Sb 1,1), filha da graça, irmã da sabedoria, mãe da justiça. [2]Mas não aprovava qualquer simplicidade, mas tão somente aquela que, contente com seu Deus, despreza as outras coisas. [3]Esta é aquela simplicidade que *se gloria no temor de Deus* (cf. Sir 9,22), que não sabe fazer ou dizer o mal. [4]Esta é a que, examinando a si mesma, não *condena ninguém* (cf. Jo 8,10) com o seu julgamento e que, entregando ao melhor o devido exercício do poder, não busca nenhum poder. [5]Esta é a que, não *julgando melhores as* glórias gregas (cf. 2Mc 4,15), mais prefere *fazer* a dizer ou *ensinar* (cf. At 1,1). [6]Esta é a que, em todas as leis divinas, deixando aos que hão de perecer os circunlóquios prolixos, o ornato e preciosismos de estilo, ostentações e curiosidades, busca não a casca, mas a medula, não o invólucro, mas o núcleo, não muitas coisas, mas o muito, o sumo e estável bem. [7]O santíssimo pai buscava-a nos irmãos letrados e leigos, não acreditando que ela fosse contrária, mas verdadeiramente irmã da sabedoria, conquanto fosse para os pobres de ciência mais fácil de ter e mais pronta para praticar. [8]Por isso, nos Louvores que compôs sobre as virtudes, assim diz: "Salve, rainha sabedoria! O Senhor te salve com tua irmã, a pura e santa simplicidade!"

Capítulo CXLIII – Frei João, o simples

190 [1]Passando São Francisco por uma vila perto de Assis, um certo João, homem muito simples, que arava o campo, foi ao encontro dele, dizendo: "Quero que me faças um irmão, pois *desde muito tempo* desejo *servir a Deus*" (cf. At 14,3; Mt 6,24). [2]Tendo considerado a simplicidade do homem, o santo alegrou-se, correspondeu ao desejo dele e disse: "Irmão, se queres tornar-te nosso companheiro, *dá aos pobres o que* por acaso *possas ter* (cf. Mt 19,21), e acolher-te-ei, depois que te tiveres desapropriado [dos bens]". [3]Imediatamente, ele solta os bois e oferece um a São Francisco. [4]Diz: "Demos este boi aos pobres! Pois sou digno de receber esta *porção* dos bens *de* meu *pai* (cf. Lc 15,12)". [5]O santo sorri e aprova não pouco a boa disposição da simplicidade. [6]Ao ouvirem isto, os pais e os irmãos pequenos acorrem com lágrimas, lamentando mais que lhes era tirado o boi do que o homem. [7]Disse-lhes o santo: "*Tende coragem*! (cf. Br 4,27). Eis que vos devolvo o boi e levo o irmão". [8]Então, leva o homem consigo e, depois de tê-lo vestido com o hábito da Religião, o torna companheiro especial devido à graça da simplicidade.

[9]Então, quando São Francisco estava em algum lugar para meditar, o simples João imediatamente repetia e imitava qualquer gesto ou movimento que ele fazia. [10]Cuspia quando ele cuspia, tossia

quando ele tossia, unindo suspiros aos suspiros e associando prantos aos prantos; *quando* o santo *elevava as mãos ao céu* (cf. Dt 32,40), também ele as elevava, observando-o atentamente como a um modelo e reproduzindo tudo em si mesmo. [11]O santo percebe isto e uma vez pergunta por que faz tais coisas. [12]Responde ele: "Porque prometi fazer todas as coisas que tu fazes; para mim é perigoso deixar de fazer alguma coisa". [13]Alegra-se o santo com a simplicidade pura, mas proíbe-lhe com ternura, para que não o faça daí em diante. [14]E assim, depois de não muito tempo, o simples migrou nesta simplicidade ao Senhor. [15]O santo, propondo frequentemente a vida dele como modelo a ser imitado, gostava de chamá-lo não de Frei João, mas de São João. – [16]Observa que é próprio da piedosa simplicidade viver nas leis dos antigos, apoiar-se sempre nos exemplos e no modo de viver dos santos. [17]*Quem concederá à sabedoria humana* (cf. Jó 6,8; 1Cor 2,4) seguir o que já reina nos céus com o empenho com que a piedosa simplicidade se conformava a ele na terra? [18]Afinal, tendo seguido o santo em vida, precedeu-o santo na vida.

Capítulo CXLIV – Como fomentava entre os filhos a unidade sobre a qual falou em parábola

191 [1]Ele sempre teve o constante desejo e o vigilante esforço de preservar entre os filhos *o vínculo da unidade* (cf. Ef 4,3), para que fossem afagados em paz ao colo de uma única mãe os que *foram trazidos pelo* mesmo *espírito* (cf. Jó 34,14) e *gerados pelo* mesmo *pai* (cf. Pr 23,22). [2]Queria que os maiores se unissem aos menores, que os sábios se ligassem aos simples com afeto de irmão de sangue, que os distantes se associassem entre si pelo laço do amor. – [3]Uma vez, propôs uma parábola moral que continha não pouca instrução: "Eis que se realiza um Capítulo geral de todos os religiosos que há na Igreja! [4]E porque estão presentes letrados e os que *são sem letras* (cf. At 4,13), homens de ciência e os que sem ciência sabem *agradar a Deus* (cf. Hb 11,6), marca-se um sermão para um dos sábios e para um dos simples. [5]O sábio, porque é sábio, delibera e *pensa consigo mesmo* (cf. Mt 16,7): 'Este não é lugar de ostentar ciência, pois aqui estão presentes homens perfeitos na ciência, e não convém que eu me torne notável pela afetação, dizendo coisas sutis entre os mais sutis. [6]Falar com simplicidade será talvez mais frutuoso'. [7]Raia *o dia estabelecido* (cf. Est 10,11), *reúnem-se as congregações dos santos* (cf. Est 8,11; Sl 110,1), todos têm sede de ouvir o sermão. [8]Adianta--se o sábio *vestido de saco* (cf. Jn 3,5), com *a cabeça coberta de cinza* (cf. Lm 2,10) e, estando todos a admirar-se, *abrevia as palavras* (cf. Rm 9,28), pregando mais com a atitude, [9]e diz: 'Grandes coisas prometemos, maiores [nos] foram prometidas, observemos estas, suspiremos por aquelas. O prazer é breve, o castigo é perpétuo, o sofrimento é pequeno, a glória infinita. Muitos são os chamados, poucos os escolhidos, todos terão a recompensa'. [10]*Prorrompem em lágrimas* (cf. Gn 43,30) *os corações compungidos* (cf. Sl 108,17) dos ouvintes e veneram o verdadeiro sábio como um santo. – [11]Diz o simples *em seu coração* (cf. Sl 13,1): 'Eis que o sábio me tirou tudo o que eu me propus fazer ou dizer. Mas sei *o que hei de fazer* (cf. Lc 16,4). [12]Conheço alguns versos dos Salmos; vou comportar-me como um sábio, já que ele se comportou como um simples'. [13]Chega a sessão do dia seguinte, o simples levanta-se, propõe o salmo como tema. [14]Então, abrasado pelo Espírito divino, fala com tanto fervor, sutileza e doçura a partir de um dom inspirado por Deus que todos, verdadeiramente *repletos de estupefação* (cf. At 3,10), dizem: '*Deus fala com os* simples'" (cf. Pr 3,32).

192 [1]Assim *o homem de Deus* (cf. 1Rs 13,1) explicava a parábola moral que propunha: [2]"A nossa Religião é uma assembleia muito grande, como um sínodo geral, que se reúne de todas as partes do mundo sob uma única forma de vida. [3]Nela, os sábios tomam para seu proveito as coisas que são dos simples, ao verem que os ignorantes buscam com vigor abrasado as realidades celestes e que os não instruídos *pelos homens* (cf. Sl 93,10) *saboreiam pelo* Espírito as realidades espirituais (cf. At 11,28; Mt 16,23). [4]Nela, também os simples transformam em proveito seu as coisas que pertencem aos sábios, ao verem humilhados consigo às mesmas condições homens preclaros, que poderiam viver *gloriosos* em qualquer parte do *mundo* (cf. Sir 44,1.2). [5]É a partir disto que reluz a beleza desta bem-aventurada família, cujo ornato multiforme agrada não pouco ao pai de família".

Capítulo CXLV – Como o santo queria que lhe fossem cortados os cabelos

193 [1]Quando São Francisco mandava cortar os cabelos, muitas vezes dizia ao que os cortava: "Cuida para não me fazer uma coroa grande! [2]Pois quero que meus irmãos simples tenham parte na minha cabeça". – [3]Queria, em suma, que a Religião fosse acessível aos pobres e iletrados, não somente aos ricos e sábios. [4]Dizia: "*Em Deus não há acepção de pessoas* (cf. Rm 2,11), e o ministro geral da Religião, o *Espírito* Santo, *pousa* igualmente *sobre* (cf. Is 11,2) o pobre e o simples". [5]Na verdade quis colocar esta palavra na Regra, mas a bula [já] concedida não permitia [acréscimos].

Capítulo CXLVI – Como queria que se desapropriassem os grandes clérigos que vinham à Ordem

194 [1]Disse uma vez que um grande clérigo, quando entrasse na Ordem, deveria de algum modo renunciar até à ciência, para que, desapropriado de posse, se oferecesse nu aos braços do Crucificado. [2]Dizia: "A ciência torna muitas pessoas indóceis, não permitindo que algo de rígido delas se curve aos ensinamentos humildes. [3]Por esta razão, eu gostaria que o homem letrado primeiramente me *apresentasse este pedido* (cf. Hb 5,7): 'Irmão, eis que *vivi* por muito tempo *no mundo* (cf. Tt 2,12) *e não conheci verdadeiramente* meu *Deus* (cf. Jo 1,10). [4]Peço, concede-me um lugar retirado do estrépito do mundo, em *que eu possa repensar na* (cf. Is 38,15) dor os meus anos e onde, recolhendo *as dispersões do coração* (cf. Sl 146,2; Lc 1,51), possa reformar o espírito para coisas melhores'. [5]Que credes que há de ser quem começar deste modo? [6]Na verdade, sairia como um leão solto das cadeias, robusto para tudo, e a boa seiva que hauriu no início cresceria nele em contínuos progressos. [7]E este finalmente seria nomeado *para o ministério da palavra* (cf. At 6,4), porque derramaria do que estivesse fervendo". – [8]Ensinamento verdadeiramente piedoso! O que é mais necessário para quem vem de uma situação diferente do que eliminar e purificar com humildes exercícios os afetos seculares acumulados e gravados por longo tempo? [9]Todo aquele que entrar na escola da perfeição logo alcançará a perfeição.

Capítulo CXLVII – Como queria que eles aprendessem; e como apareceu a um companheiro ocupado com a pregação

195 [1]Lamentava muito quando, esquecida a virtude, se buscava a ciência, principalmente quando cada um não persistia *naquela vocação a que fora chamado* (cf. 1Cor 7,20) desde o início. [2]Dizia: "Meus irmãos que são conduzidos pela curiosidade da ciência encontrarão as mãos vazias no *dia da retribuição* (cf. Os 9,7). [3]Eu preferiria que eles se fortificassem pelas virtudes para que, quando chegarem *os tempos de tribulação* (cf. Sl 36,39), tenham consigo *o Senhor nas angústias* (cf. 2Cr 15,4). [4]Pois *há de vir tribulação* (cf. Sl 21,12; Pr 1,27), na qual os livros, que para nada servem, serão jogados pelas janelas e nos esconderijos".– [5]Não dizia estas coisas por não gostar dos estudos das Escrituras, mas para afastar todos da supérflua preocupação de aprender, os quais ele preferia que fossem bons pela caridade a sabichões pela curiosidade.

[6]Pressentia também tempos não distantes que haveriam de vir nos quais sabia que a ciência seria ocasião de ruína, e seria sustentação do espírito ter-se dedicado às realidades espirituais. – [7]A um irmão leigo que queria ter o saltério e que lhe pedia a licença ofereceu cinza em lugar do saltério. – [8]Proibiu [os estudos] a um de seus irmãos que uma vez tinha em vista a pregação, aparecendo-lhe em visão depois da morte, e ordenou-lhe que caminhasse pela via da simplicidade. [9]*Deus para ele é testemunha* (cf. Rm 1,9) de que, depois desta visão, sentiu tão grande doçura que por muitos dias parecia que a palavra do pai, como orvalho, gotejava presentemente em seus ouvidos.

Devoções especiais do santo

Capítulo CXLVIII – Como se comovia ao ouvir falar do amor de Deus

196 [1]Talvez não será nem inútil nem indevido abordar em breves palavras as devoções especiais de São Francisco. [2]Pois, ainda que este homem fosse devoto em tudo – como quem fruía da *unção do Espírito* (cf. Lc 4,18) –, no entanto, com especial afeto ele se movia com relação a certas realidades especiais. – [3]Entre outras expressões, cujo uso estava nas conversas comuns, ele não podia ouvir dizer *amor de Deus* sem uma certa *mudança em si mesmo* (cf. Jó 14,14). [4]Ao ouvir falar do amor do Senhor, subitamente se excitava, se comovia, se inflamava, como se com a palheta da voz exterior se tocassem as cordas mais íntimas do coração. – [5]Dizia que oferecer tal riqueza [a saber, o amor de Deus] em troca de esmolas era nobre generosidade e que aqueles que o julgavam menos do que o dinheiro eram os mais loucos. [6]E observou infalivelmente até à morte o propósito que ele, ainda envolvido com as coisas do mundo, fizera de não rejeitar pobre algum que lhe pedisse por amor de Deus. – [7]Uma vez, como ele não tivesse nada para dar a um pobre que lhe pedia [esmola] por amor de Deus, tendo tomado uma tesoura às escondidas, apressa-se em dividir a túnica. [8]Tê-lo-ia feito, se, surpreendido pelos irmãos, não tivesse feito prover o pobre com outra compensação. – [9]Disse: "Muito deve ser amado o amor daquele que muito nos amou".

Capítulo CXLIX – Sua devoção aos anjos; e o que fazia por amor a São Miguel

197 [1]Venerava com o maior afeto os anjos que estão conosco no campo de batalha e que *caminham* conosco *por entre as sombras da morte* (cf. Sl 22,4; Is 9,2). [2]Dizia que estes companheiros devem ser reverenciados em toda parte e que estes guardas devem ser invocados. [3]Ensinava a não ofender a presença deles e a não ousar fazer diante deles o que não se faria *diante dos homens* (cf. Rm 12,17). [4]Pelo fato que no coro *se salmodia na presença dos anjos* (cf. Sl 137,1), queria que todos os que pudessem se reunissem no oratório e aí *salmodiassem com sabedoria* (cf. Sl 46,8). – [5]Dizia muitas vezes que São Miguel devia ser mais excelentemente honrado, pelo fato que este tinha o ofício de apresentar as almas [a Deus]. [6]De fato, em honra de São Miguel, jejuava com muita devoção por quarenta dias entre a festa da Assunção e a festa dele. [7]Dizia, pois: "Em honra de tão grande príncipe todos deveriam *oferecer* algum louvor ou *dádiva* especial *a Deus*" (cf. Mt 5,23.24).

Capítulo CL – Sua devoção a Nossa Senhora, a quem confiou a Ordem de modo especial

198 [1]Abraçava a Mãe de Jesus com indizível amor, pelo fato que ela tornou irmão nosso *o Senhor da majestade* (cf. Sl 28,3). [2]Cantava-lhe louvores especiais, derramava preces, oferecia afetos tantos e tais que a língua humana não poderia exprimir. [3]Mas o que mais nos alegra é que ele a constituiu advogada da Ordem e confiou à sua proteção os filhos que haveria de deixar *para serem* aquecidos e *protegidos* (cf. Sl 16,8) até ao fim. – [4]Ó advogada dos pobres! Cumpri para conosco o ofício de tutora *até ao tempo predeterminado pelo Pai* (cf. Gl 4,2)!

Capítulo CLI – A devoção para com o Natal do Senhor; e como queria que então todos fossem ajudados

199 [1]Celebrava com inefável alegria, mais do que as outras solenidades, o Natal do Menino Jesus, afirmando que é a festa das festas, em que Deus, tornando-se criança pequenina, dependeu de peitos humanos. [2]Beijava em famélica meditação as imagens daqueles membros infantis, e a compaixão pelo Menino, derretida em seu coração, fazia-o até mesmo balbuciar palavras de doçura a modo das crianças. [3]E este nome era para ele como o *mel* e o *favo* (cf. Pr 16,24) na boca. – [4]Como se conversasse sobre [a questão de] não comer carnes, porque era dia de sexta-feira, ele respondeu a Frei Mórico, dizendo: "Irmão, pecas ao chamar de sexta-feira o dia em que o *Menino nos foi dado* (cf. Is 9,6). [5]Quero que até as paredes comam carne neste dia e, se não podem, pelo menos sejam esfregadas com carne por fora!"

200 [1]Queria que nesse dia os pobres e *famintos fossem saciados* (cf. 1Sm 2,5) pelos ricos e que aos bois e aos burros fossem concedidos ração e feno mais do que de costume. [2]Disse: "Se eu pudesse falar com o imperador, pediria que se fizesse uma lei geral para que todos aqueles que podem atirem pelas ruas trigo e grãos, a fim de que, no dia de tão grande solenidade, os pássaros tenham fartura, principalmente as irmãs cotovias". – [3]Recordava, não sem lágrimas, de quanta penúria a Virgem pobrezinha fora circundada naquele dia. [4]Num dia, ao sentar-se para o almoço, um irmão lembra-lhe a pobreza da bem-aventurada Virgem e traz à memória a indigência de Cristo, o filho dela. [5]Imediatamente, ele *se levanta da mesa* (cf. 1Sm 20,24), solta soluços dolorosos e, banhado em lágrimas, come o resto do pão sobre a terra nua. [6]Por isso, dizia que esta era uma virtude régia que refulgira de modo tão eminente no Rei e na Rainha. – [7]Perguntando-lhe também os irmãos em uma reunião qual virtude tornava alguém mais amigo de Cristo, ele respondia, como que abrindo o segredo de seu coração: [8]"Sabei, filhos, que a pobreza é *o caminho* especial *da salvação* (cf. At 16,17) e que o múltiplo fruto dela [só] é bem conhecido por poucos".

Capítulo CLII – A devoção ao Corpo do Senhor

201 [1]Abrasava-se com o fervor de todas as medulas para com o sacramento do Corpo do Senhor, considerando com a maior estupefação aquela amável dignidade e digníssima caridade. [2]Considerava não pequeno desprezo não ouvir pelo menos uma missa a cada dia, quando se lhe permitia. Comungava muitas vezes e tão devotamente que tornava devotos também os outros. [3]Tratando com toda reverência o que deve ser reverenciado, oferecia o sacrifício de seus membros e, ao receber *o Cordeiro imolado* (cf. 1Pd 1,19), imolava o espírito com aquele *fogo* que *sempre ardia no altar* (cf. Lv 6,12; Sir 23,22) do coração. – [4]Por esta razão, amava a França como amiga do Corpo do Senhor e nela desejava morrer por sua reverência aos sagrados mistérios. – [5]Quis uma vez *enviar* irmãos *pelo mundo* (cf. Jo 3,16) com âmbulas preciosas, para reporem no melhor lugar o preço da redenção, onde o vissem depositado de maneira inconveniente. – [6]Queria que fosse mostrada grande reverência às mãos do sacerdote, às quais fora conferido o poder tão divino de realizá-lo. [7]Dizia frequentemente: "Se me acontecesse encontrar ao mesmo tempo um santo *que vem do céu* (cf. Jo 3,31) e um sacerdote pobrezinho, *eu prestaria honra* (cf. Rm 12,10) primeiramente ao presbítero e me apressaria para beijar-lhe as mãos. [8]Eu diria: 'Oi, espera-me, São Lourenço! Pois as mãos dele *tocam o Verbo da vida* (cf. 1Jo 1,1) e possuem algo sobre-humano'".

Capítulo CLIII – Devoção para com as relíquias dos santos

202 [1]O homem amado por Deus, mostrando-se devotíssimo do culto divino, não deixava sem honra, por descuido, nada que é de Deus. [2]Quando estava em Monte Casale, na Província de Massa, ordenou aos irmãos que transportassem com muita reverência de uma igreja – abandonada por todos – ao eremitério dos irmãos algumas santas relíquias. [3]Lamentava muito vê-las já por longo tempo privadas da devida devoção. [4]Mas, como – exigindo a causa – ele precisasse ir a outro lugar, os filhos, esquecidos do mandato do pai, negligenciaram o mérito da obediência. [5]E, num certo dia, quando queriam celebrar os sagrados mistérios [da eucaristia], tendo retirado a toalha do altar, como é costume, encontraram ossos belíssimos e extremamente perfumados. [6]Ficaram muito estupefatos, contemplando o que nunca haviam visto. [7]Regressando pouco depois o santo de Deus, indagou diligentemente se tinha sido cumprido aquilo que mandara com relação às relíquias. [8]Mas os irmãos, confessando humildemente a sua culpa pela obediência negligenciada, mereceram o perdão com a penitência. – [9]E disse o santo: "*Bendito seja o Senhor meu Deus* (cf. Sl 17,47) que por si mesmo cumpriu o que vós devíeis ter feito". – [10]Considera atentamente a devoção de Francisco, presta atenção ao *beneplácito de Deus* (cf. Sl 68,14) para com o nosso pó e *engrandece o louvor* (cf. Sl 68,31) da santa obediência. [11]Pois, o homem não se submeteu à sua voz, Deus, porém, obedeceu às suas preces.

Capítulo CLIV – A devoção à cruz; e um segredo oculto

203 [1]Finalmente, quem poderia exprimir, quem poderia compreender o quanto *estava longe dele gloriar-se, a não ser na cruz do*

Senhor (cf. Gl 6,14)? [2]Somente foi dado compreender àquele que pôde experimentar. [3]Na verdade, ainda que em certo sentido as experimentássemos entre nós, de maneira alguma nossas palavras, maculadas pelas coisas cotidianas e sem valor, estariam em condições de exprimir tantas maravilhas. [4]E talvez o mistério teve que se manifestar na carne, porque *não teria podido ser explicado em palavras* (cf. Ecl 1,8). – [5]Fale, portanto, o silêncio onde *falta a palavra* (cf. Sir 43,29), porque também uma coisa significada clama onde falta o sinal. [6]Declare-se aos ouvidos humanos somente isto: ainda não ficou totalmente claro por que aquele *mistério se manifestou* (cf. 1Tm 3,16) no santo; pois, pelo que foi revelado por ele, encontra razão e sentido no futuro. [7]Será veraz e digno de fé quem tiver por testemunhas a natureza, a *lei* e a *graça* (cf. Jo 1,17).

As senhoras pobres

Capítulo CLV – Como queria que os irmãos se comportassem com relação a elas

204 [1]Não convém deixar passar em silêncio a memória da construção espiritual – muito mais nobre do que a terrena – que o bem-aventurado pai, *tendo como guia o Espírito* (cf. Is 63,14) *Santo*, instituiu naquele lugar depois da reparação da igreja material, para crescimento da cidade do alto. [2]Não se deve acreditar que Cristo tenha falado da cruz – de modo realmente estupendo que *incute medo* (cf. 2Mc 12,22) e dor aos ouvintes – para [apenas] restaurar aquela obra perecível e em ruínas. [3]Mas, como antigamente *o Espírito Santo predissera* (cf. At 1,16), ali devia ser fundada a Ordem das virgens santas, a qual, como bloco polido *de pedras vivas* (cf. 1Pd 2,5), um dia deveria ser dilatada para a restauração da casa celeste. [4]De fato, depois que *as virgens de Cristo* (cf. 2Cor 11,2) começaram a reunir-se naquele lugar e a agregar-se de diversas partes do mundo – professando a maior perfeição na observância *da altíssima pobreza* (cf. 2Cor 8,2) e *na beleza de todas as virtudes* (cf. Jt 10,4) –, embora o pai pouco a pouco lhes subtraísse a sua *presença corporal* (cf. 2Cor

10,10), no entanto, intensificou *no Espírito Santo* (cf. Mt 3,11) a disposição para cuidar delas. [5]Pois, como o santo tivesse reconhecido que elas eram provadas por meio de muitos indícios da mais alta perfeição, preparadas para suportar toda privação e sofrer trabalho *por Cristo* (cf. Fl 1,29) e que não queriam *desviar-se dos* santos *mandamentos* (cf. Sl 118,21), ele prometeu firmemente prestar sempre a elas e às outras – que professavam a pobreza em semelhante modo de vida – o seu auxílio e conselho e o dos seus irmãos. [6]Enquanto viveu, ele cumpriu sempre diligentemente estas coisas e, quando estava próximo da morte, mandou insistentemente que sempre se cumprisse, dizendo que *um e o mesmo espírito* (cf. 1Cor 12,11) havia tirado *deste mundo* (cf. Gl 1,4) os irmãos e aquelas senhoras pobrezinhas.

205 [1]De vez em quando, admirando-se os irmãos de que ele não visitasse mais frequentemente tão santas servas de Cristo com sua *presença corporal* (cf. 2Cor 10,10), ele dizia: "Não creiais, caríssimos, que eu não as ame com perfeição. [2]Pois, se fosse crime cuidar delas em Cristo, acaso não teria sido crime maior tê-las unido a Cristo? [3]Na verdade, não tê-las chamado não teria sido nenhum mal, não cuidar das [que foram] chamadas é a maior maldade. [4]Mas *dou-vos o exemplo para que, como eu faço, façais também vós* (cf. Jo 13,15). [5]Não quero que alguém se ofereça espontaneamente para visitá-las, mas ordeno que sejam delegados aos serviços delas, contra a vontade e resistindo muito, tão somente *homens espirituais* (cf. Os 9,7), provados por digno e longo modo de vida".

Capítulo CLVI – Como repreendeu alguns que gostavam de ir aos mosteiros

206 [1]Uma vez, quando um irmão – que tinha duas filhas que levavam perfeito modo de vida num mosteiro – disse que levaria de boa vontade da parte do santo um presente pobrezinho ao dito mosteiro, o santo repreendeu-o mui severamente, dizendo-lhe palavras que agora não se devem referir. [2]E assim, ele mandou o presente por meio de um outro que recusava, mas que não resistia com muita determinação. – [3]Outro irmão, no tempo do inverno, por motivo de compaixão, foi a um mosteiro, mas ignorou a vontade tão firme do pai de não ir. [4]Depois que o fato chegou ao conhecimento do santo, ele fez com que o irmão andasse nu por muitas milhas no maior frio das neves.

Capítulo CLVII – A pregação que fez mais pelo exemplo do que pela palavra

207 [1]Quando se encontrava em São Damião, o santo pai, impelido pela frequente súplica do vigário a que propusesse *a palavra de Deus* (cf. Jo 3,34) às suas filhas, finalmente, vencido pela insistência dele, concedeu. [2]Tendo-se reunido as senhoras como de costume *para ouvir a palavra de Deus* (cf. Jo 8,47), mas também não menos para ver o pai, ele, depois de ter *elevado os olhos ao céu, onde* sempre tinha *o coração* (cf. Is 51,6; Mt 6,21), começou a rezar a Cristo. [3]Depois, manda que seja trazida cinza, com a qual fez um círculo no pavimento ao seu redor, *impondo* o resto *sobre a própria cabeça* (cf. 1Mc 3,47). [4]Ao verem elas o bem-aventurado pai dentro do círculo de cinza permanecer em silêncio, brota não pequena estupefação nos corações delas. [5]De repente, o santo se levanta e, estando elas atônitas, recita no lugar do sermão o *Miserere mei Deus* (cf. Sl 50,3). [6]Tendo-o terminado, *dirige-se para fora* (cf. Sl 40,7) rapidamente. [7]As servas de Deus, pela força desta encenação, ficaram tão repletas de contrição que, chorando copiosamente, mal contiveram suas próprias mãos para não se vingarem de si mesmas. [8]Ele as ensinou por obra a se julgarem cinza; ensinou também que com relação a elas nada mais chegava ao seu coração que não fosse digno desta reputação. [9]Este era o seu modo de conviver com as senhoras santas; esta era a visita muito proveitosa a elas, por coação e raramente. [10]Esta era a sua vontade para todos os irmãos: queria que eles as servissem em lugar de *Cristo a quem eles servem* (cf. Cl 3,24), para que sempre, como *pássaros*, se precavessem das *armadilhas* (cf. Pr 1,17) *colocadas diante* (cf. Sl 68,23) deles.

Recomendação da regra dos irmãos

Capítulo CLVIII – Recomendação da Regra do bem-aventurado Francisco; e um irmão que a levava consigo

208 [1]Zelava ardorosamente pela profissão comum e pela regra e dotou-a com bênção especial aos que zelassem por ela. [2]Pois dizia aos seus que ela é *o livro da vida* (cf. Sir 24,32; Ap 3,5), *a esperança da salvação* (cf. 1Ts 5,8), a medula do Evangelho, a via da perfeição, a chave do paraíso, *o pacto de eterna aliança* (cf. Gn 17,13). [3]Queria que todos a possuíssem, que todos a conhecessem, e por toda parte ela conversasse com *o homem interior* (cf. Rm 7,22; Ef 3,16) *como palavra de alento no [momento de] aborrecimento* (cf. Sb 8,9) e recordação do juramento prestado. [4]Ensinou-lhes que ela deve sempre ser trazida diante dos olhos para recordação da vida a ser praticada e, o que é mais [importante ainda], com ela eles deviam morrer.

[5]Um irmão leigo – que cremos deva ser cultuado entre o número dos mártires –, que não se esqueceu desta instrução, alcançou a palma da gloriosa vitória. [6]Pois, quando era levado pelos sarracenos ao martírio, segurando a Regra nas mãos levantadas, depois de ter dobrado humildemente os joelhos, disse ao companheiro: [7]"Irmão caríssimo, diante dos *olhos da majestade* (cf. Is 3,8) e diante de ti, declaro-me culpado de tudo o que fiz contra esta Regra". [8]À breve confissão seguiu-se a espada, pela qual terminou a vida com este martírio; brilhou depois em *sinais e prodígios* (cf. 2Cor 12,12). [9]Ele entrara na Ordem tão jovenzinho que mal podia suportar o jejum regular e, ainda que tão menino, trazia um cilício junto à carne. [10]Feliz menino que de maneira feliz *começou* e de maneira [ainda] mais feliz *terminou* (cf. Sir 18,6).

Capítulo CLIX – Uma visão que recomenda a Regra

209 [1]Uma vez, o santíssimo pai teve uma visão, acontecida por oráculo celeste, a respeito da Regra. [2]No tempo em que entre os irmãos se discutia sobre a regra a ser confirmada, estando o santo intensamente preocupado com esse assunto, são-lhe mostradas estas coisas *em sonho* (cf. Mt 1,20). [3]Parecia-lhe, de fato, que colhia do chão migalhas de pão muito pequenas e que devia distribuí-las a muitos irmãos famintos que o rodeavam. [4]E como temesse distribuir migalhas tão finas, receando que escapassem entre as mãos partículas tão diminutas, uma *voz* vinda do alto lhe *clamava* (cf. Dn 6,20): "Francisco, faze de todas as migalhas uma única hóstia e distribui aos que querem comer. [5]Fazendo isto, todos aqueles que não recebiam devotamente ou que desprezavam o dom recebido imediatamente apareciam distintamente infectados pela lepra. [6]Pela manhã, o santo homem relata todas estas coisas aos companheiros, lamentando não entender *o mistério da visão* (cf. Dn 2,19). [7]E depois de pouco tempo, ao *persistir* vigilante *na oração* (cf. Tb 3,11), *veio-lhe do céu* esta *voz* (cf. 2Pd 1,17.18): "Francisco, as migalhas da noite passada são as palavras do Evangelho, a hóstia é a Regra, a lepra é a iniquidade". – [8]Os irmãos daqueles tempos, que eram prontíssimos a dar tudo, não consideravam dura ou rigorosa esta fidelidade que juraram. [9]Pois a moleza ou a preguiça não têm lugar onde o estímulo do amor sempre provoca às coisas maiores.

As enfermidades de São Francisco

Capítulo CLX – Como conversou com um irmão sobre como servir o corpo

210 [1]Francisco, arauto de Deus, por meio de inúmeros trabalhos e intensos sofrimentos *colocou* suas *pegadas* (cf. Js 3,13) nas veredas de Cristo e não arredou o pé, enquanto não *consumou* da maneira mais perfeita o que *começou* (cf. Lc 14,30) de maneira perfeita. [2]Como *estivesse cansado* (cf. Jz 16,16) e com o corpo totalmente alquebrado, nunca desistiu do caminho de sua perfeição, nunca se permitiu abrandar o rigor da disciplina. [3]E não conseguia ajudar o corpo já exausto, ainda que só um pouquinho, sem o murmurar da consciência. [4]E assim, mesmo não querendo, ao precisar aliviar com remédios os incômodos do corpo, os quais iam além das suas forças, num dia falou benignamente a um irmão que – ele sabia –

lhe daria um conselho adequado: [5]"Que te parece, filho caríssimo, o fato que a minha consciência murmura frequentemente contra o cuidado [que tenho] do corpo? [6]Ela teme que eu seja muito indulgente com o [corpo] enfermo e procure socorrê-lo com remédios delicados. [7]Não que ele, já debilitado por longa enfermidade, tenha prazer em receber alguma coisa; [pois] dele se retirou todo desejo de [sentir] sabor".

211 [1]O filho respondeu diligentemente ao pai, sabendo que pelo Senhor lhe era dada a palavra da resposta: "Dize-me, por favor, ó pai, com quanta diligência teu corpo obedeceu às tuas ordens, enquanto pôde?" [2]Ele disse: "Filho, *dou* meu *testemunho* (cf. Jo 5,31) de que ele foi *obediente em tudo* (cf. Cl 3,20), em nada poupou a si mesmo, mas quase se precipitava a todas as ordens. [3]Não fugiu de trabalho algum, não escapou de incômodo algum, bastava-lhe poder *cumprir as ordens* (cf. Jz 9,54). [4]Nisto concordamos perfeitamente eu e ele: sem qualquer repugnância *serviríamos ao Cristo Senhor*" (cf. Cl 3,24). [5]E disse o irmão: "Então, pai, onde está a tua liberalidade, onde a compaixão, onde a discrição? [6]Porventura é esta uma retribuição digna *de amigos fiéis* (cf. Sir 6,14): receber de boa vontade o benefício e no tempo necessário não pagar pelo favor àquele que o presta? [7]Que serviço pudeste prestar até agora a teu *Cristo Senhor* (cf. Cl 3,24) sem o auxílio do corpo? [8]Por acaso, não é em vista disto que ele se entregou a todo perigo, como tu mesmo disseste?" [9]Disse o pai: "Filho, confesso que isto é bem a verdade". [10]E disse o filho: "É razoável que, em tão grande necessidade, faltes a *amigo* tão *fiel* (cf. Gn 18,25), que por ti se expôs a si mesmo e a todas suas coisas até à morte? [11]*Longe de ti,* pai, auxílio e apoio dos aflitos, *longe de ti este pecado diante do Senhor!*" (cf. 1Sm 12,23). [12]Ele disse: "*Bendito* também *tu, filho* (cf. 1Sm 26,25), que com sabedoria deste a beber remédios tão salutares aos meus questionamentos!" [13]E começou a falar alegremente ao corpo: "Alegra-te, irmão corpo, e *perdoa-me* (cf. Jó 7,16), porque eis que agora faço de boa vontade teus desejos e apresso-me em socorrer as tuas lastimosas vontades!" – [14]Mas o que poderia deleitar aquele pequeno corpo já extinto? [15]O que poderia sustentá-lo, já arruinado por todo lado?

[16]Francisco já *havia morrido para o mundo*, mas *Cristo vivia* (cf. Gl 2,19.20) nele. [17]As delícias do mundo eram uma cruz para ele, porque ele trazia *a cruz de Cristo* (cf. Gl 6,14) arraigada no coração. [18]E os estigmas refulgiam exteriormente na sua carne, porque a raiz tinha crescido profundamente no seu espírito.

Capítulo CLXI – O que lhe fora prometido pelo Senhor por suas enfermidades

212 [1]Estando ele assim desgastado por sofrimentos de todos os lados, é admirável que [ainda] pudesse ter forças suficientes para suportá-los. [2]Chamava, no entanto, suas angústias não com o nome de penas, mas de irmãs. [3]Não resta dúvida que elas provinham de muitas causas. [4]De fato, para que ele se tornasse mais claro nos triunfos, o Altíssimo não só confiou coisas difíceis ao cavaleiro em seu tirocínio, mas também era dada ocasião de triunfar ao homem já experimentado na cavalaria. [5]Os seguidores têm exemplos também nisto, pois a velhice não o tornou mais vagaroso e a enfermidade não o tornou mais indulgente [consigo]. [6]E também não foi sem motivo que foi perfeita a sua purificação *no vale de lágrimas* (cf. Sl 83,7); assim, *ele prestava contas do último vintém* (cf. Mt 5,26) – se algo a ser queimado lhe tivesse aderido –, para finalmente, purificadíssimo, voar rapidamente ao céu. [7]Penso que a principal razão de seus sofrimentos foi que, como ele mesmo afirmava com relação a outros, *há grande retribuição por* (cf. Sl 18,12) suportá-los.

213 [1]Numa noite, ao atormentar-se mais do que de costume por causa dos graves e diversos sofrimentos de suas enfermidades, começou a compadecer-se de si mesmo do íntimo do coração. [2]Mas, para que aquele *espírito pronto* (cf. Mt 26,41) não concordasse carnalmente com a carne em alguma coisa, ainda que por um momento, rezando a Cristo, ele mantém imóvel o escudo da paciência. [3]*Enquanto rezava*, assim posto *na luta* (cf. Lc 22,43), *obteve* finalmente do Senhor *a promessa da vida eterna* (cf. Hb 10,36; Jo 6,69) com esta comparação: [4]"Se todo *o volume da terra* (cf. Is 40,12) e o conjunto do universo fossem ouro *incalculavelmente* (cf. Sl 43,13) precioso, e se em lugar destes duros sofrimentos que padeces – sendo retirada toda dor – te fosse dado como prêmio um tesouro de tão grande glória, *comparado* com o qual o predito *ouro* (cf. Sb 7,9) fosse um nada ou até mesmo nem digno de ser mencionado, por acaso não te alegrarias, suportando de boa vontade o que suportas no momento?" [5]Disse o santo: "É claro que me alegraria, alegrar-me-ia *acima da medida* (cf. 2Cor 4,17)". [6]Disse-lhe o Senhor: "Então exulta, porque tua enfermidade é a garantia de meu reino, e pelo mérito da paciência espera *seguro e certo* (cf. Sb 7,23) *a herança do* mesmo *reino*" (cf. Ef 5,5). – [7]Mas com quanta exultação julgas que o bem-aventurado homem se alegrou por tão feliz promessa? [8]Não só com quanta paciência, mas também com quanto amor crês que ele abraçou os sofrimentos do corpo? [9]Ele agora o sabe perfeitamente, porque naquele tempo lhe foi impossível dizer. [10]Mas contou umas poucas coisas aos companheiros, como pôde. – [11]Então, compôs os Louvores das Criaturas e exortou-as a de algum modo louvarem o Criador.

O trânsito do santo pai

Capítulo CLXII – Como exortou e abençoou os irmãos no fim

214 [1]*Na morte do homem*, diz o sábio, *as suas obras se revelam* (cf. Sir 11,29); vemos que isto se realizou gloriosamente neste santo. [2]Ele, *percorrendo* com alegria de espírito *o caminho dos mandamentos de Deus* (cf. Sl 118,32), pelos degraus de todas as virtudes chegou ao ápice e, como obra a ser esculpida, levado à perfeição pelo martelo de múltiplas tribulações, *viu o fim de toda consumação* (cf. Sl 118,96). [3]Então, as suas obras maravilhosas brilharam mais, e refulgiu pelo *juízo da verdade* (cf. Sl 110,7) que tudo o que ele viveu foi divino, visto que, depois de ter calcado os atrativos mortais desta vida, ele partiu livre para os céus. [4]De fato, ele considerou opróbrio *viver para o mundo* (cf. Gl 2,20), *amou os seus até ao fim* (cf. Jo 13,1) e recebeu a morte, cantando. – [5]Ao aproximar-se já dos últimos dias – aos quais, subtraída a luz que acaba, sucedia *a luz eterna* (cf. 4Esd 2,35) –, mostrou pelo exemplo da virtude que ele nada tinha de comum com o mundo. ⁶Alquebrado, pois, por aquela enfermidade tão grave que colocou um fim a todo sofrimento, ele mandou que fosse deposto nu *sobre a terra* (cf. Is 14,1) nua, para, naquela hora extrema em que o inimigo ainda podia irar-se, lutar nu com o nu. ⁷Na verdade, esperava intrépido o triunfo e com as mãos unidas estreitava *a coroa da justiça* (cf. 2Tm 4,8). ⁸*Colocado* assim *sobre a terra* (cf. Jó 20,4), despojado da veste de saco, ele *elevou*, como de costume, *o rosto ao céu* (cf. Jó 11,15) e, *fixando-se* todo naquela *glória* (cf. At 7,55), cobriu com a mão esquerda a chaga do lado direito para que não fosse vista. ⁹E disse aos irmãos: *"Eu fiz o que é meu [dever]* (cf. 1Rs 19,20); que *Cristo vos ensine* (cf. Ef 4,21) o que é o vosso!"

215 ¹Ao verem estas coisas, os filhos produzem rios de lágrimas e, tirando do íntimo longos suspiros, sucumbem ao compadecer-se com imensa dor. ²Neste ínterim, tendo contido de algum modo os soluços, o seu guardião, que por divina inspiração reconheceu o que ele realmente desejava, levantou-se rapidamente e, tomando uma túnica com os calções e um gorro, disse ao pai: ³"Saibas que esta túnica, os calções com o gorro, pelo mandato da santa obediência, te são emprestados por mim! ⁴Mas, para que saibas que não tens nenhuma propriedade sobre eles, tiro-te o poder de dá-los a alguém". ⁵O santo alegra-se e regozija-se com grande *alegria do coração* (cf. Ct 3,11), porque percebe que manteve até ao fim a fidelidade à senhora pobreza. ⁶Fizera todas estas coisas pelo zelo da pobreza, de modo que no fim não queria ter hábito próprio, mas como que emprestado por outro. ⁷E ele havia usado um gorro de saco na cabeça para cobrir as cicatrizes que recebera em vez da saúde dos olhos; para ele era extremamente necessário um gorro de lá preciosa, que fosse muito macio.

216 ¹Depois disto, o santo *eleva as mãos ao céu* (cf. 2Cr 4,16) e engrandece o seu Cristo, porque, já despojado de tudo, vai livre para ele. ²E para mostrar que em tudo era *imitador de Cristo* (cf. 1Cor 4,16), seu Deus, *amou até ao fim* os irmãos e filhos que *amara* (cf. Jo 13,1) desde o princípio. ³Mandou que fossem chamados para junto de si todos os irmãos que lá estavam presentes e, confortando-os *com palavras de consolação* (cf. Zc 1,13) pela sua morte, com afeto paterno exortou-os ao amor de Deus. [4]Falou sobre a observância da paciência e da pobreza, antepondo o santo Evangelho às demais instituições. [5]E, estando todos os irmãos sentados ao redor, *estendeu sobre eles sua mão direita* e, começando pelo seu vigário, a *impôs sobre a cabeça* (cf. Gn 48,14) de cada um e disse: [6]"Filhos todos, adeus, *no temor do Senhor* (cf. At 9,31)! E permanecei sempre nele! [7]E porque se aproximam a futura *tentação* e *tribulação* (cf. Sir 27,6), felizes os que perseverarem no que começaram. [8]Pois eu me apresso [em ir] para Deus, a cuja graça recomendo todos vós". [9]E, naqueles que lá estavam, ele abençoou também a todos os irmãos que *viviam em* toda parte do *mundo* (cf. 2Cor 1,12) e *os que haveriam de vir após* (cf. Jo 1,15) eles *até* ao fim *dos séculos dos séculos* (cf. Dn 7,18). – [10]Ninguém usurpe para si esta bênção que ele, nos presentes, promulgou para os ausentes; como está escrita em outro lugar, ela soou como algo especial, mas [serviu] antes para desvirtuar o ofício[26].

Capítulo CLXIII – Sua morte; e o que fez antes da morte

217 [1]E assim, estando os irmãos a lamentar amargamente e a chorar inconsolavelmente, o santo pai mandou *que lhe fosse trazido um pão* (cf. Mt 14,17.18). Ele *o abençoou e o partiu* (cf. Mt 26,26; Lc 24,30) e deu um pedacinho a cada um para comer. [2]Ordenando também que fosse trazido o códice dos evangelhos, pediu que lhe fosse lido o Evangelho de João, a partir daquela passagem que começa: *Antes da festa da Páscoa* (Jo 13,1) etc. [3]Recordava-se daquela sacratíssima Última Ceia que o Senhor celebrou *com seus discípulos* (cf. Mt 26,20). [4]Fez tudo isto em venerando memorial daquela ceia, demonstrando o afeto de amor que tinha para com os irmãos.

[5]Passou assim, em louvor, os poucos dias que lhe restavam até a morte, convidando seus irmãos mui diletos a louvarem consigo o

---

26. Este versículo é um tanto controvertido. Alguns veem nele uma retratação da bênção dada a Frei Elias em 1Cel 108; outros, defensores de Frei Elias, a consideram uma interpolação. Lembre-se que, quando Tomás de Celano escreveu a Segunda Vida, Frei Elias estava fora da Ordem e duplamente excomungado, a saber, pelo Papa Gregório IX e pelo Papa Inocêncio IV. Por isso, não ficava bem uma bênção tão solene a um "Judas" da Ordem.

Cristo. [6]E ele, como pôde, prorrompeu neste salmo: *Com minha voz bradei ao Senhor, com minha voz supliquei ao Senhor* (cf. Sl 141,2-8) etc. [7]Convidava também todas as criaturas ao *louvor de Deus* (cf. Lc 18,43) e, por meio das palavras que outrora compusera, ele próprio as exortava ao amor de Deus. [8]Exortava ao louvor até a própria morte, terrível e odiosa para todos, e, *indo alegre ao encontro dela* (cf. Jz 19,3), convidava-a à sua hospitalidade; disse: "Bem-vinda, minha irmã morte!" [9]E disse ao médico: "Irmão médico, prognostica com coragem que a morte está próxima, ela para mim será a porta da vida!" [10]E disse aos irmãos: "Quando virdes que cheguei ao fim, como me vistes nu anteontem, assim colocai-me sobre a terra e deixai-me jazer deste modo, já defunto, por tão longo espaço de tempo que alguém poderia percorrer devagar a extensão de uma milha". – [11]Então, *chegou a hora* (cf. Jo 4,21) e, tendo sido realizados para com ele todos *os mistérios de Cristo* (cf. Cl 4,3), ele voou de maneira feliz para Deus.

Como um irmão viu a alma do santo pai no seu trânsito

217a [1]Um irmão, dos discípulos dele, de fama não pouco célebre, viu a alma do santíssimo pai *como uma estrela* (cf. Sir 50,6) que tinha a imensidade da lua e a claridade do sol, elevando-se *sobre grandes águas* (cf. Sl 28,3), conduzida por *uma nuvenzinha branca* (cf. Ap 14,14), *subir* em linha reta *ao céu* (cf. Js 8,20).– [2]Por esta razão, *deu-se afluência de muitas pessoas* (cf. At 21,30) *que louvavam e glorificavam o nome do Senhor* (cf. Lc 2,20). [3]Aos bandos, toda a cidade de Assis se precipita, e *toda a região* (cf. Mt 8,34; 3,5) se apressa para ver *as maravilhas de Deus* (cf. At 2,11), as quais *o Senhor mostrara* (cf. Lc 2,15) em seu servo. [4]Lamentavam os filhos, privados de tão grande pai, e mostravam o piedoso afeto do coração com lágrimas e suspiros. [5]Entretanto, a novidade do milagre transforma o pranto em alegria e o luto em jubilação. [6]Viam o corpo do bem-aventurado pai decorado com os estigmas de Cristo, a saber, no meio de suas mãos e pés não na verdade as perfurações dos cravos, mas os próprios cravos formados da sua carne, ou melhor, congênitos à mesma carne, mantendo a negritude do ferro, e o lado direito avermelhado de sangue. [7]Sua carne, antes naturalmente escura, a brilhar com grande candura, prometia os prêmios da bem-aventurada ressurreição. [8]Enfim, seus membros tornaram-se flexíveis e moles, não rígidos – como costumam os dos mortos –, tornando-se semelhantes aos da idade infantil.

Capítulo CLXIV – A visão que Frei Agostinho teve na morte

218 [1]Frei Agostinho, então ministro dos irmãos da Terra di Lavoro, que se encontrava em sua última hora, como já há muito tempo havia perdido a fala, *clamou de repente*, estando a ouvir *os que estavam presentes* (cf. At 23,4), e *disse* (cf. Lc 9,39; Jo 12,44): [2]"Espera-me, pai, espera-me! Eis que já vou contigo". [3]Aos irmãos que muito se admiravam e perguntavam a quem falava desta maneira, respondeu com ousadia: "Não vedes nosso pai Francisco que vai ao céu?" [4]E imediatamente sua santa alma, desprendida da carne, seguiu o santíssimo pai.

Capítulo CLXV – Como o santo pai apareceu a um irmão depois do trânsito

219 [1]A um outro irmão de vida louvável, então dedicado à oração, naquela mesma noite e hora apareceu o glorioso pai, vestido com uma dalmática de cor púrpura, a quem seguia incontável multidão de homens. [2]Destacando-se muitos da multidão, disseram ao irmão: "Ó irmão, por acaso não *é este o Cristo* (cf. Jo 7,26)?" E ele dizia: "*É ele mesmo* (cf. Mt 26,48)". [3]E outros perguntavam por sua vez, dizendo: "Por acaso não é este São Francisco?" O irmão respondia igualmente que era. [4]Na verdade, parecia ao irmão e à multidão de todos que o acompanhavam que a pessoa de Cristo e do bem-aventurado Francisco era uma só. – [5]Isto não é de modo algum considerado temerário pelos que compreendem sabiamente, pois *quem se une a Deus se torna um espírito* (cf. 1Cor 6,17) com ele, e o próprio *Deus* há de ser *tudo em todos* (cf. 1Cor 12,6). – [6]Finalmente, o bem--aventurado pai chegou com aquela admirável multidão a lugares muito amenos; estes, *irrigados por águas* (cf. Ez 31,14) extremamente límpidas, vicejavam com a beleza de todas as relvas e, brotando com o ornamento das flores na primavera, se enchiam de toda espécie deliciosa das árvores. [7]Havia ali um palácio de admirável grandeza e de rara beleza; entrando nele, o novo habitante do céu, depois de ter encontrado muitos irmãos, começou a banquetear-se agradavelmente com os seus em uma mesa esplendidissimamente preparada e repleta com as mais variadas delícias.

Capítulo CLXVI – Visão do bispo de Assis sobre o trânsito do santo pai

220 [1]O bispo de Assis, naquela ocasião, havia-se dirigido por motivo de peregrinação à igreja de São Miguel. [2]Voltando de lá, como estivesse hospedado em Benevento, apareceu-lhe por meio de uma visão o bem-aventurado pai Francisco, na noite de seu trânsito, e disse-lhe: "Pai, eis que, *deixando este mundo, vou para* (cf. Jo 16,28) Cristo". [3]*Levantando-se de manhã* (cf. Gn 24,54), o bispo narrou aos companheiros o que viu e, tendo chamado o notário, anotou o dia e a hora do trânsito. [4]E ficando muito triste por causa disto, banhado em lágrimas, lamentava ter perdido um pai especial. [5]E assim, *voltando à sua terra* (cf. Sl 145,4) e narrando *por ordem* (cf. Est 15,9) todas as coisas, *rendeu* copiosas *graças ao Senhor* (cf. At 27,35) pelos seus dons.

Canonização e transladação de São Francisco

220a [1]*Em nome do Senhor Jesus* (cf. 1Cor 6,11). Amém. No ano de 1226 da Encarnação, no dia 4 de outubro – no dia que predissera – tendo completado vinte anos desde que aderiu perfeitamente a Cristo *seguindo* a vida e *as pegadas* (cf. 1Pd 2,21) dos apóstolos, Francisco, homem apostólico, desprendido dos grilhões da vida mortal, migrou de maneira feliz a Cristo; [2]e, sepultado na cidade de Assis, começou a brilhar por toda parte com tantos, tão admiráveis e vários milagres que, em breve tempo, levava grande parte do mundo à admiração dos novos tempos. ³Como já brilhasse em diversas partes com nova luz dos milagres e de toda parte concorressem os que se alegravam de ter sido libertados de seus males pelos benefícios dele, o senhor Papa Gregório, estando em Perúgia com todos os cardeais e com outros prelados das igrejas, começou a tratar a respeito da canonização dele. ⁴Então, concordes, todos disseram o mesmo. ⁵Leem e aprovam os milagres que o Senhor operara por meio de seu servo e exaltam com os mais altos louvores a vida e a conduta do bem-aventurado pai. ⁶Convocam-se primeiramente *os príncipes da terra* (cf. Sl 148,11) a tão grande solenidade; e, no dia estabelecido, toda a multidão dos prelados, com inumerável afluência do povo, entra com o feliz papa na cidade de Assis, para que aí, para a maior reverência do santo, se celebre a canonização do mesmo. ⁷E, vindo todos ao lugar preparado para tão solene encontro, o Papa Gregório prega primeiramente *ao povo todo* (cf. Hb 9,19) e anuncia com melífluo afeto *as maravilhas de Deus* (cf. Sir 18,5). ⁸Louva também com nobilíssimo sermão o santo pai Francisco e banha-se nas lágrimas ao anunciar a pureza do modo de vida dele. ⁹Então, terminado o sermão, o Papa Gregório, *tendo estendido as mãos ao céu* (cf. 2Mc 3,20; 14,34), proclamou com voz alta...

Oração dos companheiros do santo [dirigida] a ele

Capítulo CLXVII

221 ¹Bem-aventurado pai nosso, eis que os esforços da simplicidade tentaram de algum modo louvar teus magníficos feitos e trazer a público, para tua glória, ainda que poucas das inúmeras virtudes de tua santidade. ²Sabemos que nossas palavras tiraram muito do esplendor dos teus insignes [feitos], pois que se descobriram incapazes de manifestar as maravilhas de tão grande perfeição. ³Pedimos, a ti e aos leitores, que o [nosso] afeto seja visto como empenho, alegrando-vos pelo fato que as penas humanas são superadas pela grandeza de admirável modo de vida. ⁴Quem, pois, ó egrégio entre os santos, poderia formar em si mesmo ou imprimir nos outros *o ardor de* teu *espírito* (cf. Is 4,4), e quem conseguiria conceber aqueles inefáveis afetos que de ti fluíam ininterruptamente para Deus? [5]Mas estes feitos escrevemos deleitados pela tua doce recordação que, enquanto vivemos, nos esforçamos por transmitir aos outros, ainda que balbuciando. [6]Já *te alimentas da flor do trigo* (cf. Sl 80,17), ó tu que outrora eras faminto; já *bebes da torrente do prazer*, ó tu que até agora eras sedento. [7]Não cremos que estejas tão *inebriado da fartura da casa de Deus* (cf. Sl 35,9) a ponto de *te esqueceres dos teus filhos* (cf. Os 4,6), visto que também aquele a quem bebes *se lembra de nós* (cf. Sl 113,12). [8]Portanto, *arrasta-nos a ti*, ó digno pai, *para que corramos à fragrância dos teus perfumes* (cf. Ct 1,3), a nós que vês inteiramente tépidos pela falta de vigor, lânguidos pela preguiça, semivivos pela negligência! [9]*O pequeno rebanho* (cf. Lc 12,32) já te segue com passo hesitante; a pupila dos olhos enfermos, ao ser atingida, não suporta os raios de tua perfeição. [10]*Renova nossos dias como no princípio* (cf. Lm 5,21), ó espelho e modelo da perfeição, e não permitas [sejam] diferentes na vida os [que são] semelhantes a ti na mesma profissão.

222 [1]Eis que agora *apresentamos* (cf. Dn 9,18) as súplicas da humildade diante da clemência da *Majestade eterna* (cf. Sl 71,19) pelo servo de Cristo, o nosso ministro, sucessor de tua santa humildade e imitador da verdadeira pobreza, o qual, com doce afeição por *amor de teu Cristo* (cf. Rm 8,35; Sl 83,10), *cuida solicitamente* de tuas *ovelhas* (cf. Gn 46,32); [2]pedimos-te, ó santo, que de tal modo o promovas e abraces que, aderindo sempre às tuas próprias pegadas, ele consiga eternamente *o louvor e a glória* (cf. Fl 1,11) *que alcançaste* (cf. 1Tm 4,6).

223 [1]Suplicamos também com todo *o afeto do coração* (cf. Sl 72,7), ó benigno pai, por aquele teu filho que agora e outrora escreveu com devoção os teus louvores. [2]Ele, juntamente conosco, te oferece e dedica esta pequena obra, ainda que compilando-a não dignamente segundo seus méritos, mas piedosamente segundo suas forças. [3]Digna-te guardá-lo e *livrá-lo de* todo *mal* (cf. Mt 6,13), aumentando nele os santos méritos e associando-o para sempre, por tuas preces, ao convívio dos santos.

224 ¹Lembra-te, ó pai, de todos os teus filhos; tu, ó santíssimo, sabes perfeitamente quão de longe eles, angustiados por indizíveis perigos, *seguem* teus *passos* (cf. Gn 33,14). ²Dá-lhes forças para que resistam, purifica-os para que resplandeçam; alegra-os para que produzam frutos. ³Roga a fim de que *seja infundido neles o espírito da graça e das preces* (cf. Zc 12,10), para terem a verdadeira humildade que tiveste, para conservarem a pobreza que mantiveste, para merecerem o amor com que sempre amaste o *Cristo crucificado* (cf. 1Cor 1,23), ⁴que com o Pai e o Espírito Santo *vive e reina pelos séculos dos séculos. Amém* (cf. Ap 11,15).

Conecte-se conosco:

 facebook.com/editoravozes

 @editoravozes

 @editora_vozes

 youtube.com/editoravozes

 +55 24 2233-9033

www.vozes.com.br

Conheça nossas lojas:
www.livrariavozes.com.br

Belo Horizonte – Brasília – Campinas – Cuiabá – Curitiba
Fortaleza – Juiz de Fora – Petrópolis – Recife – São Paulo

  Vozes de Bolso

EDITORA VOZES LTDA.
Rua Frei Luís, 100 – Centro – Cep 25689-900 – Petrópolis, RJ
Tel.: (24) 2233-9000 – E-mail: vendas@vozes.com.br